LE GRAND DÉFI
Le chemin de fer canadien

PIERRE BERTON

LE GRAND DÉFI
Le chemin de fer canadien

Abrégé et révisé par l'auteur
Traduit par Pierre Bourgault

ÉDITIONS DU JOUR
1651, rue Saint-Denis, Montréal

Distributeur :
Messageries du Jour Inc.
8255, rue Durocher
Montréal H3N 2A8
Téléphone : 274-2551

Maquette de la couverture : Jacques Bourassa

Photo de la couverture : Courtoisie du Canadien Pacifique

Photos : Michael Reichmann, CBC

Cartes : Courtney C. J. Bond

Publication originale en anglais sous les titres
THE NATIONAL DREAM et THE LAST SPIKE
par McClelland and Stewart Limited, Toronto

TABLE DES MATIÈRES

CARTES

Tome I

UN RÊVE INSENSÉ

traduction de PIERRE BOURGAULT

D'un océan à l'autre

Janvier 1871. C'est le Jour de l'An. L'année qui commence annonce la naissance d'un nouveau Canada qui s'étendra de l'Atlantique au Pacifique. Aujourd'hui il gèle à pierre fendre dans presque toute l'Amérique du Nord. A Ottawa, il fait dix-huit degrés sous zéro et la neige, presque sablonneuse, crisse sous les pas des fidèles qui s'acheminent vers l'église. Du Lac Ontario souffle un vent glacial qui amoncelle les bancs de neige le long des murs en bois carré des granges du Haut-Canada cette neige qui couvre les clôtures sinueuses et qui chambarde l'horaire du Grand Trunk, sur la ligne Montréal-Toronto. En face de Québec, sur le Saint-Laurent, le pont de glace se raffermit, comme chaque année à cette époque. Dans le port de Saint-John, le givre s'accumule sur les gréments et transforme les barques et les goélettes en vaisseaux-fantômes.

Et pourtant, aux deux extrémités de la colonie, ce Jour de l'An ressemble fort à un jour d'été. La ravenelle jaune fleurit encore timidement les murs des jardins anglais de Victoria, en Colombie Britannique, pendant que dans la plaine verdoyante de l'Ile du Prince Edouard, les champs ne sont pas encore gelés. Les journaux publient des éditoriaux aussi revigorants que le climat. Les producteurs de pommes de terre de Souris et de Summerside ne peuvent qu'approuver ce qu'ils lisent dans leur Islander *du samedi : « Dans notre petite île confortable, nous n'avons jamais rien connu d'autre que les bienfaits de la Providence », écrit-on. « Notre société n'a sans doute jamais été aussi riche, à aucun moment de son histoire, qu'elle l'est maintenant. » On a, en effet, toutes les raisons de se réjouir : la petite colonie attend avec impatience les nouvelles propositions que doit lui faire le Canada pour l'inciter à se joindre à la Confédération ; la rumeur veut qu'elles soient beaucoup plus intéressantes que celles qui furent précédemment rejetées. Et après tout, pourquoi pas ? N'a-t-on pas promis un chemin de fer à la Colombie Britannique ?*

A trois mille milles de là, dans l'Ouest, les presses du British Colonist *impriment, pour l'édition du lendemain, les voeux du Jour de l'An. En ce qui concerne la Colombie Britannique, écrit l'éditoria-*

11

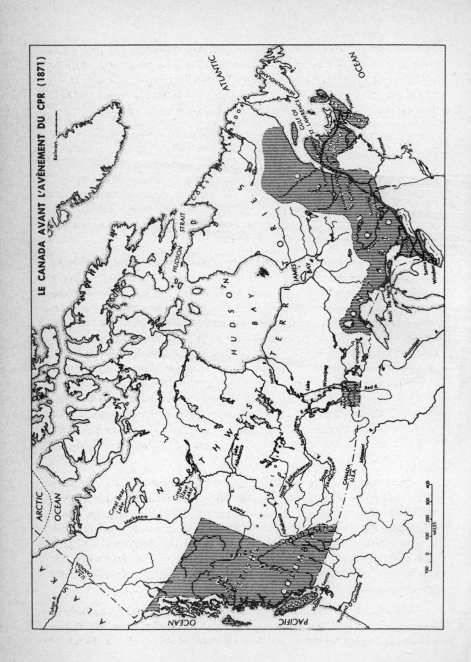

LE CANADA AVANT L'AVÈNEMENT DU CPR (1871)

liste, les perspectives n'ont jamais été aussi brillantes : « *Vêtue de sa robe de mariée, elle s'apprête à unir son destin à un pays prédisposé à lui accorder toutes ses faveurs.*» *Le* Colonist *reproduit un article tiré d'un journal tory de l'Est, dans lequel on félicite le gouvernement du cadeau de mariage qu'il s'apprête à déposer à ses pieds.*

Le monde, comme à l'accoutumée, s'agite : les Allemands sont aux portes de Paris et l'insurrection menace Cuba. Mais au Canada, la bonne humeur règne. Même George Brown, le directeur vitriolique du Globe, *fait patte de velours. Quoi ! c'est peut-être un sourire qui s'épanouit sur ce long visage écossais pendant que, de son bureau de Toronto, il rédige un éditorial bien plus inoffensif que d'habitude :* « *C'est le règne de la paix et de l'abondance, écrit-il, et ce nouvel an ne nous annonce qu'espoir et progrès.* »

Dimanche. On a tiré les rideaux et les cloches des églises se répondent de village en village. Il faudrait être bien malin pour résister à leur appel. Comme c'est le jour du Seigneur, les Canadiens ont remis au lendemain leurs célébrations traditionnelles, élégantes et souvent gauloises. C'est une véritable armée de domestiques qui, en prévision de ce lundi fastueux, a poli comme un sou neuf les bronzes et le bois de rose, l'argenterie et le verre taillé. Demain, les élégants citadins, bons vivants en redingote, tituberont de perron en perron, accueillis par des rombières fortes en poitrine, les lèvres pincées, la carafe pleine à la main. Les mouvements de tempérance s'émeuvent de pareille débauche. On affirme même qu'à Montréal certaines de ces dames se sont laissé convaincre de servir plutôt du café. Cette ville, rapporte un correspondant, a célébré le jour de l'An « dans le calme et la sobriété ».

Mais beaucoup plus à l'ouest, par-delà le sombre désert du Bouclier canadien, à Fort Garry, au Manitoba, les célébrations sont plus endiablées. Les cris aigus de la cornemuse se mêlent au grincement des violons pendant que les colons, comme envoûtés, dansent les reels interminables de la Rivière Rouge. Les tables croulent sous des montagnes de gibier et de quartiers de bison fumants. Car la grande fête écossaise de Hogmanay — célébrée la veille du Jour de l'An — est beaucoup plus importante pour eux que la fête de Noël.

Il y a là un Ecossais qui a une raison bien particulière de célébrer. En effet, Ronald A. Smith, qui arrivait du Labrador, vient d'être élu député fédéral à la suite de la première élection de sa province d'adoption. C'est une victoire significative. En effet, les décisions de 1871 donneront naissance à toute une série d'événements qui vont transformer la vie de Smith et l'immortaliser pour toujours dans les livres d'histoire en l'associant à un crampon de rail symbolique, au fond d'une gorge de montagne perdue.

Cette gorge se trouve à plus de mille milles de la Rivière Rouge et, tout au long de ce parcours, il n'y a pas âme qui vive. Impressionnants dans leur immensité et leur isolement, les nouveaux territoires du Nord-Ouest, au coeur du Canada nouveau, sommeillent sous leur manteau de neige. Coupée du Pacifique par les grandes chaînes de montagnes et de l'Est colonisé, par un désert de granit précambrien, la grande plaine, au centre du pays, ressemble à une île inexplorée.

Le Nord-Ouest ! Ce nom prend déjà une petite allure romantique. En hiver, quand souffle le blizzard et que le ciel s'estompe, c'est un véritable enfer, tout blanc ; mais, selon tous les témoignages, en été, c'est un royaume enchanté. On raconte qu'il est possible de voyager pendant des jours entiers dans les ornières de la piste Carlton, entre Fort Garry et Fort Edmonton, sans y rencontrer âme qui vive. C'est la terre vierge qui roule de crête en crête jusqu'à l'horizon qui s'arc-boute au ciel. On raconte encore que dans ce pays, les champs de lis et de jacinthes des bois s'étendent à perte de vue, jusqu'à la ligne d'horizon, « comme si on avait jeté sur la plaine un immense tapis oriental ».

La poule des prairies, dit-on, y est si abondante que son vol obscurcit le soleil. Par ailleurs, lorsque les pigeons-voyageurs se juchent sur les chênes, ils sont si nombreux que leur seul poids peut en rompre les branches. Il y a là des lacs merveilleux où s'ébattent les oies et les cygnes, de vastes prairies fréquentées par d'énormes grues qui vont par deux ; on peut observer partout ce spectacle d'une beauté infinie : le manège des bisons qui traversent des rivières noires et un océan d'herbes fauves qui montent jusqu'à la ceinture. Seuls quelques privilégiés ont pu contempler ces merveilles ; mais les décisions de 1871 n'en feront plus bientôt qu'un souvenir.

Combien de Blancs habitent ce royaume désert ? Peut-être 2,500. On ne le sait pas de façon précise parce qu'il n'y a jamais eu de recensement. Le Nord-Ouest est un archipel d'îlots humains éparpillés ; la distance et le mode de vie les isolent les uns des autres — fermiers écossais, chasseurs de bisons métis, commerçants de whisky américains, missionnaires français, commerçants de fourrures britanniques et canadiens. Et, dans la prairie solitaire, entre ces petites enclaves habitées, les tribus indiennes, nomades et guerrières, errent tout à leur guise..

Pendant toute la décennie qui va suivre, ce grand domaine sauvage et incompris fera l'objet de spéculations interminables, de curiosité, de tractations et de débats politiques. A l'époque, peu de Canadiens s'en soucient vraiment ; de leur côté, la plupart des politiciens provinciaux sont « ou bien indifférents ou bien hostiles à l'acquisition de ces territoires ». Et pourtant, cette conquête allait changer l'histoire du jeune Dominion. Sir John A. Macdonald, Premier ministre conservateur, venait de promettre à la Colombie Britannique un chemin de fer qui traverserait le Nord-Ouest et qui atteindrait les rives du Pacifique. Une fois cette décision confirmée, à ce point tournant de 1871, tout allait changer.

Chapitre
un

LE
GRAND PAYS
SOLITAIRE

1

Lorsque John A. Macdonald promit à la Colombie Britannique de construire un chemin de fer en moins de dix ans, ses adversaires firent semblant de croire que le Premier ministre était devenu fou. Le chef libéral, Alexander Mackenzie, n'hésitait pas à affirmer que cette promesse était « insensée ». C'est là, affirmait-il au printemps de 1871, « un geste d'une folle témérité », et de très nombreux Canadiens lui donnaient raison.

Quoi ? Ce pays de trois millions et demi d'habitants, qui n'avait pas encore quatre ans d'existence, allait construire le plus grand chemin de fer du monde ? De mille milles plus long que la première voie ferrée américaine à rallier le Pacifique ? Cette voie ferrée que les Etats-Unis eux-mêmes, forts de leur quarante millions d'habitants, venaient à peine d'achever, de peine et de misère.

Et pourtant les Américains étaient bien plus riches, leur tracé était bien plus court et il traversait moins d'obstacles ; de plus, ils savaient où ils allaient — la côte américaine du Pacifique était parsemée de villes.

Mais, sur la côte canadienne, c'est sur une île qu'on trouvait la seule colonie d'importance. De plus, le territoire n'avait pas encore été cartographié, les gorges n'avaient pas été arpentées et les vallées restaient inexplorées.

Autre chose : les Américains, eux, ne s'étaient pas butés à une barrière aussi formidable que celle du Bouclier précambrien. Pour construire le chemin de fer à l'intérieur de la frontière canadienne, il faudra se frayer un chemin à la dynamite à travers un véritable désert de granit de sept cents milles de long. Pour faire sauter certaines crêtes, il faudra utiliser trois tonnes de dynamite par jour pendant des mois ; au-delà des crêtes s'étendaient trois cents milles de marécages capables d'avaler une locomotive d'un seul coup (ce qui devait d'ailleurs arriver). C'était une terre inculte, et nombreux étaient ceux qui affirmaient, à la suite de Mackenzie, que la construction d'un chemin de fer en cet endroit « était une des entreprises les plus insensées qu'on pût imaginer ».

Ce n'est pas tout. Une fois le Bouclier franchi, il faudra encore traverser les territoires du Nord-Ouest — un empire inhabité, (qu'on croyait stérile), couvert d'herbes ondulantes, bordé par la vallée peu boisée de la rivière North Saskatchewan. Il faudra traîner là, sur des distances considérables, tous les matériaux de construction nécessaires, le bois, les dormants, les pontages, à travers ce pays désertique où le vent semblait ne jamais cesser de souffler.

Au bout de la plaine, un mur de roc, ébréché et nu, s'élevait à huit mille pieds et bloquait le passage. Derrière ce mur il y en avait un autre, et plus loin, un troisième. Et finalement, au pied de cette mer de montagnes, s'étendait la côte inconnue, pareille à un vieux manteau usé. Georges Etienne Cartier avait promis à la Colombie Britannique, au nom de son chef malade, que le chemin de fer atteindrait la côte et qu'il serait en état de service avant dix ans. Edward Blake, le grand intellectuel du parti d'opposition libéral (ou réformiste), affirmait qu'il s'agissait là « d'un projet extravagant ». Plus d'un partisan de Macdonald lui donnait raison.

C'est pour attirer la Colombie-Britannique dans la nouvelle Confédération des provinces d'Ontario, de Québec, du Nouveau-Brunswick, de la Nouvelle-Ecosse et du Manitoba que le gouvernement lui avait promis ce chemin de fer. Le Canada de Macdonald ne s'arrêtait pas aux Grands-Lacs ; il rêvait d'implanter en Amérique du Uord, d'un océan à l'autre, une nation britannique, pour en faire le deuxième volet d'une alternative politique fonctionnelle qui englobait déjà les Etats-Unis. Pour réaliser ce rêve, le chemin de fer était de première importance, affirmait le Premier ministre ; de plus, il permettrait de cimenter les provinces éparpillées et les territoires déserts de l'ouest. En vérité, il y avait une autre raison ; Macdonald avait besoin de cette diversion pour se maintenir au pouvoir. S'il réussissait à tenir sa promesse, sans doute le parti conservateur réussirait-il à se faire réélire par toute une autre génération.

Les sceptiques avaient la logique de leur côté, mais MacDonald jouait de toutes les émotions. Un pays de trois millions et demi d'habitants où les ouvriers gagnaient un dollar par jour pouvait-il se payer un chemin de fer de cent millions de dollars ? Peut-être que non ; mais Macdonald était bien décidé à convaincre le pays que, sans le chemin de fer, on ne pourrait jamais parler de nation canadienne dans le vrai sens du mot. Qui plus est, le gouvernement affirmait que la construction du chemin de fer n'entraînerait aucune augmentation des taxes : le coût en serait amorti par la vente de terrains dans le Nord-Ouest.

Pourquoi dix ans ? Mackenzie, l'adversaire de Macdonald, affirmait alors que le chemin de fer traverserait, sur presque toute sa longeur, un désert inhabité : « Il est bien inutile, dans ces conditions, de construire ce tronçon de voie ferrée avant trente ans. » Cela était parfaitement vrai ; mais Macdonald rétorquait que, sans chemin de fer, il n'y aurait même plus de pays dans trente ans. Si on n'occupait pas le terrain immédiatement, les Américains remonteraient jusque là pour y combler le vide. D'autre part, Joseph Trutch, chargé de mission de la Colombie Britannique, l'avait assuré que même si le gouvernement ne respectait pas à la lettre la clause des dix ans, la province ne lui en tiendrait pas rigueur.

Les critiques se faisaient encore plus violentes quand on parlait de la nécessité d'un tracé entièrement canadien. Peu de Canadiens croyaient qu'on trouverait des entrepreneurs assez fous pour tenter de franchir le désert de roc qui s'étend entre le Lac Nipissing et la Rivière Rouge. Les adversaires de Macdonald voulaient qu'on fasse dévier la voie ferrée vers les Etats-Unis, d'où elle remonterait vers le Manitoba en passant par Duluth. L'Amérique du Nord eût-elle constitué un seul pays qu'on se serait facilement rallié à cette solution raisonnable. Mais Macdonald croyait que le Canada ne pourrait jamais affirmer son identité nationale s'il ne contrôlait pas son propre chemin de fer. Qu'arriverait-il si la guerre éclatait ? Ne serait-on pas forcé alors de transporter des troupes à travers un territoire étranger ?

On se souvenait encore que, pendant le soulèvement des Métis en 1869, les troupes dépêchées à la Rivière Rouge avaient mis 96 jours pour franchir 47 portages du Bouclier canadien. Or, avec le chemin de fer, on pourrait acheminer des troupes vers le Nord-Ouest en moins d'une semaine.

Le nationalisme du Premier ministre était à la fois positif et négatif. D'un côté il se disait Canadien et, à cette époque, cela voulait dire à peu près la même chose que Britannique. De l'autre il était américanophobe jusqu'à la paranoïa. Selon lui, les Américains n'étaient que des « Yankees », et il mettait à prononcer ce mot tout le mépris qu'on y mettait à cette époque.

Les adversaires de Macdonald pensaient sans doute que c'était payer trop cher la possession des territoires du Nord-Ouest, mais celui-ci croyait que le gouvernement américain « est résolu à tout faire, hormis la guerre, pour s'emparer des territoires du Nord-Ouest ». « Cela étant, écrivait-il en janvier 1870, nous devons prendre immédiatement des mesures énergiques pour contrecarrer leurs plans. Pour bien démontrer notre détermination, la première chose à faire c'est de construire le chemin de fer. »

Macdonald savait que des intérêts américains puissants voulaient empêcher la construction d'un chemin de fer canadien. En 1869, le rapport d'une commission d'enquête américaine affirmait : « Si nous parvenons les premiers à mettre en service le Northern Pacific, c'en sera fait des possessions britanniques à l'ouest du quatre-vingt-onzième méridien. Elles seront américanisées au plus haut point, aussi bien dans leurs intérêts que dans leurs sentiments ; elles seront ainsi coupées du nouveau Dominion. Leur annexion aux Etats-Unis ne sera plus dès lors qu'une question de temps. »

Ce genre d'invasion pacifique avait déjà mené à l'annexion de l'Orégon.

Les constructeurs de chemins de fer étaient les premiers à convoiter le Nord-Ouest. « J'ai une énorme fringale de territoires, » affirmait le Général Cass, du Northern Pacific, à Edward Watkin, du Grand Trunk. En 1869, John Gregory Smith, alors gouverneur du Vermont et président du Northern Pacific, décida de construire son chemin de fer si près de la frontière que les Canadiens se verraient forcés d'abandonner leurs projets.

L'année suivante, le banquier Jay Cooke, véritable éminence grise du Northern Pacific, était tellement sûr de pouvoir s'emparer du monopole de ce territoire pour y faire passer son chemin de fer qu'il se servait de cette idée pour vendre les titres de la compagnie. Il croyait que son chemin de fer pourrait transporter les produits des riches terres agricoles tout en drainant les richesses minières de la Colombie Britannique.

« Drainer » : un mot courant à cette époque. Le comité sénatorial l'utilisait aussi. Les citoyens du Minnesota, pour leur part, voyaient déjà leur Etat dévorer toute la vallée de la Rivière Rouge. Leur destin s'étendait au nord du 49ème parallèle, affirmait en éditorial le *Pioneer Press*, de Saint-Paul. C'était là « la loi irrésistible de la nature. »

Mais Macdonald avait bien l'intention de défier la nature et de bâtir en même temps un pays. Pour y arriver il voulait se donner un instrument : le Pacifique Canadien. Le destin du pays reposait sur la construction d'un chemin de fer : l'histoire ne connaissait pas ce genre de précédent.

Au Canada, en 1871, le mot « nationalisme » avait des résonnances étranges et nouvelles. Le patriotisme allait à la dérive, les divisions raciales étaient profondes, la culture ne franchissait pas les frontières régionales, les animosités entre provinces étaient sauvages et la notion d'unité était toujours bien éphémère. Des milliers de Canadiens s'étaient déjà exilés au sud où ils avaient facilement trouvé des terres et une grande diversité d'entreprises, contrairement à ce qu'ils pouvaient trouver chez eux. Sur la carte du monde, le pays avait l'air d'un géant ; mais en réalité il ne s'étendait pas au-delà des Grands-Lacs.

Pour qu'il eût un sens, il fallait que les six provinces éparpillées s'unissent dans un grand projet national ou alors qu'elles imaginent ensemble quelque chose qui pourrait ressembler, même de loin, à « un grand rêve canadien ; » on ne se doutait pas alors que c'était exactement ce qui était en train d'arriver. Le projet existait : c'était la construction du Pacifique Canadien ; le rêve prenait forme ; c'était la colonisation des grands espaces désertiques et la naissance d'une nouvelle nation.

2

On parlait depuis bien longtemps déjà de construire un chemin de fer en direction du Pacifique ; on en parlait déjà quarante ans avant que Macdonald eût conclu un accord avec la Colombie Britannique. Mais tout cela n'était que rhétorique. En ce milieu du siècle, pour la plupart des Canadiens de la colonie, le projet d'une voie ferrée qui s'étendrait sur une distance de deux mille milles pour se perdre dans les brumes du Pacifique n'était qu'un mythe. Déjà en 1834 un journaliste de Toronto, Thomas Dalton, parlait vaguement d'une « route-vapeur » empruntant rivières, rails et canaux pour se rendre de Toronto jusqu'au Pacifique. Ses amis se rièrent de son enthousiasme ; sans doute pensaient-ils qu'il était un peu fou. De nouveaux projets surgirent qu'on prit cette fois plus au sérieux ; mais ce n'est pas avant 1851 que se manifesta le premier projet vraiment concret quand Allan Macdonell, un promoteur de Toronto, demanda à l'assemblée législative du Canada de lui octroyer une charte lui permettant de construire un chemin de fer vers le Pacifique. Le comité permanent qui s'occupait de cette question qualifia le projet de prématuré : les terres où devait passer la voie ferrée de Macdonell appartenaient à la Compagnie de la Baie d'Hudson.

« Une hallucination amusante qui disparaîtra rapidement. » C'est ainsi qu'on percevait le projet de Macdonell, mais ce genre de critique ne l'ébranla guère.

Après avoir essuyé deux nouveaux refus il persévéra dans son ambition et organisa des assemblées publiques pour dénoncer le monopole de la Baie d'Hudson. Il était absolument convaincu d'obtenir sa charte et il avait raison de l'être car on commençait à se faire à l'idée d'un chemin de fer canadien. En 1853, le pays s'adonna à une véritable orgie de construction de chemins de fer.

Cette période d'euphorie vit s'associer promoteurs, politiciens, gouvernement et compagnies de chemins de fer. Par la suite, cette association, classique dans l'histoire du Canada, mènera à bien un large éventail de travaux publics.

De plus en plus, l'argent et la politique faisaient bon ménage, surtout chez les Conservateurs. La plupart des politiciens conservateurs étaient des hommes d'affaires ou des professionnels et ils voyaient d'un fort bon oeil l'association entre le gouvernement et le big business dans la construction du pays. En 1871, plus de 52 députés et sénateurs détenaient des intérêts dans les compagnies de chemins de fer. Trente-sept étaient Conservateurs.

L'opposition libérale à la politique des chemins de fer de Macdonald remontait en partie aux excès provoqués par le boom dans la construction des chemins de fer des années cinquante. Ils avaient raison d'être scandalisés. On estimait en effet à plus de 100 millions de dollars le capital étranger investi dans les chemins de fer, entre 1854 et 1857. Les entrepreneurs et les promoteurs en avaient empoché la plus grande partie. Thomas Keefer, ingénieur respectable, dévoila que des ministres avaient reçu d'eux des honoraires et qu'ils s'en étaient fait « leurs compagnons les plus intimes, leurs hôtes et leurs invités, leurs protecteurs et leurs protégés.» C'est un entrepreneur américain qui tient les rênes du pouvoir au gouvernement du Haut-Canada, affirmait-il encore.

Dans cette ambiance tendue Allan Macdonell eut finalement gain de cause. En 1858 il réussit à obtenir une charte qui lui accordait le droit de construire un chemin de fer vers le Nord-Ouest. Deux ex-

Premiers ministres, un juge en chef et un futur lieutenant-gouverneur siégeaient à son conseil d'administration. Mais malgré ce brillant déploiement de force politique le projet tomba à l'eau avant 1860.

C'est alors qu'en 1862 Sandford Fleming dévoila au gouvernement le premier projet détaillé d'un chemin de fer vers le Pacifique. A cette époque il n'avait que trente-cinq ans et ses imposantes réalisations, y compris « l'invention » de l'heure normale, restaient à venir. Selon son habitude, il avait préparé un projet précis de « route vers le Pacifique ». Elle devait être construite par étapes sur une période de vingt-cinq ans et coûter cent millions de dollars.

Projet prudent et méticuleux d'un Ecossais prudent et méticuleux car Fleming, malgré son esprit d'invention (il avait imaginé le premier timbre-poste du Canada et avait fondé l'Institut Canadien) était un homme fort réfléchi. Tous les détails y étaient, jusqu'au dernier cheval, jusqu'au dernier dormant, jusqu'au dernier poteau télégraphique et, évidemment, jusqu'au dernier dollar. Il était prêt à concéder que son approche « graduelle » ne « satisferait » pas les impatients et les pressés » mais il rappelait dans son mémoire la fable du lièvre et de la tortue, d'Esope, tout en soulignant que le chemin de fer franchirait plus de quarante-cinq degrés de longitude, ce qui était « égal au huitième d'un cercle de latitude entourant complètement le globe ». « Après tout, écrivait-il, il faut racheter plus de la moitié d'un continent et le sortir de la plus complète sauvagerie. »

Le mémoire était impressionnant et sans doute contribua-t-il grandement à la promotion des ambitions considérables de Fleming. Huit ans plus tard, au moment où la promesse faite par le Canada à la Colombie Britannique devenait loi, le Premier ministre promût Fleming au poste d'ingénieur en chef du Pacifique Canadien. Il occupait déjà le même poste à l'Intercolonial, propriété du gouvernement, alors en construction entre les provinces maritimes et le Canada central. Même s'il était Ecossais Macdonald n'en restait pas moins politicien et selon les critères de Fleming il était à la fois « pressé et impatient. » Georges Etienne Cartier avait promis à la Colombie Britannique, en son nom, que la construction du chemin de fer commencerait avant deux ans et qu'elle serait achevée avant dix ans. Dix ans ! Sans doute cela sonnait-il mieux que vingt-cinq aux oreilles des électeurs ; d'ailleurs le Premier ministre n'avait-il pas obtenu l'assurance, de la bouche même de Joseph Trutch, que la province du Pacifique ne lui tiendrait pas rigueur de ne pas respecter ce calendrier téméraire ?

3

En 1871, le Canada était un pays de pionniers sans frontière accessible. Le Bouclier canadien était inhabitable, le Nord-Ouest était virtuellement hors d'atteinte. La vraie frontière c'était la frontière américaine, le vrai Far-West c'était le Far-West américain. Au début de la décennie, plus de 25% des Canadiens d'Amérique du Nord vivaient aux Etats-Unis.

Certains y cherchaient l'aventure, d'autres y cherchaient un meilleur avenir mais presque tous y cherchaient des terres. Dès les années cinquante on ne trouvait déjà plus de bonnes terres dans le Haut-Canada. La nouvelle génération commençait à se sentir à l'étroit. Les fils de fermiers prirent donc la route de l'Iowa et du Minnesota, pour ne jamais revenir. Le pays connut une saignée importante.

L'appel de la terre était bien plus fort que l'appel du pays, car le nationalisme, dans les années soixante-dix, était une plante bien fragile. Il suffisait alors de dire « nation canadienne » pour se voir dénoncer en certains milieux. « A moins de vouloir jouer sur les mots, affirmait le *Globe*, le Canada n'est pas une nation. » L'idée même de « sentiment national », pour employer l'expression de l'époque, avait de légers relents de trahison.

Si l'herbe était plus verte du côté du voisin c'est que de nombreux Canadiens trouvaient, chez eux, la vie monotone et sans intérêt. Le romancier Anthony Trollope avouait qu'en passant des Etats-Unis au Canada on allait « d'un pays riche à un pays pauvre, d'un grand pays à un pays moins grand ». Un Irlandais qui avait passé quelque temps au Canada avant de succomber à la tentation des Etats-Unis décrivit, en 1870, les sentiments qui l'animaient à l'égard du pays qu'il avait laissé derrière lui : « On ne peut pas ranimer un cadavre ! Le Canada est un pays mort — l'Eglise est morte, le commerce est mort, le peuple est mort. Un pays pauvre, dominé par les curés, dominé par les politiciens, dominé par les médecins, dominé par les avocats. Aucune énergie, aucun esprit d'entreprise, aucune vivacité. »

L'accusation était dure mais elle ne manquait pas de vérité. Le pays était entre les mains des classes dirigeantes — les marchands, les professionnels et les grands propriétaires terriens. Aux Etats-Unis le suffrage était universel mais au Canada seuls les propriétaires avaient droit de vote.

Le nouveau Dominion manquait de cohésion. On n'y retrouvait que des villages isolés, reliés entre eux par un fil très mince. Les trois quarts de la population vivaient dans un isolement relatif sur des fermes où, nécessairement, toute activité cessait au coucher du soleil et où, à certaines périodes de l'année, l'état des routes rendait tout déplacement virtuellement impossible.

Aucune ville ne méritait vraiment le titre de « métropole ». Montréal, qui comptait cent mille âmes, était pratiquement divisée en deux, les Anglais d'un côté, les Français de l'autre. Toronto, qui comptait la moitié moins d'habitants, n'était encore qu'un gros village où les esprits étroits faisaient la loi — les Méthodistes, les Tories, les Orangistes. Ottawa dépassait les bornes. Selon l'expression de l'humoriste anglais George Rose, le nouveau député s'y retrouvait « en exil ». Rose, qui fit un court séjour dans le nouveau Dominion après avoir visité les Etats-Unis, disait : « Le Canada ? Au mieux, c'est la Sibérie de la Grande-Bretagne. »

Dans l'industrie, l'ouvrier travaillait plus et gagnait moins que son collègue américain. (Au Québec, dans l'industrie, le salaire *annuel* était de $185 ; en Ontario, $245). Mais l'industrie comptait moins de deux cent mille travailleurs. Les villes offraient donc peu de possibilités à ceux qui voulaient fuir les corvées de la ferme.

A cette époque où on travaillait du lever au coucher du soleil, il y avait trois façons d'occuper ses loisirs : la politique pour les propriétaires fonciers, la religion pour les femmes, et la boisson pour les travailleurs. Les femmes, confinées à la ferme, ne trouvaient répit à leur isolement qu'à l'église. La politique était un jeu sérieux pour ceux qui avaient le droit d'en faire ; on se haïssait sérieusement et l'allégeance au parti était inflexible. L'alcool était à la fois passe-temps et problème national : la moitié des arrestations faisaient suite à des offenses relatives à l'alcool. La construction des granges, les pique-niques et les corvées de toutes sortes s'arrosaient de barils entiers de ce que les florissants mouvements de tempérance appelaient le « rum diabolique ». Nombreux étaient alors les cas de delirium tremens.

Ce sont les classes laborieuses qui buvaient le plus car c'était là le seul plaisir qu'elles pouvaient se payer. Un journal coûtait cinq cents — le prix d'une grosse bouteille de bière dans une taverne. Un spectacle ambulant coûtait cinquante cents — le prix d'un gallon ou deux de whisky. Il y avait donc un lien évident entre l'abus de l'alcool et la grisaille de la vie canadienne de l'époque.

Il n'était donc pas surprenant dans ces conditions de voir plus d'un Canadien lorgner vers le Sud où les emplois étaient plus nombreux et les conditions sociales meilleures, où tout le monde avait droit de vote, et où la route qui menait aux grands territoires agricoles n'était pas barrée par mille milles de granit et de marécages.

Le pays entretenait avec les Etats-Unis d'étranges rapports où la haine avait autant d'importance que l'amour. On vilipendait les Américains en public, mais on les admirait en secret. On les imaginait facilement arrivistes, et bien qu'en public on affichât de les mépriser, nombreux pourtant étaient les Canadiens qui avaient l'impression que les hommes d'affaires de leur propre pays manquaient, jusqu'à un certain point, du dynamisme américain.

Si on enviait les Yankees, on les craignait également. On gardait toujours en mémoire les raids des Fenians, ces Irlando-Américains qui haïssaient les Britanniques ; peut-être les Américains les avaient-ils aidés secrètement ? Les Canadiens continuaient d'émigrer aux Etats-Unis en nombre effarant mais malgré cela — ou peut-être à cause de cela — n'importe quel journal pouvait augmenter son tirage en se lançant dans une violente campagne anti-américaine et n'importe quel politicien pouvait multiplier le nombre de ses partisans en maudissant les Yankees.

Toutes ces attaques contre les Yankees ne faisaient que souligner à quel point ils étaient différents des Britanniques. A l'exception du Québec, le Canada était encore, pratiquement, un pays anglais qui conservait les habitudes, les attitudes, le langage, le maniérisme et la loyauté britanniques. Presque tous les immigrants venaient des îles britanniques. Ils continuaient de dire « chez nous » en parlant de la mère-patrie et souvent ils y retournaient. En vérité le Dominion était plus britannique que canadien. Les classes sociales avaient une grande importance ; les traditions familiales et religieuses avaient souvent, dans l'évaluation du statut social, plus d'importance que l'argent, et les meilleures familles arboraient leurs armoiries. Le politicien et le marchand convoitaient tous deux un titre de noblesse. A leurs yeux c'était cela qui rendait le Canada intéressant : grâce à cet arrière-plan britannique, la noblesse marchande pouvait s'épanouir et servir de rempart contre le républicanisme rampant venu du Sud et que les journaux dénonçaient avec tant de véhémence.

Les journaux publiaient des avertissements sinistres à ceux qui voulaient émigrer. Le commerce américain entrait dans son déclin, déclaraient-ils. Aux Etats-Unis les prix étaient astronomiques, le fardeau des taxes écrasant. Mais toutes ces attaques n'empêchèrent pas un grand nombre de jeunes gens de quitter les petites routes de campagne du Canada pour les grandes avenues du sud. Les chemins de fer roulaient vers l'ouest et la prospérité les suivait. A cette époque optimiste, la construction d'un chemin de fer, croyait-on, annonçait toujours des jours meilleurs ; il suffisait pour s'en convaincre de tourner son regard vers le sud et vers l'ouest.

Mais la construction des chemins de fer avait une autre signification, plus importante encore que la première.

Il y avait, au-delà de cette chaîne rocheuse vieille d'un milliard d'années, un immense territoire, une nouvelle frontière dont les Canadiens commençaient à peine à prendre conscience. C'était maintenant leur pays à eux, arraché à son isolement, en 1869, et au monopole du commerce des fourrures de la Compagnie de la Baie d'Hudson : mais ils n'avaient pas les moyens d'en entreprendre l'exploitation. Le chemin de fer leur donnerait accès à ce vaste empire En 1871, la population du Canada était enfermée comme dans une prison sur les rives du Saint-Laurent et sur le littoral atlantique. Grâce au chemin de fer, elle pourrait enfin se libérer de ses barreaux.

4

A cette époque, on ne connaissait à peu près rien de ce royaume du Nord-Ouest. On avait sous-estimé sa valeur jusque dans les années soixante. C'était le Gobi canadien, interdit, bloqué par les glaces, rébarbatif et impropre à la colonisation. En 1855, le *Montreal Transcript* affirmait que même les pommes de terre n'y pousseraient pas, et le blé, encore moins. Evidemment, la Compagnie de la Baie d'Hudson, qui avait occupé ce territoire pendant deux cents ans, abondait dans le même sens. La colonisation était bien la dernière chose qu'elle pouvait souhaiter.

James Young, politicien de Galt, écrivait alors dans ses mémoires que « même les Canadiens les plus en vue furent abusés par ces déclarations ». En 1867, Cartier s'opposait encore vigoureusement à l'acquisition des territoires du Nord-Ouest et Macdonald lui-même en ignorait le potentiel.

Ce n'est pas ce que pensait George Brown, éditeur et rédacteur en chef du *Globe* et président, jusqu'en 1867, du parti libéral, ou « réformiste ». Montréal, grâce au contrôle qu'elle exerçait sur le commerce des fourrures, avait traditionnellement occupé le Nord-Ouest ; mais au milieu des années cinquante, Toronto. sous l'impulsion de Brown, commençait à vouloir l'en déloger. Pendant l'été de 1856, au moment même où l'agitation battait son plein, Brown lança une campagne qui visait à montrer à ses lecteurs les possibilités d'avenir qu'offrait le Nord-Ouest et à forcer la Compagnie de la Baie d'Hudson d'y liquider ses affaires. Douze ans plus tard la compagnie s'inclinait et cédait tous ses territoires au Canada.

Mais lorsque éclata brusquement, en 1869, le soulèvement de la Rivière Rouge, Macdonald sortir de son indifférence. La rébellion de Louis Riel avait mis le feu aux poudres à travers tout le pays.

La tragique odyssée de Louis Riel commençait. Il n'a cessé de fasciner les historiens et les écrivains, les dramaturges et même les librettistes. Scélérat ou héros, martyr ou fou — peut-être tout cela à la fois — le personnage de Riel domine l'histoire des débuts de la colonisation des Prairies.

Au moment où il fondait son propre Etat indépendant, en plein coeur de l'Amérique du Nord, il n'avait que vingt-cinq ans. Teint basané, moustache tombante et tignasse de cheveux frisés. Combien d'écrivains ont depuis tenté de disséquer au scalpel cette personnalité complexe.

C'était un homme solitaire. Il ne se confiait qu'à sa mère et à son curé. Il était catholique et la religion avait eu une influence déterminante dans son éducation ; à la fin de sa vie elle imprégnait ses fantasmes. De toute évidence il était passionné et susceptible. Il avait besoin de l'adulation des foules, il voulait toujours avoir raison et il pouvait devenir violent si on le contredisait ; il est encore évident qu'il préférait la non-violence et qu'en plus d'une occasion il la pratiqua à son propre détriment. Il avait autant de compassion que de piété mais il fut pendu pour un crime qualifié de meurtre par certains mais d'exécution par d'autres. Il fut tour à tour un politicien pragmatique et un idéaliste mystique. Champion d'une cause qui le poussait à se sacrifier pour son peuple, il fut pourtant capable, en 1871, d'accepter un pot-de-vin (pour quitter le pays) et d'en exiger un autre, en 1885 (pour abandonner sa cause et son peuple).

Riel était né Métis et « westerner », catholique de langue française et de sang mêlé. Son père avait déjà mis son éloquence au service de son peuple et Louis hérita de ses dons d'agitateur politique. L'éducation qu'il avait reçue à Montréal et sa propre appartenance à la région des prairies avaient forgé ce jeune homme intelligent, passionné et apparemment sans humour pour en faire un patriote au service de la cause des Métis de la Rivière Rouge.

L'agitation s'était déjà emparée des Métis quand Riel revint à Saint-Boniface en 1868. Leur situation traditionnelle était en effet menacée par la combinaison effervescente des événements conjugués de l'établissement de la Confédération et de la vente imminente au Canada des territoires de la Baie d'Hudson. La colonisation de l'Ouest, ils le savaient, marquait la fin de leur société originale, la perte des territoires que plusieurs avaient occupés illégalement, et éventuellement l'éparpillement de leur race.

La chasse au bison : toute la vie de la communauté métis en était imprégnée. Elle avait lieu deux fois par année et on la menait avec une précision toute militaire. Elle fit de plusieurs Métis des stratèges éminents. A partir de là, il se forma un embryon d'organisation politique chez ce peuple essentiellement nomade. Les Métis n'étaient pas Canadiens et ils ne s'identifiaient pas au pays. Les colons blancs de la rivière Rouge et les fermiers métis protestants adoptaient la même attitude. Au sein de cette communauté on trouvait un petit « parti canadien » : on y était blanc, protestant, orangiste et on y défendait les intérêts du Haut Canada. C'est ce petit groupe qui poussa les Métis à l'insurrection. Riel n'en avait pas été l'inspirateur mais il l'organisa par la suite avec une habilité consommée.

A la fin de 1869, sans aucune violence, Riel et ses Métis avaient hissé leur propre drapeau sur la colonie de la Rivière Rouge. Riel se préparait à traiter d'égal à égal avec Donald A. Smith, représentant de la Baie d'Hudson à Montréal et au Labrador, que le gouvernement avait dépêché en toute hâte sur les lieux. Comme la compagnie avait déjà abandonné ses territoires et que le Canada n'en avait pas encore pris possession, Riel se trouvait bien placé pour négocier. Il eut tôt fait de faire autour de lui l'unanimité des Métis. Evidemment, il n'avait pu rallier les partisans fanatiques du Parti Canadien qu'il avait tout simplement emprisonnés. Si les choses en étaient restées là, Louis Riel aurait sans doute fait entrer pacifiquement son peuple au sein de la Confédération, aux conditions des Métis. Par la suite, il aurait pu prendre sa place parmi les grands hommes d'Etat canadiens.

Mais ce n'est pas ce qui arriva. Plusieurs prisonniers s'échappèrent et mirent sur pied leur propre mouvement. Les Métis l'écrasèrent rapidement mais ils ne purent venir à bout de cet orangiste nerveux qu'était Thomas Scott. Il tenta d'assassiner Riel. Une cour martiale improvisée le condamna à être fusillé. Ce seul acte de violence devait provoquer amertume et controverse pendant plus d'un siècle. La tragédie de Scott, devenue un mythe hors de proportion avec la réalité (tout comme celle de Riel) provoqua dans l'orangiste Ontario des remous incessants.

Tous criaient vengeance. Le Gouvernement fut donc forcé, en 1870, de monter une expédition militaire parfaitement inutile. Elle franchit les portages du Bouclier pour se rendre libérer un fort que Riel s'apprêtait à rendre pacifiquement. Mais l'expédition avait un autre but : Macdonald, qui voyait maintenant à quels périls son indifférence pouvait l'entraîner, se réjouissait de pouvoir étaler ce vaste déploiement militaire dans la vallée de la Rivière Rouge que les expansionistes du Minnesota convoitaient ouvertement. En janvier 1870, le Premier ministre avait décidé qu'il fallait construire rapidement un chemin de fer pour traverser ce nouveau territoire jusqu'au Pacifique. Il croyait fermement que Washington tenterait d'utiliser les troubles provoqués par Riel pour empêcher le Canada de mettre la main sur les territoires du Nord-Ouest.

L'histoire de Riel suit en parallèle celle du chemin de fer. Il contribua, contre son gré, à la fondation de la compagnie ; toujours contre son gré, quinze ans plus tard, il contribua à la sauver ; il fut pendu quelques jours après la pose du dernier crampon.

Forcé de se terrer, puis finalement de s'exiler aux Etats-Unis, Riel fut élu au Parlement deux fois et devint député de la circonscription de Provencher dans la nouvelle province du Manitoba, dont il fut, indubitablement, le fondateur. Il ne put pas siéger — le gouvernement d'Ontario avait mis sa tête à prix pour cinq mille dollars — mais avant de disparaître outre-frontière, il monta un dernier coup de théâtre dramatique.

Ottawa 1874 — un après-midi neigeux de janvier : deux hommes emmitouflés apparaissent à la porte de service des édifices du Parlement. L'un d'eux avertit le commis qu'un nouveau député vient s'enregistrer. Le commis, ennuyé et distrait, tend un stylo à l'étranger qui scribouille son nom et disparaît. Le commis jette alors sur la feuille un coup d'oeil machinal et pousse un cri de surprise. Le nom « Louis Riel » brûle le papier. Il lève alors la tête, mais le hors-la-loi a un rire sardonique, envoie la main et disparaît. Il ne reviendra pas avant 1885. Sans le savoir, il y jouera alors sa tête au moment le plus critique de toute l'histoire du Pacifique Canadien.

5

A partir de 1871, les événements de la Rivière Rouge encore frais à la mémoire, c'est avec un profond sentiment de culpabilité, mais aussi d'émerveillement et d'appréhension que les Canadiens commencèrent à s'intéresser à leurs nouveaux territoires du Nord-Ouest. *Ce doit être un spectacle merveilleux ! Si seulement on pouvait le contempler ! Mais c'est si loin. Il est si difficile de s'y rendre ! On devrait en commencer l'exploitation ; on dit qu'il contient de formidables richesses. Mais voudriez-vous y vivre ? Si loin de tout et dans cet affreux climat ? Un jour, cela est certain, des millions d'habitants y seront installés. Un jour...*

Plusieurs rapports contradictoires donnaient du Nord-Ouest une image vague, confuse et incertaine. Certains affirmaient qu'il ne s'agissait que d'un désert ; d'autres y avaient contemplé un paradis verdoyant. Même les deux expéditions gouvernementales de 1857, l'une britannique, l'autre canadienne, publièrent des rapports dont les conclusions ne concordaient pas.

Aujourd'hui, on se souvient mieux de l'expédition britannique, mise sur pied par un fougueux célibataire irlandais, John Palliser ; il a d'ailleurs laissé son nom à cette bande de territoire triangulaire, soi-disant désertique, qui forme aujourd'hui le sud des provinces d'Alberta et de Saskatchewan.

Cette expédition, financée par la Royal Geographical Society et par le gouvernement impérial, avait pour but l'exploration de cet empire qui s'étendait du Lac Supérieur aux Rocheuses et la rédaction d'un rapport qui devait *tout* couvrir — l'agriculture, les gisements miniers, les possibilités de colonisation et, bien sûr, les voies de communications alternatives.

Palliser et ses collègues passèrent deux ans sur le terrain et ils y accomplirent un travail gigantesque. Ils explorèrent, par diverses routes, tout le territoire qui s'étend du Lac Supérieur à la côte du Pacifique.

C'est un associé de Palliser, James Hector, qui découvrit la Kicking Horse Pass qu'empruntera plus tard la voie du CPR. Mais Palliser était loin d'envisager la possibilité de construire une voie ferrée dans l'ombre de ces pics hirsutes. Dans son rapport, il affirmait que sa connaissance du pays lui interdisait de proposer un tracé « qui emprunterait exclusivement le territoire britannique ». Ce qui était certainement possible à travers les prairies ne l'était plus à travers

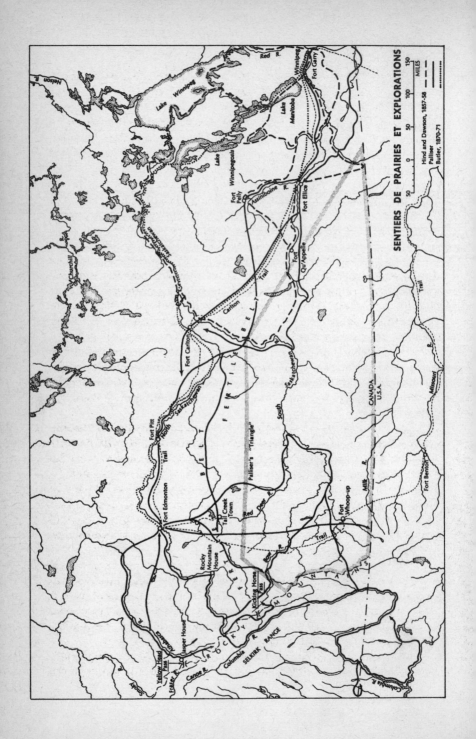

SENTIERS DE PRAIRIES ET EXPLORATIONS

MILES

Hind and Dawson, 1857-58
Palliser
Butler, 1870-71

cette barrière blindée, au nord du Lac Supérieur. « C'est l'obstacle majeur du pays, affirmait-il, et je crains que les ingénieurs ne s'y cassent les dents. »

Il était plus raisonnable de traverser le territoire américain au sud du lac et de remonter vers le Manitoba en traversant Pembina à la frontière ; mais il fallait attendre que les Américains décident de construire leur propre voie ferrée jusque là.

Cependant, de son côté, le gouvernement des Canadas unis avait lancé des expéditions similaires, et les explorateurs canadiens se montraient beaucoup plus optimistes que leurs collègues britanniques lorsqu'ils parlaient d'un tracé « entièrement canadien ». L'un d'entre eux, George Gladman, ne croyait pas que les difficultés étaient « insurmontables, quand on connaît l'énergie et le caractère entreprenant des Canadiens ». Henry Youle Hind, de son côté, affirmait que Palliser condamnait trop sommairement le tracé d'une route qui franchirait le Bouclier. Hind était professeur de géologie à Toronto ; il convenait que le *grand désert américain* remontait jusqu'au Far-West, mais il y avait, affirmait-il, le long de la vallée boisée de la North Saskatchewan et de ses affluents, « une large bande de terre arable », qui pouvait « être colonisée et cultivée à partir de quelques milles à l'ouest de Lake of the Woods jusqu'aux gorges des Montagnes Rocheuses ». Selon Hind, c'était bien là la route que devrait emprunter le chemin de fer.

Les planificateurs du chemin de fer furent profondément influencés par l'enthousiasme de Hind pour la Fertile Belt (bande de terre fertile), comme on l'appelait alors ; à partir de ce moment, il ne fut à peu près jamais plus question de déplacer la voie vers le sud. Le Nord-Ouest était une terre d'avenir, affirmait Hind, et il s'en fit l'éloquent propagandiste. « La vallée de la Saskatchewan a un magnifique avenir », déclairait-il. « Elle deviendra le grenier de la Colombie-Britannique et le vaste pâturage qui nourrira l'industrie minière des Montagnes Rocheuses. »

En 1871, à l'époque où Hind écrivait ces lignes, c'était encore une vue de l'esprit. Pour les hommes du Nord-Ouest, le Canada n'était toujours qu'un pays étranger ; leur monde à eux s'étendait vers le nord et vers le sud. Dans le Far-West, on affranchissait le courrier avec des timbres-poste américains car, pour se rendre à destination, il devait passer par Fort Benton, au Montana.

Les plus proches voisins des colons de la Rivière Rouge habitaient le Minnesota. La piste la plus achalandée des prairies partait de Fort Garry, aujourd'hui Winnipeg, et se rendait jusqu'à la tête du chemin de fer, à Saint-Cloud, où les colons allaient faire leurs emplettes.

Car, avant l'avènement du chemin de fer, c'était encore une aventure considérable que de traverser le Nord-Ouest et peu nombreux étaient ceux qui s'y risquaient. Les « charriots de la Rivière Rouge » constituaient alors le principal moyen de transport. Ils formaient le plus souvent des convois, parfois aussi longs qu'un train, et ils laissaient sur leur passage de profondes ornières dans le sol de la prairie, si profondes, en vérité, que les charriots avaient tendance à se déployer, la roue droite du deuxième charriot s'enfonçant dans l'ornière creusée par la roue gauche du charriot précédent ; c'est pourquoi les pistes des prairies avaient souvent la largeur de vingt charriots, phénomène qui explique sans doute la largeur des rues de certaines villes construites à cette époque. C'est ainsi que la plaine finissait par ressembler à la paume de la main. De toutes les pistes, la Carlton était la plus célèbre. Elle serpentait sur une distance de 1,160 milles de Fort Garry à la Yellow Head Pass dans les Rocheuses. Pendant plus d'un demi-siècle, tous les explorateurs, colons, commerçants ou aventuriers qui partaient pour l'Ouest, l'empruntèrent. Quand on commença à parler du chemin de fer, on s'attendait généralement à ce qu'il suivît ce tracé. Il n'en fut rien, mais on sait que plus tard, un autre chemin de fer, le Canadien National, allait emprunter la direction de la Carlton.

William Francis Butler était un jeune employé plein de fougue. Il avait suivi la piste Carlton et le rapport de son expédition enflamma l'imagination du pays.

Il se trouvait en Angleterre lorsqu'il apprit que le gouvernement canadien s'apprêtait à lancer une expédition contre Riel. Cette nouvelle ne pouvait pas arriver à un meilleur moment. Officier remarquablement intelligent, Butler avait déjà connu douze ans de service outtre-mer en Inde, en Birmanie et au Canada. Il attendait une promotion depuis longtemps. Mais en ce temps-là on ne méritait pas ses brevets, on les achetait, et Butler ne possédait pas les mille cinq cents livres qu'il lui en aurait coûté pour accepter le poste de commandant de compagnie qu'on lui offrait. Il se mourait de se lancer à l'aventure « quel que soit le climat et quelles que soient les circonstances ». La nouvelle de l'expédition n'était pas sitôt arrivée en Angleterre que Butler courut au poste de télégraphe le plus rapproché pour y envoyer un télégramme au commandant de l'expédition, le Colonel

Wolseley : « Souvenez-vous de moi, je vous prie. » Et alors, sans attendre la réponse, il s'embarqua sur le premier navire en partance pour l'Amérique du Nord.

Arrivé au Canada, il découvrit à son dam qu'il n'y avait pas de travail pour lui. Il s'inventa donc une fonction : officier de renseignements. En se rendant aux Etats-Unis, il croyait pouvoir pénétrer par le sud le château-fort de Riel. L'idée plût à Wolseley et Butler s'engagea dans sa mission avec enthousiasme. Il contourna Riel et ses hommes, cantonnés à la Rivière Rouge, revint vers le quartier général de Riel qu'il interviewa, puis, en suivant les vieilles pistes des voyageurs, il revint en canot jusqu'à Lake of the Woods où il remit son rapport.

Quand la troupe fit son entrée à Fort Garry, Butler l'accompagnait ; mais les semaines suivantes lui parurent ennuyeuses. Un soir qu'il dînait chez Donald A. Smith il annonça soudainement qu'il retournait en Angleterre pour y renoncer à son brevet. Mais Smith avait une meilleure idée. Le désordre régnait depuis toujours le long de la North Saskatchewan et la Compagnie de la Baie d'Hudson avait toujours été impuissante à l'enrayer. La petite vérole et le whisky à bon marché faisaient des ravages chez les Indiens. Peut-être faudrait-il y dépêcher des troupes. Pourquoi donc ne pas envoyer Butler y faire une enquête approfondie ?

Peu après le Lieutenant-gouverneur manda Butler pour lui expliquer le plan de Smith et il lui suggéra d'y penser.

« Inutile d'y penser », répondit le fougueux officier, je suis déjà décidé et je peux partir dans une demi-heure, si nécessaire. »

C'était là du Butler tout craché : il pouvait prendre une décision instantanément, quelles que fussent les circonstances. Il aurait pu attendre l'été, au moment où les pistes étaient sèches, le coq de bruyère abondant, les baies lourdes et juteuses et la plaine parfumée de rose de bruyère. Mais non. C'était le 10 octobre « et l'hiver soufflait déjà sur la prairie jaunissante ». Accompagné d'un seul guide métis, Butler partit par une nuit froide et sans lune où s'épanouissait une brillante aurore boréale. Il s'apprêtait à franchir plus de quatre mille milles de désert inhabité à pied, à cheval ou en traîneau à chiens.

« Je laissais derrière moi les amis et les nouvelles des amis, la civilisation, l'appréhension d'une guerre terrible, les soirées au coin du feu, les maisons ; devant moi des tribus sauvages et inconnues, de longues journées à dos de cheval, de longues nuits de bivouacs humides, le silence, la séparation et l'espace ! » Mais Butler goûtait chaque minute de cette aventure.

Il s'acquitta merveilleusement de sa tâche. C'est sur sa recommandation, à son retour, qu'on se décida à fonder la *North West Mounted Police*.

Il publia un livre, *The Great Lone Land*, dans lequel il décrivait « ce grand désert de verdure, solitaire et infini ». Il n'en fallait pas plus pour exciter l'imagination des Canadiens. En fait, le titre du livre devint rapidement une expression à la mode. Pendant les quinze années qui suivirent, aucune description, aucun rapport ou aucun article de journal ne parut complet avant que n'y fut ajoutée la phrase poétique de Butler.

Tant mieux si le chemin de fer avait été construit au moment où il le fut ; la phrase était devenue un cliché bien avant de tomber en désuétude.

Mais la description de ce que Butler vit et sentit pendant son glacial et solitaire voyage à travers la surface blanche du Nouveau Canada ne deviendra jamais un cliché :

« Même le grand océan n'est pas plus divers que cette mer de prairies dont nous parlons. En hiver c'est une surface éclatante de neige vierge ; au début de l'été c'est une grande étendue d'herbe et de roses pales ; à l'automne c'est trop souvent une mer déchaînée où le feu fait rage. Aucun océan au monde ne peut rivaliser avec ses couchers de soleil fabuleux ; aucune solitude n'égale la solitude d'une nuit dans les prairies : on peut y sentir l'immobilité et y entendre le silence. La plainte du loup en maraude permet d'entendre la voix de la solitude. C'est à travers un silence infini que brillent les étoiles au-dessus d'un silence presque aussi intense. Cet océan n'a pas de passé — le temps n'a pas existé pour lui ; des hommes sont venus et sont repartis en ne laissant derrière eux aucune trace ou aucun vestige de leur présence. »

The Great Lone Land parut en 1872. L'année suivante, un autre ouvrage très populaire fit son apparition et son titre *Ocean to Ocean* devait connaître le même sort que le titre de Butler. Le livre racontait l'aventure de deux Ecossais barbus, qui, d'un seul trait et par tous les moyens de transport imaginables, firent le voyage jusqu'à la côte du Pacifique sans jamais sortir du territoire britannique. L'imagination des lecteurs s'enflamma de nouveau.

George Monro Grant en était l'auteur. Il venait d'Halifax. Pasteur presbytérien remarquable, il fut également l'un des éducateurs et l'un des écrivains les plus éminents de son temps. Sandford Fleming, qui venait d'être nommé ingénieur en chef du Pacifique Canadien, le choisit comme secrétaire de l'expédition de reconnaissance qu'il organisa en 1872 le long de la route projetée du nouveau chemin de fer.

Fleming était un homme fort impressionnant, aussi bien physiquement qu'intellectuellement. Il était costaud, portait une grosse barbe et il avait l'esprit vif. Il avait quarante-cinq ans à cette époque et il n'avait vécu que la moitié de sa longue vie. Il devait employer l'autre moitié à compléter l'Intercolonial et à mettre en route le Pacifique Canadien, à élaborer une table fonctionnelle de fuseaux horaires, à planifier et à promouvoir l'installation d'un câble transpacifique, à occuper le poste d'ambassadeur à Hawaï, à publier un recueil de « courtes prières à l'intention de la ménagère occupée », à remplir la fonction de Chancelier de l'université Queen's et à faire le tour du monde.

Grant était pour lui un compagnon parfait. C'était un bon homme dans le meilleur sens du mot. Il était endurci et les difficultés ne le rebutaient jamais. Sa femme était invalide et un de ses fils souffrait de déficience mentale ; mais malgré tout, son front chauve respirait toujours la bonne humeur chrétienne. N'avait-il pas frôlé la mort de près par trois fois durant les dix premières années de sa vie ? Il faillit d'abord mourir des brûlures graves qu'il s'infligea, puis il échappa de justesse à la noyade. Il fut enfin déchiqueté par une moissonneuse, accident qui lui coûta la main droite.

Les explorateurs traversèrent les Grands Lacs en bateau à vapeur et s'engagèrent dans le désert rocheux du Bouclier où les arpenteurs de Fleming étaient déjà au travail. Peu après le départ, Fleming remarqua un jeune homme agile et plein d'enthousiasme qui, chaque fois que le navire acostait quelque part, sautait à terre, courait sur les rochers, s'enfonçait dans les fourrés et cueillait toutes sortes de lichens, de mousses, de fougères, de laîches, d'herbes et de fleurs qu'il enfouissait dans une trousse qu'il transportait avec lui.

Le sifflet insistant du bateau le ramena à bord à temps. Les marins disaient qu'il « faisait les foins » et ils le traitaient avec une tolérance amusée, mais son enthousiasme était si contagieux qu'il eut tôt fait d'entraîner à sa suite tout un lot de passagers qui partaient en maraude sur le granit précambrien pendant que lui collectionnait de nouveaux spécimens.

C'était John Macoun, professeur autodidacte d'histoire naturelle. Il était en « vacances-études » dans les bois. Mine de rien, Fleming lui demanda s'il était intéressé à se rendre jusqu'au Pacifique. Macoun lui répondit de la même manière et accepta.

Dans les années soixante-dix, les horaires étaient plutôt élastiques. Un homme de calibre inférieur eut peut-être été rebuté par la perspective d'un voyage de 2,500 milles à travers une prairie non-cartographiée, des forêts, des pics et des montagnes, mais tout cela ne faisait que stimuler davantage Macoun dont l'esprit, transformé en jardin, se nourrissait des images de centaines d'espèces inconnues mais déjà florissantes.

Macoun était autodidacte... ou presque. Il avait abandonné l'école à treize ans et il avait aussitôt quitté son Irlande natale pour chercher l'aventure dans le Haut-Canada. Il fut d'abord valet de ferme mais il ne put résister longtemps à la tentation des plantes. Les tâtonnements, l'osmose et tout simplement le dur et constant labeur lui permirent de devenir, à la longue, un naturaliste renommé aussi bien en Europe qu'en Amérique. En 1869 on lui offrit une chaire au Albert College de Belleville. C'est cet été-là qu'il commença ses études-vacances sur les Grands Lacs et c'est ce qui le mena, trois ans plus tard, à faire la connaissance de Sandford Fleming.

Cette rencontre accidentelle allait avoir d'énormes conséquences. En effet, Macoun s'amouracha du Nord-Ouest. Plus tard, il fut de ceux qui proposèrent un nouveau tracé pour le chemin de fer. Pour le meilleur ou pour le pire, cette proposition allait changer toute la physionomie du Canada.

Au moment où ils quittèrent le steamer et qu'ils s'engagèrent à travers rochers et marécages vers la prairie, Macoun, Grant et Fleming étaient devenus des intimes. Ces trois savants barbus, tous les trois dans la fleur de l'âge, tous les trois passés maîtres dans leur métier, s'apprêtaient ensemble à prendre la mesure d'un continent. La prairie les attirait comme un aimant. Un soir, après dîner, s'apercevant qu'elle n'était plus qu'à trente-trois milles de là, ils décidèrent qu'il leur *fallait* la voir. Ils firent route toute la nuit en dépit des torrents de pluie qui brouillaient le balisage de la piste. Les trois hommes descendirent de leur chariot et, se tenant par la main, ils avancèrent à tâtons à travers l'orage jusqu'au moment où une faible lueur apparut dans les ténèbres. Quand ils surgirent enfin de la forêt pour se retrouver devant la prairie infinie, ils étaient trop fatigués pour la contempler. Mais le lendemain matin, au réveil, on retrouvait déjà l'infatigable Macoun qui s'agitait tout autour, les bras chargés de fleurs.

« Déjà trente-deux nouvelles espèces ! » cria-t-il. « Ce jardin est absolument parfait. »

« Nous regardâmes, écrivait Grant, et nous vîmes une mer verte, tachetée de jaune, de rouge, de lilas et de blanc. Aucun d'entre nous n'avait vu la prairie auparavant. Tout comme on ne peut pas imaginer l'océan si on ne l'a jamais vu, on ne peut pas imaginer la prairie avant de l'avoir vue. »

A Winnipeg l'équipe s'adjoignit un nouveau compagnon — Charles Horetzky, un géant bien découplé, promu photographe de l'expédition — et s'engagea sur la piste Carlton. Des surprises les attendaient tout au long de leur voyage. Un jour ils débouchèrent sur une plaine plate, large de douze milles, entièrement couverte de soleils, d'asters, de marguerites et de verges d'or — c'était l'Elysée, brillant comme un phare multicolore au beau milieu de la vaste prairie gris foncé. Une autre fois il grêla si fort que les chevaux furent jetés au sol et que les chariots éclatèrent en morceaux.

Ils se séparèrent à Edmonton. Fleming suggéra à Horetzky et à Macoun de partir vers le nord et de tenter de franchir les montagnes par la Rivière Peace pour ensuite se diriger vers Fort St-James et la côte. Pendant ce temps Grant et lui traverseraient la Yellow Head Pass pour aller à la rencontre de l'une des équipes d'arpentage de Fleming. Ce fut, pour Macoun, un voyage plutôt bizarre. Il devint de plus en plus évident, de jour en jour, que Horetzky trouvait le botaniste trop lent pour cette expédition et qu'il avait décidé de se débarrasser de lui par n'importe quel moyen, honnête ou pas — ou du moins c'est ce que Macoun croyait.

En fait Horetzky avait décidé d'emprunter un parcours différent de celui qu'avait proposé Fleming pour explorer la Rivière Peace. Il voulait traverser les montagnes par une autre passe en suivant la Rivière Pine, un affluent de la Rivière Peace, et il ne voulait pas s'embarrasser de Maloun. Il tenta de convaincre le botaniste de retourner sur ses pas mais Macoun, stoïque, lui répondit qu'il préférait laisser ses os dans la montagne plutôt que d'abandonner.

Il faillit en effet les y laisser. Selon le dernier rapport de Macoun, Horetzky avait l'intention de l'attirer dans les montagnes, puis de le

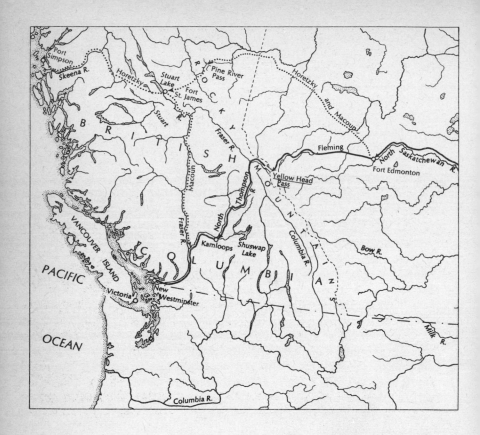

laisser avec les bagages encombrants pour y mourir ou pour s'en sortir comme il le pourrait pendant que lui, Horetzky, continuerait, allégé, vers de nouvelles et brillantes découvertes. Le photographe donnait maintenant ses ordres aux Indiens en français. Or Macoun n'y comprenait rien. Mais le botaniste n'était pas fou ; il se colla à son compagnon. Ils entreprirent alors un voyage dangereux de plus de 150 milles à travers les montagnes, par un froid de 26 sous zéro. Ils transportaient leurs provisions et leur équipement et ils eurent toutes les difficultés du monde à franchir les lacs et les rivières à demi gelés. C'est le 14 novembre qu'ils atteignirent enfin Fort St-James, en plein centre de la Colombie Britannique.

Déjà Horetzky s'apprêtait à pousser vers l'ouest à travers un pays à peu près totalement inconnu pour se rendre à l'embouchure de la

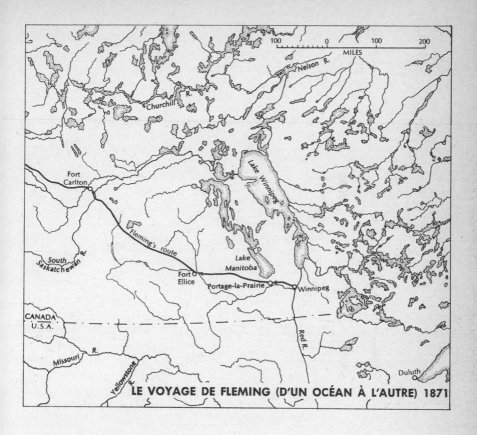

LE VOYAGE DE FLEMING (D'UN OCÉAN À L'AUTRE) 1871

Rivière Skeena, mais Macoun n'avait aucunement l'intention de l'accompagner. Il n'avait plus un sou en poche et il devait compter, pour vivre, sur la bienveillance de la Compagnie de la Baie d'Hudson. Accompagné de deux guides indiens, il s'enfuit vers le sud, chaussé de raquettes de sept pieds. De toute sa vie il n'avait jamais porté de raquettes. Il eut tôt fait de s'en défaire. Il continua donc en s'enfonçant jusqu'aux genoux dans les bancs de neige. Le 12 décembre il atteignait enfin Victoria où il apprenait que sa femme venait d'accoucher, pendant son absence, de son cinquième enfant. On ne saura jamais ce qu'elle pensa des vacances d'été prolongées de son mari.

Grant et Fleming ne se lancèrent pas, comme Macoun, dans une aventure de cape et d'épée, mais leur voyage fut certainement difficile. Ils rencontrèrent des marécages « couverts de broussailles... qui

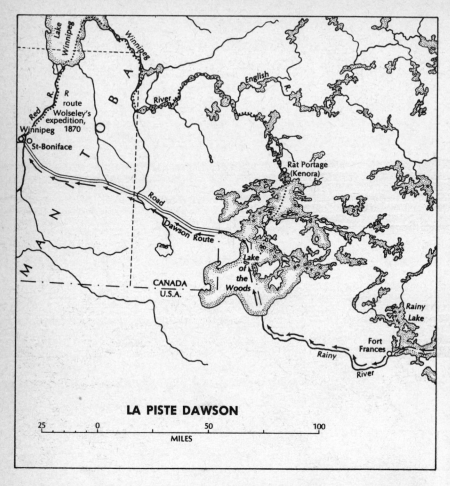

LA PISTE DAWSON

```
25        0              50              100
```
MILES

nous claquaient au visage et qui empuantaient vos vêtements de l'odeur âcre de la boue ». A certains endroits la piste, établie depuis neuf ans, disparaissait sous un monceau de débris. Les sabots des chevaux s'enfonçaient de dix-huit pouces dans le marais argileux, mais « en se glissant sur les rochers, en sautant par-dessus les arbres morts, en s'attaquant aux pentes d'un seul souffle, et en se précipitant témérairement jusqu'au bas des collines, » ils finirent pas traverser la Rivière Thompson.

De quelque point de vue qu'on se place, il faut bien dire que l'expédition de Fleming et de ses compagnons fut fort impressionnante. Ils parcoururent 5,300 milles en 103 jours. Tous les moyens de trans-

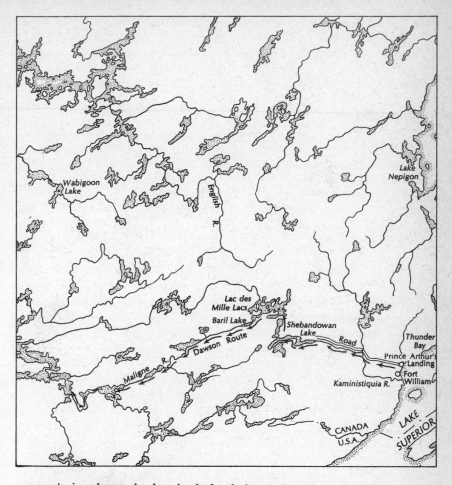

port étaient bons : le chemin de fer, le bateau à vapeur, la diligence, le chariot, le canoe, la chaloupe, la pirogue, le cheval et, évidemment, leurs propres jambes.

Ils campèrent soixante-deux fois dans la prairie, sur la berge des rivières, sur les rochers, en forêt, dans les marécages et en montagne ; ils étaient coinvaincus que le chemin de fer suivrait cette route qu'ils empruntaient aujourd'hui pour franchir le Bouclier, le long de la Fertile Belt, en passant par la Yellow Head Pass. D'ailleurs, Fleming avait déjà choisi ce tracé au premier coup d'oeil.

L'exploit, bien sûr, était d'importance, mais sa valeur symbolique était plus grande encore. *Un seul pays, d'un océan à l'autre :* le pasteur, le botaniste et l'arpenteur, tout en dramatisant l'événement, venaient de fournir au peuple canadien la preuve irréfutable que le projet était réalisable.

6

La démangeaison de l'Ouest était une chose mais s'y rendre vraiment en était une autre. Au début de la décennie le futur fermier avait le choix entre deux routes, toutes deux malaisées et peu commodes. Il pouvait prendre le train jusqu'à Saint-Paul et de là se rendre jusqu'à la tête de ligne pour ensuite emprunter diligence, chariot et steamer jusqu'à Winnipeg ; où il pouvait emprunter la route canadienne qui passait par l'embouchure du lac et la célèbre piste Dawson.

La piste Dawson n'était qu'un chemin de bois rond, entrecoupé de marécages. Elle se transformait plus loin en piste à chariots emménagée à même la tourbe de la prairie. Elle devait son nom à Simon J. Dawson qui, en compagnie de Henry Youle Hind, avait, dans les années cinquante, exploré le Nord-Ouest. Dawson, qui deviendra plus tard député, portait le surnom de « Smooth Bore Dawson », sans doute à cause de son tempérament placide et de sa façon de parler tout doucement. Cela valait mieux pour lui car il fut plus tard l'objet de tant de calomnies qu'un homme plus nerveux en eût été porté sans doute à des excès dangereux.

Suite au rapport qu'il fit de ses explorations de la région du Lac Supérieur, Dawson fut mandaté en 1868 pour diriger la construction d'un certain nombre de tronçons de routes de bois rond qui, en partant de Prince Arthur's Landing devaient relier entre eux les lacs qui se trouvent entre le Lac Supérieur et le Lake of the Woods. De là, la route de Fort Garry devait se prolonger jusqu'aux prairies pour ensuite rallier Winnipeg.

Avec le temps on finit par en terminer la construction. Puis on mit en service des remorqueurs et des bateaux à vapeur sur une douzaine de lacs. On construisit des barrages pour élever le niveau de l'eau. On érigea des tentes et des baraques pour les passagers. On imagina ensuite de construire à Fort Frances deux grandes écluses, l'une de huit cents pieds de haut et l'autre de deux cents pieds, pour permettre éventuellement aux steamers de contourner les rapides de la Rivière Rainy. Entre 1872 et 1873, plus de mille colons payèrent dix dollars pour emprunter la piste Dawson entre l'embouchure du lac et Winnipeg.

C'était une route redoutable. Sur chaque lac les voyageurs devaient emprunter un remorqueur ou un steamer et, à chacun des dix portages, ils devaient trouver un nouvel attelage de chevaux et un nouveau chariot. La piste Dawson ne servit pas très longtemps et pourtant elle fut toujours en réparation.

En 1874, le Gouvernement décida d'accorder à une compagnie privée le service de fret et de passagers. La compagnie acceptait de transporter les passagers de l'embouchure du lac jusqu'à Winnipeg en dix ou douze jours et le fret en quinze ou vingt jours. Mais comme elle recevait du Gouvernement une subvention visant à abaisser le coût du transport des passagers, il était dans son intérêt d'en transporter le moins possible et d'empocher la majeure partie de la subvention de $75,000.

On raconte l'histoire d'un malheureux colon qui s'amena dans un état pitoyable, épuisé et en loques, au bureau du député Donald A. Smith, à Winnipeg, et qui s'exclama : « Eh bien, regardez-moi, ne suis-je pas beau à voir ? Je suis venu de Thunder Bay par la route du Gouvernement et j'ai mis vingt-cinq jours à me rendre ici. Pendant ce temps je suis presque mort de faim et je n'ai grignoté que de la boustifaille que je ne donnerais même pas à un Indien. La nuit, l'eau coulait sur mon lit et le bateau prenait tellement l'eau que tous mes bagages sont trempés et ruinés. Mais ce n'est pas tout. Je me suis cassé un bras et je me suis démis une cheville en aidant à transporter une demi-douzaine de valises pour franchir une douzaine de portages, et quand j'ai refusé de me servir d'un aviron dans l'un des bateaux, un Irlandais d'Ottawa m'envoya au diable en m'avertissant que si je l'emmerdais encore il me débarquerait et me forcerait à marcher jusqu'à Winnipeg. »

A partir de juin et de juillet 1874, le *Nor'wester,* premier journal du Manitoba, commença à publier les plaintes des immigrants. Ils affirmaient que le chef de gare de la baraque du Fifteen Mile était « une brute » et que les hommes qui desservaient Height of Land étaient « maussades et désagréables. » A Baril Lake, les bagages étaient jetés pêle-mêle dans la cale du navire où ils reposaient dans huit pouces d'eau. Un jour, un violent orage éclata pendant que le steamer traversait le Lac Rainy et les hommes enlevèrent la bâche qui recouvrait une pile de bois pour la poser sur la tête des femmes et des enfants. Le mécanicien se mit en colère, s'empara d'une hache et menaça d'en frapper les voyageurs si on ne replaçait pas la bâche immédiatement. Comme on refusait de le faire, le mécanicien, « par simple méchanceté », retînt le bateau pendant cinq heures.

Plus d'un passager se révoltait des conditions qu'il trouvait sur la piste. Nombreux furent ceux qui arrivèrent à Winnipeg à demi morts de faim ; tous leurs biens avaient été ruinés dans les bateaux qui prenaient l'eau. Les plaintes commencèrent à affluer à Ottawa. En juillet 1874, le Gouvernement, inquiet, dépêcha sur les lieux Simon Dawson lui-même pour s'enquérir de la situation. Quand l'arpenteur s'amena au Lake of the Woods il fut littéralement pris d'assaut par une foule de passagers furieux et crevant de faim qui attendaient en vain le transport pour Winnipeg. Dawson se promena aux alentours et il dénicha quelques Métis prêts à entreprendre le voyage en chariots, mais sans doute son doux caractère en prit-il un coup. Cette année-là, dégouté, il résignait ses fonctions de directeur de la piste.

La route servait encore mais à peu près n'importe comment. L'épouse du Gouverneur général l'emprunta en 1877 mais elle fut si bousculée qu'elle préféra descendre et marcher. Une autre voyageuse, Mary Fitzgibbon, écrivit qu'elle n'oublierait jamais son voyage. « Ce fut un boum, bam et crouche et crouche, bam et boum ; en haut, en bas, d'un côté puis de l'autre. Les coussins, les tapis, tout ce qui pouvait glisser, glissait des sièges... et on avait envie de supplier d'arrêter, ne fut-ce qu'un instant... »

Finalement on abandonna cette route et on ferma également les écluses de Fort Frances que le Gouvernement avait mis trois ans à construire au coût de $289,000. Les jours des canaux et des chemins de bois rond étaient comptés. Le chemin de fer s'en venait.

Chapitre
deux

LE
SCANDALE
DU
PACIFIQUE

1

Le débat concernant les conditions d'admission de la Colombie Britannique n'était pas encore terminé que s'amenèrent à Ottawa les premiers entrepreneurs de chemins de fer. Alfred Waddington venait de Victoria ; il avait 75 ans et sa foi dans le chemin de fer du Pacifique frisait le fanatisme. Son partenaire, William Kersteman, s'était fait le promoteur de chemins de fer qui n'avaient jamais été construits. Ni l'un ni l'autre n'avait aucune chance d'obtenir quoi que ce soit. Ils n'étaient que les instruments de George W. McMullen, ce sinistre personnage qui se servait d'eux pour s'immiscer dans le projet du chemin de fer.

McMullen était originaire de Picton, en Ontario. A 27 ans il était déjà propriétaire d'un journal à Chicago. Il s'intéressait aux chemins de fer, aux canaux, et à tout ce qui pouvait lui rapporter quelque argent. Il était alerte et plein de curiosité ; ce trait de caractère allait le porter, pendant toute sa vie, à s'intéresser aux affaires les plus étranges — la culture des aphrodisiaques par exemple, ou la mise au point d'un canon de longue portée. Membre d'une délégation de Chicago qui projetait d'élargir le canal Chicago and Huron. il s'était amené à Ottawa au printemps de 1871. Waddington et Kersteman étaient tous deux très américanophiles. Armés de rapports, d'enquêtes, de cartes, de brochures et de copies de discours, ces deux enthousiastes larrons firent des approches à McMullen ; ils le convainquirent si bien qu'il décida d'aller chercher aux Etats-Unis un renfort financier.

Dès juillet, McMullen avait réussi à intéresser au projet tout un groupe d'hommes d'affaires américains : un banquier de Chicago, Charles Mather Smith ; un fondateur du Northern Pacific, W. B. Ogden ; le général George W. Cass, dauphin pressenti à la présidence du Northern Pacific ; et, au premier chef, Jay Cooke, le banquier de Philadelphie. C'est lui qui tenait les cordons de la bourse et qui, du fond de son regard d'enfant, convoitait le Nord-Ouest canadien, dans l'espoir de pouvoir l'intégrer à son chemin de fer.

Cooke visait l'annexion, purement et simplement. Elle assurerait au Northern Pacific le monopole de l'exploitation à l'ouest des

Grands Lacs. A défaut d'annexion, Cooke et ses agents entrevoyaient la construction d'une voie ferrée canadienne qui aurait comme seul débouché le chemin de fer américain. Cooke rêvait d'un chemin de fer international qui partirait de Montréal, traverserait le territoire américain au sud du Lac Supérieur, reviendrait au Canada par la Rivière Rouge et s'élancerait alors vers l'Ouest à travers les prairies. Les Américains auraient alors la haute main sur le chemin de fer et, éventuellement, sur le territoire lui-même.

Les représentants américains arrivèrent à Ottawa vers la mi-juillet, à peu près une semaine avant la signature du contrat avec la Colombie Britannique. Le Premier ministre accepta de les rencontrer mais il affirma très clairement que tout projet de chemin de fer, à ce stade, était prématuré. Pour Macdonald, cette délégation, manifestement américaine, ne pouvait servir qu'à déclencher un mouvement qui forcerait les capitalistes canadiens à s'intéresser sérieusement au projet de chemin de fer. Il voulait surtout faire bouger LE capitaliste canadien : Sir Hugh Allan, le financier le plus puissant du pays, dont on estimait le revenu annuel à plus d'un demi-million de dollars. à une époque où le dollar valait quatre ou cinq fois plus qu'il n'en vaudrait un siècle plus tard.

Comme les impôts n'existaient pas, on peut évaluer son revenu annuel à plus de deux millions de nos dollars actuels. C'est ce qui lui permit de construire et d'entretenir son vaste manoir de Montréal qu'il appela pompeusement Ravenscrag. Il y avait reçu le Prince Arthur, et c'est sans doute son hospitalité qui lui permit de joindre l'ordre de la chevalerie en 1871.

Comme beaucoup de financiers canadiens de cette époque, Allan était Ecossais, autodidacte et self made man. Son père avait été capitaine marchand et il avait fait le commerce entre le Clyde et Montréal. Le jeune Allan avait été élevé dans la compagnie des marins. Il quitta l'école à treize ans. Trois ans plus tard, en 1826, il émigra à Montréal et quelque temps après il entra au service de courtiers et de constructeurs de navires. En moins de douze ans il devint associé principal de la compagnie. C'était un homme dynamique et travailleur. Dans ses temps libres il étudiait furieusement pour rattraper le temps perdu. Contrairement à la plupart des Canadiens anglophones de l'époque il se fit un devoir d'apprendre le français en croyant qu'il pourrait sans doute un jour tirer parti de sa connaissance de cette langue.

S'il était fier, égoïste et buté, il avait toutes les raisons de l'être. Le petit Ecossais sans-le-sou et sans éducation dirigeait maintenant l'une des flottes les plus importantes du monde. Il était président de la Merchants' Bank qu'il avait fondée, et de quinze autres corporations ; il était vice-président de plus d'une demi-douzaine d'autres compagnies.

Les affaires d'Allan était fort diversifiées : le télégraphe, les chemins de fer, le charbon et le minerai de fer, le tabac et le coton, les bestiaux, le papier, les manufactures et les ascenseurs.

Adulé par la presse et par ses pairs, loué pour son sens des affaires, pour ses oeuvres philanthropiques et pour sa fréquentation régulière de l'église, on pouvait difficilement le blâmer de se sentir supérieur aux autres.

Il avait vraiment le sens des affaires — il était si strict qu'il n'entreprenait jamais une affaire qui nécessitait des dépenses d'argent avant d'avoir en main une copie exacte de la transaction. Il était très religieux — souvent il lisait l'épître à l'église ou bien il faisait un sermon en chaire.

C'était un homme autoritaire, dictatorial, peu communicatif ; il méprisait souverainement l'opinion publique, la presse et les politiciens. On pouvait, disait-il, ignorer la première et acheter les deux autres.

Il avait l'habitude de faire des prêts considérables à des journaux, à des conditions plutôt vagues : la Gazette de Montréal et l'influente Minerve profitèrent toutes deux de ses largesses. Un observateur de l'époque affirme qu'il avait pour seule politique celle des bateaux à vapeur et des chemins de fer.

Il se sentait sûrement au-dessus de la politique — car il était plus puissant que n'importe quel politicien, en tous cas certainement plus habile. Il avait toujours eu l'habitude de faire à sa tête et, en cet été de 1871, il était loin de s'imaginer que sa confiance obstinée en soi pouvait le frustrer dans ses ambitions ou salir son nom.

Au début du mois d'août, Sir Francis Hincks, ministre des Finances dans le cabinet Macdonald, avertit Sir Hugh Allan que les Américains s'intéressaient à la construction du chemin de fer du Pacifique. Il serait bien dommage, ajouta Hincks, mine de rien, qu'une entreprise de cette importance soit confiée à des étrangers. Allan s'intéressa au projet immédiatement : n'était-il pas l'armateur le plus puissant du pays ? et n'était-ce pas lui qui, sans doute plus que tout autre, pouvait le plus profiter de la construction d'une voie ferrée vers le Pacifique ?

Il prendrait ainsi la tête d'un géant des transports et probablement pourrait-il obtenir aussi un titre de baron. Un vrai titre : c'est peut-être cela, plus que toute autre chose, que voulait obtenir Lord of Ravenscrag, comme la presse l'appelait officieusement.

Sans perdre de temps, il entra en contact avec les Américains dont Hincks lui avait obligeamment fourni les noms et, dès septembre, il formait une compagnie qui, quoique canadienne en apparence, était presque entièrement financée et contrôlée par le Northern Pacific ; en fait, on prévoyait en faire une simple succursale du Northern Pacific. Allan recevrait en cadeau, pour ses bons services, un bon bloc d'actions de la compagnie et un fonds secret de cinquante mille dollars qu'il pourrait distribuer, selon McMullen, « aux hommes qu'il serait souhaitable de rencontrer ». Sir Georges-Etienne Cartier était de ceux-là. Lieutenant québécois de Macdonald, il était très dynamique mais sa santé laissait à désirer. Il s'opposait farouchement à toute participation américaine dans le projet du chemin de fer.

« Aucune maudite compagnie américaine ne mettra la main sur le Pacifique Canadien de mon vivant », avait-il déclaré. Il était prêt à démissionner plutôt que d'y consentir.

Les Américains signèrent avec Allan, le 23 décembre 1871, une entente officielle mais secrète. Jay Cooke expliquait : « L'entente avec les Américains est tenue secrète pour le moment à cause des jalousies politiques qui s'éveillent dans le Dominion ; on ne fait pas non plus allusion à l'alliance avec le Northern Pacific, mais le projet consiste à traverser le Sault-Sainte-Marie en passant par le nord du Michigan et du Wisconsin jusqu'à Duluth, et ensuite de construire la voie à partir de Pembina jusqu'à Fort Garry et, plus tard, de traverser la Saskatchewan pour se rendre jusqu'en Colombie britannique. » On ferait semblant de vouloir construire une voie ferrée entièrement canadienne au nord du Lac Supérieur mais on en retarderait la construction pendant des années. « Pour calmer l'opinion publique, le contrat fera état de la construction d'une voie sur la rive nord, jusqu'à Fort Garry. »

Pendant ce temps, on établirait une liaison Montréal-Duluth, en territoire américain ; la construction en serait financée par la vente, à Londres, d'obligations du Pacifique Canadien. Les investisseurs n'y verraient que du feu et ils seraient amenés à croire qu'ils misaient des fonds dans un projet du gouvernement impérial.

Jay Cooke était alors au sommet de sa vertigineuse carrière. Il rêvait d'un empire de voies ferrées qui engloberait la moitié du Canada ; c'était là le destin manifeste de l'Amérique, croyait-il.

Dans le monde financier on l'appelait le « Tycoon », un mot que la presse américaine n'avait pas encore vulgarisé. Il était fort pieux. Le dimanche il assistait à nombre de services religieux ; pendant la semaine il s'affairait à manipuler journaux, politiciens et gouvernements qui tous le portaient aux nues. Cooke n'avait aucune difficulté à prononcer le mot « manipuler ». Un an plus tôt il avait écrit à un collègue en l'invitant « à *manipuler* l'annexion à notre pays de la Colombie Britannique, au nord de Duluth ». Il était possible d'y arriver, suggérait-il, sans violer aucun traité mais « en faisant émigrer tranquillement outre-frontière des hommes sûrs accompagnés de leur famille ».

Il était tranquille à la pensée que « ce pays nous appartient tout naturellement et il devrait nous revenir en partage, sans violence et sans effusion de sang ». Pour y arriver, on se servirait de ce merveilleux instrument, le Pacifique Canadien, dans lequel lui et ses associés détiendraient 55% des parts.

Cooke croyait, entre autres choses, qu'une association entre les deux compagnies de chemins de fer (car c'est à cela qu'il pensait) augmenterait les chances du Northern Pacific d'obtenir un prêt à Londres.

Si Allan comprit jamais qu'il était engagé dans un complot secret avec des hommes d'affaires américains pour livrer le Nord-Ouest canadien aux Etats-Unis, il n'eut aucune peine à s'en libérer la conscience. Après tout, les affaires étaient les affaires et les investissements américains au Canada étaient non seulement une bonne chose mais une chose nécessaire. A un certain moment il écrivit même au Général Cass, qui s'apprêtait à être nommé à la présidence de la compagnie de chemins de fer américaine, pour lui affirmer que « le projet que je propose est vraiment celui qui sert le mieux les intérêts du Dominion et, en tentant d'en convaincre le public, je pose un geste vraiment patriotique ». A ses yeux, ce qui était bon pour Sir Hugh l'était également pour le pays.

Pendant ce temps Allan dépensait une fortune : il tentait, avec l'argent des Américains, d'acheter les politiciens, les journalistes et les concurrents, comme le sénateur David Macpherson, qui était en train de mettre sur pied une compagnie rivale dans le but d'obtenir le contrat.

La compagnie de Macpherson, l'Interoceanic, était administrée par des capitalistes en vue de Toronto et d'Ontario. Ils cherchaient à faire échouer le projet d'Allan que la presse libérale dénonçait presque quotidiennement en affirmant qu'il ne s'agissait que d'une façade pour le Northern Pacific. Ni Macpherson ni Allan ne rencontrèrent de difficultés à se trouver des associés dans leur entreprise ; ils se battaient pour y entrer. Tous les directeurs de la compagnie pouvaient en tirer des profits substantiels, sans grand risque pour eux-mêmes, car il était prévu que tous les directeurs recevraient une part égale des actions sans avoir à les payer.

Allan fit tout ce qu'il put pour soudoyer Macpherson — du moins l'affirma-t-il à ses bailleurs de fonds américains, mais il n'y parvint pas. Il prétendit que Macpherson avait insisté pour obtenir plus d'un quart de million d'actions et qu'il avait menacé de s'opposer au projet s'il ne les obtenait pas.

Macpherson en donna plus tard une autre version. Allan lui avait demandé, dit-il, de fonder avec lui la Compagnie du Pacifique Canadien. Il était entendu qu'Allan en deviendrait président. Elle grouperait onze directeurs — six Canadiens, dont Allan et Macpherson, et cinq Américains, tous administrateurs du Norther Pacific. Macpherson s'objecta vivement à la participation des Américains; ils n'avaient besoin que d'un vote, celui d'Allan, pour s'emparer de la direction de la compagnie ; comme ils tenaient les cordons de la bourse, rien ne serait plus facile pour eux que de s'emparer de cette voix prépondérante. Macpherson n'était pas assez naïf pour croire que les Américains, propriétaires du chemin de fer, en laisseraient la direction aux Canadiens. Il se débarrassa d'Allan et entreprit d'obtenir une charte pour sa propre compagnie canadienne.

2

Georges-Etienne Cartier était l'un des architectes de la Confédération canadienne et, immédiatement après Macdonald, l'homme politique le plus important du Canada. Allan devait, pour réussir, faire entrer Cartier dans son jeu. Et il était prêt à prendre tous les moyens pour y arriver.

Cartier avait la main haute sur les 45 parlementaires du Québec qui votaient toujours en bloc. Le Gouvernement avait besoin de ce vote québécois puisque sa majorité était bien inférieure à 45 voix. La défection de la moitié d'entre eux pouvait entraîner la chute du Gouvernement. Si Allan pouvait gagner à sa cause une fraction seulement des partisans de Cartier, il pourrait alors manipuler leur leader à sa guise. Allan était perspicace : il savait qu'une liaison Québec-Montréal-Ottawa, sur la rive nord du Saint-Laurent, leur faisait envie. C'est ce qui les ferait sans doute marcher. C'est lui d'ailleurs qui dirigeait le Northern Colonization Railway qui projetait de construire le tronçon Montréal-Ottawa de cette ligne que tous convoitaient. Cartier, qui avait ses accointances dans la compagnie rivale, le Grand Trunk Railway, s'y opposerait sans aucun doute. Allan commença immédiatement à dépenser l'argent qui lui venait de ses bailleurs de fonds américains pour monter les Canadiens français contre Cartier. Il paya plusieurs avocats canadiens-français pour mousser l'affaire dans les journaux. Il acheta les actions majoritaires de certains journaux et il versa des subventions aux autres. Il parcourut tout le territoire où son chemin de fer devait passer. Finalement, il gagna à sa cause vingt-sept des partisans de Cartier et il sentit dès lors qu'il pouvait contrôler le gouvernement. L'élection était prévue pour la fin de l'été 1872, et Cartier, à son grand étonnement, s'aperçut enfin qu'il n'avait presque plus de pouvoir politique. Sa reddition était complète.

Le douze juin Allan écrivit à McMullen : « ... Sir G. nous a promis une majorité, de même que quelques autres satisfactions. Je vous ai toujours dit que c'est de cette façon qu'il fallait mener les affaires ... ».

Pendant ce temps, le sénateur Macpherson, qui dirigeait l'Interoceanic, jetait Macdonald dans l'embarras. Macpherson était absolument convaincu qu'Allan se préparait à livrer le chemin de fer aux maraudeurs américains. Macpherson était un vieil ami et un Conservateur enragé. Son entêtement jetait le Premier ministre dans un véritable dilemme car il voulait absolument résoudre le problème du chemin de fer avant les élections; si la lutte était chaude, cela lui donnerait un atout de plus.

Le Premier ministre se trouvait devant un choix impossible : ou bien il choisissait le groupe de Toronto et il s'aliénait le Canada français ou bien il choisissait le groupe d'Allan et il s'aliénait l'Ontario. Cela sautait aux yeux : il fallait fusionner les deux projets. Macdonald croyait sincèrement qu'Allan était le seul homme capable de diriger l'entreprise. Seul un homme dont la fortune était aussi solide et qui, selon toute apparence, s'y connaissait bien dans la conduite des affaires, pouvait entraîner la confiance du monde international de la finance.

Mais Macpherson continuait, têtu, à affirmer qu'Allan n'était qu'un instrument des Américains ; il accepterait la fusion, mais à condition qu'Allan ne soit pas président de la compagnie.

Comme on le vit plus tard, Macpherson avait raison. Rendu là, Allan aurait dû s'apercevoir que le gouvernement n'avait nullement l'intention de laisser le chemin de fer aux Américains ; et pourtant, tout en prétendant publiquement que sa compagnie était purement canadienne, l'impérieux armateur continuait à entretenir des liens secrets avec New-York et Chicago.

Le 7 août il avertit le Général Cass que le gouvernement se voyait dans l'obligation de stipuler qu'aucun étranger ne pouvait devenir actionnaire de la compagnie : « Vos parts et celles de vos amis américains devront donc porter mon nom pour un certain temps ». Il envoya une lettre rassurante à McMullen : il fallait exclure les Américains mais « je suppose que nous pouvons contourner cette difficulté d'une façon ou d'une autre ».

Macdonald tenta, mais en vain, de rapprocher Macpherson et Allan. En juillet, alors que la campagne électorale battait déjà son plein, Macpherson suggéra que les nouveaux directeurs — sept de sa compagnie et six de la compagnie d'Allan — élisent leur propre président ; mais Allan refusa.

Le parti tory souhaitait désespérément pouvoir placer l'électorat devant le fait accompli : une compagnie de chemins de fer bien solide ; mais l'impasse persistait.

Allan s'efforçait déjà de son côté de restaurer la carrière politique d'un Cartier fort amoché qui, à la suite des machinations du printemps précédent, avait joint le camp allié. Cartier ne le savait pas, mais il n'avait plus qu'un an à vivre : les symptômes indéniables de la maladie de Bright, pieds enflés, jugement désordonné, avaient déjà fait leur apparition.

De tout coeur et de toute son âme, le portefeuille à la main, Allan se jeta tout entier dans la campagne électorale ; il le fit parce qu'il croyait que le Gouvernement lui avait promis la charte de la compagnie du chemin de fer. On ne peut pas comprendre ce qui se passa les 29 et 30 juillet, alors qu'Allan échangea des fonds électoraux contre les promesses de Cartier et de Macdonald, si on ne situe pas ces événements dans la pratique et la morale politiques de ce temps.

Les élections se gagnaient avec de l'argent et, plus souvent qu'autrement, c'était celui qui en dépensait le plus qui sortait vainqueur. Le dollar avait beaucoup plus de poids que les idées et le pot-de-vin était monnaie courante. A la fin de la décennie un historien de l'époque écrivait que « les pots-de-vin distribués durant une campagne électorale n'étaient pas vraiment considérés comme une offense ; les deux partis s'en servaient à l'envie et presque ouvertement ». Charles Clarke, commis à l'Assemblée législative d'Ontario, rappelait que « presque tous les politiciens d'expérience qui ont connu une élection parlementaire canadienne sont au courant de l'existence des pots-de-vin et des menaces d'intimidation. Cette pratique est si courante que même si je n'ai vraiment jamais vu échanger de l'argent contre un vote, c'est une chose aussi certaine pour moi que, par exemple, l'existence de la reine d'Angleterre ou le fait qu'elle occupe le trône ».

En cette période où les moyens électroniques ne se livraient pas encore la lutte, la politique constituait LE passe-temps favori des villes et des campagnes. Presque tout le pays faisait de la politique partisane, ce qui voulait dire qu'à moins que ne surgisse une question très controversée, il était fort difficile de faire changer d'idée à quelqu'un, selon l'expression euphémistique de l'époque, à moins de le « traiter » avec un p'tit coup, une bouteille, un dîner ou un billet de cinq dollars. Tout cela était illégal, tout comme la pratique qui consistait à conduire ou à traîner les électeurs récalcitrants aux bureaux de scrutin, mais ces coutumes onéreuses, comme Macdonald l'admettait lui-même, étaient communes aux deux partis.

En 1872, le scrutin n'était pas encore secret ; il ne le devint qu'à partir de 1874. Le pot-de-vin constituait donc une arme extrêmement efficace puisque les agents du parti pouvaient vérifier après coup l'allégeance des partisans qu'ils avaient soudoyés.

La campagne électorale fut très dure, particulièrement en Ontario. Macdonald lui-même était à court de fonds. Cartier était également désespéré car il lui fallait remonter la côte dans sa propre circonscription. Pour lui, c'est à la fin de juillet qu'arriva la minute de vérité. Allan l'avait rencontré plusieurs fois, pour tenter de le convaincre de procéder à la fusion des deux compagnies « à des conditions que je pourrais trouver justes à mon égard ». Il convoitait toujours la présidence de la compagnie. Le 30, accompagné de son avocat, le député J. J. C. Abbott, il rendit visite à Cartier encore une fois. Cette rencontre est restée mémorable. Cartier avait reçu, le 26 juillet, un télégramme griffonné par Macdonald à Kingston. Le Premier ministre n'avait pas réussi à convaincre Macpherson de changer d'idée. « Dans les circonstances, écrivait-il, je vous autorise à donner l'assurance à Allan que le gouvernement exercera son influence pour lui obtenir la présidence. Macpherson et Abbott devront se mettre d'accord sur les autres conditions. Tenez le tout secret jusqu'après les élections . . . »

Quatre jours plus tard, Cartier montrait le télégramme à Allan. Le magnat de la navigation le trouva insuffisant. Qu'arriverait-il si Macpherson s'entêtait ? Cartier fut alors forcé de céder et de donner l'assurance à Allan que si la fusion ne se faisait pas, c'est alors sa compagnie, la Canada Pacific qui obtiendrait la charte. Mais Allan exigeait cette promesse par écrit.

Cartier suggéra à Abbott de rédiger le document et de le lui apporter dans l'après-midi. Comme Allan et Abbott allaient partir, Cartier leur demanda, sur le ton brusque qu'on lui connaissait : « N'allez-vous pas nous aider dans cette campagne électorale ? » Allan demanda à Cartier combien il voulait et celui-ci répondit que cela pouvait aller chercher dans les cent mille dollars. Allan, en parfait homme d'affaires, suggéra qu'on mit également tout cela par écrit.

Cet après-midi-là, il revint avec Abbott, porteur de deux lettres. La première, que Cartier devait signer, promettait la charte à Allan ; l'autre, que Cartier devait également signer, demandait une aide financière pour les élections. Cartier se déclara insatisfait des deux lettres et demanda qu'on les récrivît. L'une d'entre elles est devenue célèbre :

« Les amis du Gouvernement s'attendent recevoir des dons pour la présente campagne électorale, et vous recouvrerez la somme complète de ce que vous ou votre compagnie pourrez nous avancer à cette fin. Pour mémoire, voici nos besoins immédiats :

Fonds requis immédiatement :

Sir John A. Macdonald	$25,000
Hon. M. Langevin	15,000
Sir G.E.C.	20,000
Sir J.A. (add.)	10,000
Hon. M. Langevin	10,000
Sir G.E.C.	30,000

En dépit de ces promesses de recouvrement, Allan ne s'attendait vraiment pas à revoir son argent.

Pendant ce temps, à Kingston, Macdonald attendait impatiemment une réponse à son télégramme du 26 juillet. Finalement, quand elle arriva, il en fut tout abasourdi. Il ne pouvait s'absenter sur les derniers milles de la campagne électorale mais il envoya à Cartier un télégramme qui répudiait la lettre d'intention en affirmant que c'est son télégramme du 26 juillet qui devait constituer « la base de l'entente. *L'entente !* L'ambiguïté du mot allait obséder Macdonald longtemps.

Lorsque Cartier apprit la nouvelle à Allan, il retira gentiment sa lettre d'intention ; mais il ne retira pas son aide financière. Il l'augmenta. Les cinquante mille dollars de plus que Cartier réclamait dans son mémoire intitulé « fonds requis immédiatement » furent rapidement versés — dix mille dollars à Langevin, le corpulent ministre des Travaux publics et le successeur de Cartier à la direction de l'aile québécoise du parti, dix mille dollars au Premier ministre et trente mille dollars au comité électoral principal de Cartier. Mais ce ne fut pas tout.

En fait, il distribua plus de $350,000 aux candidats conservateurs.

Et pourquoi donc ? Le Gouvernement conservateur arracha le pouvoir de justesse. Il fut passablement amoché en Ontario pendant qu'au Québec, où Allan avait dépensé la plus grande partie de ses fonds, il n'obtenait qu'une maigre majorité. Sans le vote de l'Ouest et des Maritimes, Macdonald aurait été politiquement ruiné. Quant à Cartier, ironie du sort, il devait subir une humiliante défaite personnelle. Ses adversaires, par un procédé mystérieux, avaient subtilisé une grande partie des dons d'Allan. Le jour de l'élection, le dépouillement du vote ouvert révéla que tous ceux qui avaient été payés argent comptant pour travailler pour Georges-Etienne Cartier étaient tous, pendant ce temps-là, au service de son adversaire.

3

Pendant tout l'automne, la promesse secrète qu'il avait faite à Allan obséda Macdonald. Il ne voyait pas comment il pouvait s'en sortir.

Le sénateur David Macpherson, toujours aussi farouchement iné-branlable, continuait à poser des questions tendancieuses : pourquoi le Gouvernement était-il si impliqué avec un homme qui était, selon les mots furieux du sénateur, l'instigateur « de l'une des conspirations les plus anti-patriotiques qu'ait connue le Dominion... une escroquerie audacieuse, insolente et gigantesque ? un homme dénué de tout sentiment patriotique ? » Macpherson ne pouvait pas comprendre et il ne pouvait surtout pas croire, comme le lui laissait entendre Macdonald, qu'Allan, en tant que président, n'exercerait à peu près pas d'influence.

Macdonald comprit alors qu'il lui fallait mettre sur pied une nouvelle compagnie qui exclurait Macpherson. Bon gré mal gré, il devait tenir sa promesse envers l'homme qui avait le plus contribué à la caisse électorale des Conservateurs. Rendu là, il aurait dû commencer à soupçonner Allan. Le 7 octobre, il fut bouleversé d'apprendre que le Montréalais, en dépit de toutes ses pieuses dénégations, n'avait nullement rompu avec McMullen et avec les autres. Etait-ce vraiment là l'homme qui pouvait diriger la plus grande entreprise du pays ?

Le Premier ministre n'y pouvait rien. Par l'entremise de Cartier, il avait fait une promesse et il devait la tenir.

Macdonald, inquiet, commença à se demander en quoi au juste consistait l'entente ; le souvenir de ce télégramme ambigu qu'il avait reçu en pleine campagne électorale, alors qu'il était fatigué et au moment où le whisky et le vin coulaient à flots, commençait à le torturer.

Mais quelle était donc cette promesse de Cartier à Allan ? Macdonald s'aperçut alors qu'il n'en connaissait pas lui-même les détails exacts. Déjà la rumeur des cadeaux d'Allan à la caisse électorale de Cartier courait les rues de Montréal. Quand Macdonald apprit de la bouche même d'Allan l'étendue de la dépendance financière de Cartier à son endroit, il en fut horrifié.

Etait-il possible que Cartier, autrefois si habile, eût commis pareille bévue ? Il ne pouvait pas le croire. Il voulut donc être rassuré pas son vieil ami, parti en Angleterre soigner sa maladie. La réponse de Cartier confirma ses pires craintes.

A Chicago, McMullen commençait aussi à s'inquiéter en étudiant les comptes de dépenses d'Allan. En septembre, Allan l'informa qu'il avait déjà payé $343,000 et qu'il lui restait $13,500 à distribuer. Sans perdre de temps, McMullen se rendit à Montréal pour y affronter Allan qui réussit à l'apaiser. C'est alors que le 24 octobre, à l'instigation de Macdonald, Allan apprit à ses associés américains qu'il devrait se débarrasser d'eux.

Lorsque les deux hommes se rencontrèrent à Montréal, Allan affirma clairement qu'il cassait tous les arrangements qu'il avait faits avec les Américains et que désormais il ne se sentait aucune obligation envers eux. McMullen enrageait. Quoi ! il avait dépensé plus d'un an de sa vie et plusieurs dizaines de milliers de dollars, son argent et celui de ses associés, pour apprendre maintenant qu'en vérité il n'avait jamais eu aucune chance de décrocher le contrat ! Allan avait réussi à tromper tout le monde.

Il avait trompé le Gouvernement, il avait trompé ses amis, il avait trompé ses bailleurs de fonds et, par-dessus tout, il s'était trompé lui-même — poussé toujours plus loin, de sottise en bêtise, par ce que le Gouverneur général, Lord Dufferin, appellera plus tard « la notion ostentatoire et vaniteuse de dominer tout le monde et de vaincre tous les obstacles par la force brute de l'argent ». L'apoplectique McMullen osa alors suggérer à l'armateur, s'il lui restait un peu d'honneur, de s'en tenir au contrat original ou de résigner ses fonctions. Allan refusa.

McMullen menaça de se rendre jusqu'au Premier ministre ; après tout, n'avait-il pas en sa possession toute la correspondance compromettante d'Allan ?

Allan s'entêta. Peut-être ne croyait-il pas McMullen capable de mettre sa menace à exécution. Mais McMullen n'était pas homme à se défiler. Il voulait obtenir compensation. Sinon, il voulait se venger.

McMullen s'embarqua alors pour Ottawa dans le but avoué d'y aller faire chanter le Premier ministre du Canada.

La rencontre eut lieu la veille du Jour de l'An, pendant que le reste du pays s'apprêtait joyeusement à célébrer le début d'une année qui allait être la plus noire de la longue carrière politique de Macdonald. Cette réunion d'importance capitale, dans le bureau du Premier ministre, laisse un souvenir saisissant. Le jeune McMullen, ses yeux ronds habités d'une colère froide, faisait face à un homme de trente ans son aîné, dont l'attitude impavide ne laissait rien deviner de ses sentiments intérieurs. Physiquement différents, les deux protagonistes avaient pourtant des qualités communes. Ils avaient tous deux une imagination très fertile qui leur permettait d'entrevoir les bénéfices qu'on pouvait tirer d'entreprises que d'autres qualifiaient d'écervelées. Les deux hommes avaient les nerfs d'acier des joueurs invétérés. Macdonald avait pris un risque politique énorme en s'engageant dans l'affaire du chemin de fer ; McMullen, pour sa part, avait pris un risque financier considérable. Il était bizarre de constater que McMullen, sous ses apparences d'homme d'affaires têtu, ressemblait beaucoup plus à Don Quichotte que le politicien pragmatique qui lui faisait face de l'autre côté du bureau. Les paris de Macdonald — ou ses visions ou ses rêves (les trois mots ont un sens) — avaient habituellement beaucoup plus de succès que les aventures innombrables de McMullen, dont plusieurs étaient certainement « écervelées ». La rencontre dura deux heures.

McMullen arriva en brandissant les lettres qu'Allan lui avait adressées, et il commença à en lire quelques extraits compromettants. Il sous-entendit qu'il y avait eu pots-de-vin. Il affirma pouvoir nommer des personnes « très près de vous », reliées à cette affaire. Macdonald était sidéré dans son for intérieur, mais il avait assez d'expérience pour n'en rien laisser voir. Il nia qu'Allan eût soudoyé le gouvernement. Dans ce cas, répondit McMullen doucement, Allan est un escroc — n'est-ce pas sous ce fallacieux prétexte qu'il a soutiré 400 mille dollars aux Américains ? Il pria Macdonald de rester fidèle à l'entente originale ou alors de tenir Allan à l'écart de la nouvelle compagnie. Macdonald lui répondit qu'il ne pouvait accepter aucune de ces deux solutions ; si McMullen croyait qu'il s'était fait avoir, c'était son problème. Les Américains, ajouta le Premier ministre, se sont retirés de la compagnie depuis un certain temps déjà.

Non pas, répondit McMullen, et il soumit en preuve la propre correspondance d'Allan. Macdonald fut horrifié encore une fois, mais il n'en montra rien.

McMullen se fit alors plus menaçant. Il commença à parler des conséquences politiques de cette affaire lorsque l'opinion publique en serait saisie. Macdonald ne fit aucun commentaire mais il demanda à McMullen de lui donner le temps de consulter Allan et son avocat, Abbott. Sur ce, la rencontre prit fin, mais McMullen était de retour à Ottawa trois semaines plus tard et il avait apporté avec lui d'autres lettres compromettantes.

Macdonald admit que les Américains s'étaient fait avoir par Allan. On devait donc le forcer à rembourser l'argent. L'ambiance devint alors plus cordiale. McMullen offrit à Macdonald de lui fournir une copie de toute la correspondance incriminante : certains documents prouvaient qu'Allan avait été malhonnête dans son rapport sur l'ampleur des intérêts détenus dans la compagnie par les Américains. Ces documents démontraient que le 12 octobre, au moment même où Allan et Abbott assuraient le Parlement que les négociations avec les Américains avaient été rompues, Allan offrait de l'argent provenant de ses bailleurs de fonds américains pour tenter de faire incorporer la compagnie de chemins de fer.

Aucun de ceux qui étaient impliqués dans l'affaire ne le savait à ce moment-là, mais la fourberie d'Allan ne s'arrêtait pas là. La veille du jour où il se débarrassa de McMullen, Allan eut un long entretien avec Lycurgus Edgerton, un agent de Jay Cooke, concernant la nouvelle compagnie que Macdonald était en train de mettre sur pied. Allan assura l'agent du Northern Pacific que rien, dans la charte, ne pouvait affecter les plans de Cooke. Edogerton put alors affirmer à Cooke qu'il n'y aurait pas de voie ferrée canadienne au nord du Lac Supérieur tant qu'Allan garderait la barre. C'était « une dépense inutile... inspirée par un patriotisme sentimental, par la jalousie et par les préjugés d'esprits étroits ». Pendant les cinq ou dix prochaines années « sinon pour *toujours,* le Pacifique Canadien doit être soumis aux intérêts du Northern Pacific ».

Le Premier ministre dut certainement s'apercevoir à ce moment-là qu'Allan n'était pas, pour la nouvelle compagnie, le président rêvé. Il y avait déjà plus d'un an que Macdonald affirmait à ses collègues, à ses amis, à ses adversaires politiques, au pays tout entier (ainsi qu'à lui-même), qu'Allan était le seul homme à pouvoir occuper ce poste — un homme qui avait le sens des affaires, probe, habile et expérimenté, respecté dans tous les milieux financiers. On en faisait maintenant un complice, un menteur, un agent double et, pire que tout, un américanophile — un homme dont l'imprudence, selon les propres mots de Macdonald, « avait presque atteint les sommets de la folie ». Et c'est cet homme-là qui bientôt s'embarquerait pour Londres chargé d'une mission très délicate : réunir les fonds nécessaires à la construction du plus grand chemin de fer du monde ! De toute évidence, si les milieux financiers ou l'opinion publique apprenaient ce que savait déjà Macdonald, le projet de chemin de fer éclaterait comme une bulle de savon.

Mais l'apprendraient-ils jamais ? A l'approche de la session de 1873, Macdonald était inquiet. Il avait reçu une lettre amère du sénateur Asa B. Foster, un vieil entrepreneur de chemins de fer, qui regrettait de n'avoir pas été nommé au conseil d'administration de la nouvelle compagnie. Cartier et Allan lui avaient tous deux promis ce gâteau, prétendait-il. Foster révélait qu'il avait été mis au courant, pendant les dix derniers mois, des tractations d'Allan avec les Américains et qu'il avait vu « toutes les lettres que vous avez vues et d'autres encore ». Il était impossible de savoir ce que Foster, contrarié dans ses ambitions, allait faire de ces renseignements.

Il fallait soudoyer McMullen. Le Premier ministre écrivit à Hincks, à Montréal, et celui-ci s'assura les services de l'avocat Abbott. Abbott réussit à marchander à McMullen l'achat des lettres d'Allan pour une somme de $37,500 ; il versa $20,000 comptant et le solde, un chèque d'Allan, fut mis dans une enveloppe et remis à Henry Starnes de la Merchants' Bank, propriété d'Allan. McMullen plaça alors la correspondance compromettante dans une autre enveloppe et la donna à Starnes. Le banquier devait attendre dix jours, après la fin de la session en cours, pour ensuite remettre l'argent à McMullen et la correspondance à Allan. C'était le meilleur arrangement qu'avait pu obtenir Abbott pour empêcher l'histoire de s'ébruiter avant qu'Allan eût complété ses négociations en Angleterre et pendant que le Parlement siégeait encore.

On réussit à conclure l'arrangement la veille même du départ d'Allan. Pendant les mois et les années qui suivirent, un bon nombre de courriéristes et de politiciens se demandèrent pourquoi Macdonald n'avait pas acheté McMullen le jour même où il l'avait rencontré dans son bureau, la veille du Jour de l'An. La réponse est claire : sans doute le perspicace Macdonald croyait-il McMullen parfaitement capable d'empocher l'argent et de vendre plus tard la correspondance. C'était parfaitement vrai.

George McMullen ne s'embarrassa pas d'aller chercher la seconde enveloppe chez le banquier Starnes. Déjà, les adversaires politiques de Macdonald lui avaient fait des offres beaucoup plus alléchantes.

4

Aucun indice n'annonçait l'orage qui approchait quand s'ouvrit la première session du deuxième Parlement du Canada, le 6 mars 1873. Le nouveau et pimpant Gouverneur général, Lord Dufferin, monta dans sa calèche tirée par quatre chevaux et se mit en route pour la colline parlementaire. Il trouvait que le temps était « proprement divin ».

A trois heures il descendait de son carrosse à la porte principale. La fanfare retentit et une salve d'artillerie lui fit écho. Il entra par la porte du Sénat et il s'avança à travers « une double file de cartes de mode ambulantes ». On avait retiré les bureaux de la Chambre rouge. Les épouses et les filles des parlementaires occupaient les sièges.

C'était la première fois que Lord Dufferin assistait à l'ouverture du Parlement et il valait sans doute mieux qu'il ne se doutât pas de ce qui l'attendait. Il avait été diplomate à Saint-Petersbourg, à Rome et à Paris. Rien ne l'avait préparé au tohu-bohu de la scène politique canadienne.

A l'appel du Gentilhomme à la verge noire, les députés « s'engouffrèrent comme une bande d'écoliers » (quatre futurs Premiers ministres faisaient partie de la bande) et le Gouverneur général commença la lecture du discours du Trône. Il mentionnait le chemin de fer dans l'un des principaux paragraphes du discours : « J'ai accepté l'octroi d'une charte à un groupe de capitalistes canadiens dans le but de construire le chemin de fer du Pacifique. La nouvelle

*John A. Macdonald (à droite) et son adversaire politique
Alexander Mackenzie qui admettait ne pas avoir
« cet heureux état d'esprit ».*

LA DURE EPREUVE DE JOHN A. MACDONALD

George W. McMullen (à gauche), l'exilé de Picton, en compagnie
de Sir Hugh Allan (en haut, à droite) et en compagnie
du Premier ministre (en bas, à droite) qu'il tente de faire chanter.

En haut, à gauche :
Georges-Etienne Cartier,
défait aux élections de 1872,
en compagnie de Macdonald.
Cartier n'a plus que quelques
mois à vivre.

A droite : Le 2 avril 1873.
Lucius Seth Huntington dévoile
à la Chambre des Communes
le scandale du Pacifique Canadien.
Derrière lui, l'implacable
Edward Blake.

Le 3 novembre 1873. Macdonald
(le verre de gin à la main),
se bat pour sauver sa peau.
Il prononce le plus grand discours
de sa carrière.

Le 4 novembre 1873. Edward Blake parle au nom des Libéraux.
Dans un discours froid et dénué de toute passion,
il démolit la thèse des Conservateurs.

*Mais Macdonald n'est pas à la Chambre pour y entendre
le discours de Blake. Il s'est écroulé sur un divan
dans une salle de réunion attenante.*

*Donald Smith (en haut,
à gauche) donne le coup de
grâce aux Tories. Le nouveau
Premier ministre,
Alexander Mackenzie (à droite),
fait faire son portrait officiel.*

Le Gouverneur général Lord Dufferin (à gauche)
en compagnie de la comtesse. Il s'ennuie à Ottawa.
Il supplie le Gouvernement de lui permettre de se rendre en
Colombie Britannique pour y calmer les appréhensions
de cette province. Un affrontement violent s'ensuit.
Le 18 novembre, Dufferin, Mackenzie et Blake (ci-dessus)
« en viennent presque aux coups ».

Les deux personnalités de Macdonald.
Il tient tendrement dans ses bras
sa fille Mary, qui soufre d'arriération
mentale (en haut, à droite).
A gauche : la scène, restée célèbre,
du 10 mai 1878. Macdonald est chef
de l'Opposition à la Chambre des
Communes. Ce jour-là, il tente de s'en
prendre à Donald A. Smith
affirmant en qu'il peut le briser
« comme un fétu de paille ».

Page suivante : *Les élections
approchent. Agnes Macdonald
demande à son mari quel
en sera le vainqueur. Mais il
avait lui-même sous-estimé
l'ampleur du balayage qui
le reporta au pouvoir.*

compagnie nous a fourni l'assurance qu'elle procédera avec vigueur à la construction de ce grand ouvrage. En Angleterre, le marché de l'argent est favorable et nous avons tous les espoirs d'en arriver à un arrangement et d'obtenir le capital nécessaire ».

Macdonald ne fut sans doute pas le seul député présent à sentir le vide de ces propos. Le Parti Libéral était déjà au courant de l'affaire et à mesure que la session progressait la rumeur se répandit à Ottawa d'un imminent tremblement de terre politique. Le 31 mars, au début du débat sur les procédures, l'Opposition ouvrit son jeu : Lucius Seth Huntington se leva et proposa la formation d'un comité qui aurait pour mandat d'enquêter dans les affaires courantes du Pacifique Canadien. Huntington reprit son siège aux cris de « Hear ! Hear ! » qui fusaient des bancs de l'Opposition. Cette intervention avait émoustillé l'assemblée.

Deux jours plus tard, Huntington se préparait à présenter sa proposition ; les corridors de la Chambre grouillaient de monde, les loges étaient bondées, les bancs de la Trésorerie étaient envahis, et tous les sièges de l'Opposition étaient occupés. Les Communes attendaient en silence. Rarement député avait-il obtenu si grande attention.

Huntington parla le soir même. C'était un homme de quarante-six ans à l'allure imposante. Beau et solide, il avait la tête classique que recherchent les sculpteurs — un nez aquilin, des yeux remplis de poésie, une chevelure épaisse et ondulée.

Avocat et politicien expérimenté, orateur brillant, il avait une voix résonnante et mélodieuse ; mais maintenant sa voix tremblait, et il parlait si doucement que les « back-benchers » durent tendre l'oreille pour l'entendre. Il avait toutes les raisons d'être nerveux : il jouait là sa carrière. S'il ne réussissait pas à prouver ce qu'il avançait, il devrait démissionner ; mais s'il y arrivait, sûrement qu'il passerait à l'histoire.

Il prononça un discours étonnamment bref qui ne comptait pas plus de sept courts paragraphes et dans lequel il n'avançait aucune preuve. Il accusa Allan en affirmant que sa compagnie avait été secrètement financée par des capitaux américains et que le Gouvernement le savait, qu'il avait avancé au gouvernement de fortes sommes d'argent, dont une partie avait été fournie par les Américains, pour l'aidr edans sa campagne électorale et qu'on lui avait promis le contrat du chemin de fer en échange de cet appui.

Lord Dufferin descendait de Richard Sheridan et il avait hérité de l'éloquence de ce grand dramaturge. C'est en termes beaucoup plus vigoureux qu'il expliqua l'affaire au Secrétaire aux colonies. Huntington, dit-il, accusait le Gouvernement « d'avoir vendu à des étrangers les intérêts les plus précieux du Canada dans le but de débaucher les parties constituantes du Dominion à l'aide de l'or qu'ils avaient reçu comme prix de leur trahison. »

Séduit par le charme considérable du Premier ministre, Dufferin n'en croyait pas un mot. Il pensait que la scène du Parlement, à laquelle il n'avait pas assisté, était « très absurde » et il affirmait que Huntington, pour sa part, « était un homme sans grand talent politique ».

Mais les événements allaient démontrer que cela n'était nullement absurde.

Huntington exigeait la formation d'un comité parlementaire de sept membres pour enquêter dans toutes les circonstances qui avaient entouré les négociations du contrat du chemin de fer et qui aurait le pouvoir de faire produire les documents, les procès-verbaux et d'assigner les témoins. Un historien de l'époque rapporte que c'est avec « une émotion contenue » qu'il reprit alors son siège.

Un lourd silence s'appesantit sur la Chambre. Tous les regards s'étaient tournés vers la longue silhouette de Macdonald, vautré dans son fauteuil, mais le Premier ministre « resta de glace. » Certains affirmaient que ces accusations l'avaient littéralement assommé mais il est difficile de le croire. Il les attendaient depuis le jour où Huntington l'en avait averti. Ce qui l'ennuyait davantage c'était leur manque de poids. Pourquoi Huntington se retenait-il ? Pourquoi n'avait-il pas inscrit les preuves au dossier ?

Que complotait donc l'Opposition ?

C'est le Président qui rompit le silence en posant la question préalable. La proposition fut rejetée par une des plus grosses majorités obtenues par le gouvernement pendant cette session. La presse tory affirma qu'il ne s'agissait là que d'un truc pour piquer le Cabinet.

Entre-temps cependant, Macdonald faisait face à la rébellion de ses propres partisans. Plusieurs avaient le sentiment que l'attitude du Gouvernement lui donnait l'air de vouloir piétiner l'Opposition et que, devant des accusations aussi graves, on pouvait prendre son silence pour un aveu de culpabilité. En conséquence, une semaine plus tard, le Premier ministre se leva et annonça la mise sur pied d'un comité de cinq membres pour étudier les accusations de Huntington.

C'est alors que Macdonald s'engagea dans une série de manoeuvres dilatoires du genre de celles qui devaient plus tard lui valoir le sobriquet — affectueux — de Old Tomorrow (vieux lendemain). Il fallait différer l'affaire. Macdonald convenait que les témoignages devaient être assermentés. Mais avant de faire assermenter les témoins, il fallait saisir la Chambre d'un projet de loi. Macdonald était à peu près certain que l'Angleterre, mise au courant, désavouerait un tel projet de loi.

Le 5 mai le comité se réunit pour la première fois mais Macdonald s'arrangea encore pour reporter l'affaire en prétextant l'absence d'Allan, alors en Angleterre. Puis, grâce à l'appui des Tories qui siégeaient sur le comité et grâce également à sa majorité parlementaire, Macdonald fit ajourner les audiences jusqu'au 2 juillet. L'Opposition n'avait pas encore réussi à verser une seule preuve au dossier.

Les Libéraux trouvaient dangereuses toutes ces tergiversations : il était facile, dans l'intervale, de détruire les télégrammes ; ou alors les originaux des documents pouvaient disparaître ; et de fait, ils disparurent. Les leaders libéraux s'aperçurent, mais un peu tard, qu'ils avaient commis l'erreur de ne pas fournir certaines preuves dès les premières accusations de Huntington. Il avait vu des copies de la correspondance Allan-McMullen et il savait où se trouvaient les originaux, cela était évident. On apprendra plus tard que le Parti libéral avait acheté de McMullen, pour la somme de vingt-cinq mille dollars, la correspondance indiscrète d'Allan.

Selon toute apparence, le Premier ministre avait la situation bien en mains. Mais au fond, il en avait plein le dos. En mai, il reçut deux coups durs. Les rumeurs du scandale canadien avaient ruiné la mission d'Allan en Angleterre ; la politique des chemins de fer de Macdonald était foutue.

La colonisation du Nord-Ouest, la réunion des provinces divisées, l'implantation d'une vraie nation, d'un océan à l'autre, tout cela n'était plus que rêve impossible.

Et puis, l'association Macdonald-Cartier était chose du passé. Le compagnon d'armes de Macdonald venait de mourir en Angleterre des suites de la maladie de reins qui l'avait ravagé pendant deux ans. Au plus creux de sa carrière, Macdonald n'avait plus personne vers qui se tourner. Il était isolé politiquement. Il était inquiet, surmené, tourmenté et déprimé. Il aurait voulu partir, mais son parti ne pouvait pas le laisser démissionner puisqu'on n'avait personne pour le remplacer. Il faisait partie du mobilier, tout simplement. Il était impensable qu'il partît. A cette époque où on ne reconnaissait pas facilement les politiciens, tous connaissaient Macdonald. La silhouette allongée, le visage sans beauté, le nez absurde, les boucles serrées autour des oreilles faisaient la joie des caricaturistes. Toutes les semaines, dans Grip, J.S. Bengough en faisait un chenapan sympathique aux jambes fines comme des allumettes et au menton proéminent.

C'est vrai qu'il était sympathique, bien qu'il fut assez souvent un chenapan, dans le sens politique du mot. A cette époque où les haines partisanes faisaient rage et où un adversaire politique était un véritable ennemi, les adversaires de Macdonald n'arrivaient pas vraiment à le haïr. Joseph Lister, Grit bien connu qui avait férocement attaqué Macdonald au Parlement, avouait que sa personnalité le fascinait tellement qu'il n'osait pas le fréquenter de peur d'être séduit.

Il ne se fâchait jamais. Cela est singulier et remarquable quand on connaît les tragédies et les épreuves de sa vie privée. Sa première femme était une invalide incurable, clouée au lit pendant la plus grande partie de leurs quatorze ans de mariage. Son deuxième bébé, un garçon, était mort dans les convulsions. Sa fille Mary, seule enfant issue de son second mariage, était infirme et souffrait d'arriération mentale. Après 1867, Macdonald vit s'envoler les épargnes de toute sa vie. Il se retrouva dans les dettes jusqu'au cou, d'une part parce qu'il avait négligé sa pratique légale et d'autre part à cause de la faillite inattendue d'une banque. Il n'avait jamais été bien robuste et il semblait toujours au bord de la défaillance. En 1870, une attaque cauchemardesque de calculs biliaires l'avait forcé à s'aliter pendant six mois. Il faillit en mourir. (Dans les journaux, on avait déjà composé sa notice nécrologique). Il en fut marqué pour la vie.

Pour ajouter à ces malheurs, à la fin du printemps de 1873, Macdonald perdait son plus proche associé ; il voyait également s'écrouler son grand rêve national et il entrevoyait la destruction possible de son parti de même que sa propre déchéance.

Comme il l'avait fait si souvent dans des circonstances semblables, il se tourna vers la bouteille : et pendant les semaines qui suivirent, tous ceux qui le rencontrèrent, du Gouverneur général au journaliste, dûrent subir le spectacle d'un Premier ministre du Canada ivre mort.

Les journaux utilisaient habituellement l'euphémisme « indisposé » mais les lecteurs savaient exactement ce que *cela* voulait dire. Après tout, ne racontait-on pas toutes sortes d'histoires sur sa manie de boire : ne racontait-on pas qu'un jour il était monté si saoul sur la plateforme d'un train qu'on le vit vomir pendant le discours de son adversaire. Il s'était pourtant tiré d'affaire en commençant son discours ainsi : « Monsieur le Président, messieurs, je ne sais pas comment cela se fait mais chaque fois que j'entends parler Mr. Jones j'en ai l'estomac tout retourné. » Ne racontait-on pas également qu'il avait dit, lors d'une assemblée publique tenue durant une campagne contre l'ex-chef libéral et rédacteur en chef du *Globe* : « Je vous connais assez pour savoir que vous préférez un John A. saoul à un George Brown à jeun ».

N'avait-il pas dit encore, quand ses collègues le pressaient de parler de son problème à cet autre soiffard qu'était D'Arcy McGee : « Écoute, McGee, notre Gouvernement ne peut pas se payer deux ivrognes et tu dois arrêter de boire. »

Les beuveries de Macdonald — parfois, après s'être mis au lit, il ingurgitait du porto, bouteille sur bouteille — s'étaient transformées en une estimable légende canadienne ; mais à cette époque, ses amis et ses collègues s'en inquiétaient et sa femme, statuesque et moralement irréprochable, pour qui il avait abandonné la bouteille alors qu'il lui faisait la cour, s'en trouvait fort embarrassée. Le sympathique Dufferin, qui fut plusieurs fois embarrassé publiquement par la présence de son Premier ministre éméché, croyait que Macdonald souffrait d'une « infirmité ». Alexander Mackenzie, le leader de l'Opposition guindé, au visage de marbre, était beaucoup moins tolérant. A ses yeux, Macdonald était tout simplement « un ivrogne débauché. »

Pourtant, il récupérait facilement. Il pouvait, même après des jours de beuverie, reprendre l'étrier pour expédier les affaires urgentes. Et il faut bien dire qu'à la fin de juin, Macdonald avait besoin de toutes ses facultés : le projet de loi sur l'assermentation des témoins ne fut officiellement désavoué que cinq jours avant la première rencontre du comité d'enquête. Macdonald proposa de nouveau la création d'une commission royale. Le comité commença à siéger le 3 juillet et un furieux débat s'ensuivit. Les membres du Gouvernement voulaient tout arrêter jusqu'à leur prochaine réunion, le 13 août.

L'Opposition voulait qu'on ignorât le serment et qu'on questionnât des témoins non assermentés. Le point de vue du Gouvernement prévalut, évidemment.

Une fois de plus, l'Opposition avait raté sa chance de fournir des preuves à l'opinion publique. Il y avait déjà plus de trois mois que Huntington avait soulevé la question sans réussir à émouvoir le pays. Il n'y avait plus qu'un recours : la presse.

5

Le matin du 4 juillet, les fidèles lecteurs du *Globe* de Toronto et du *Herald* de Montréal trouvèrent dans leurs minces journaux le plus grand « scoop » des dix dernières années. On y trouvait, étalée sur plusieurs colonnes, toute la correspondance échangée entre Sir Hugh Allan et ses bailleurs de fonds américains. Elle était ainsi offerte à la réflexion de tout le pays, noir sur blanc. Allan y racontait en détail sa victoire sur Cartier ; il y rapportait encore longuement comment il avait contraint par la force la presse et l'opinion publique québécoises ; il parlait de ses dépenses de $343,000 et de son double-jeu avec ses associés américains.

Ces dix-sept lettres mirent presque fin à la carrière de Sir Hugh Allan. Un de ses associés déclara, à Montréal, qu'il préférait ne pas être vu en sa compagnie.

Pour la première fois, l'opinion publique avait enfin quelque chose à se mettre sous la dent et le scandale du Pacifique, comme on l'appelait maintenant, faisait l'objet de toutes les conversations.

Les lettres, insistait le *Globe,* prouvaient que le Gouvernement « était impliqué sans l'ombre d'un doute dans une conspiration infamante et dégradante ». C'était nettement exagéré. Le nom de Macdonald n'y apparaissait que trois fois, dans des passages inoffensifs. Un seul paragraphe, bien qu'ambigu, était suspect. On le trouvait dans une lettre qu'Allan avait adressée au Général Cass, du Northern Pacific. Allan écrivait alors : « nous avons signé hier une entente par laquelle, grâce à certaines considérations financières, ils ont accepté de former la compagnie dont je serai président, de souscrire à mon point de vue et de nous donner, à moi et à mes amis, la majorité des actions. »

C'est alors qu'à la demande expresse de Macdonald, Allan, avec l'aide d'Abbott, prépara un affidavit assermenté qui fut publié le 6 juillet dans les journaux favorables au Gouvernement. Ce long document visait à tirer l'administration de ce mauvais pas et il y réussit dans une large mesure.

Les dénégations assermentées d'Allan étaient explicites et positives. Bien qu'il eût certainement souscrit des hommes d'argent pour faire élire ses amis, il l'avait fait sans y attacher aucun condition. Pas un dollar, jura-t-il, ne venait des Américains. Il était vrai qu'il avait laissé la porte entrouverte à ses amis américains jusqu'à ce que le Gouvernement lui eût enjoint, mollement d'ailleurs, de les exclure ; il croyait qu'il avait agi selon son sens de l'honneur. Quant à Mc-Mullen, il avait eu de telles exigences financières à son égard que « j'ai tout simplement refusé de les considérer ».

C'était un véritable numéro d'équilibriste. « Il (Abbott) avait réussi à faire reconnaître au vieux gentleman, sous serment, la fausseté de ses lettres, » écrivit joyeusement MacDonald à Lord Dufferin. Le Cabinet de Macdonald, bien que sévèrement perturbé, tenait toujours. « Le remède était amer, mais Abbott réussit très bien à lui dorer la pilule. » Allan pouvait difficilement faire semblant d'ignorer une correspondance qu'il avait lui-même rédigée. Mais il réussit à contourner péniblement cette difficulté : « Les lettres, dit-il étaient des lettres personnelles, rédigées pendant qu'une foule d'autres choses réclamaient mon attention. J'y ai mis probablement moins d'attention et de prudence que si j'avais su qu'elles seraient publiées. D'autre part, même si, par certains aspects, ces lettres ne sont pas tout à fait exactes, je vois que les circonstances justifiaient ou excusaient, dans une large mesure, le langage que j'ai employé. »

Le Premier ministre, fatigué, décida qu'il pouvait bien s'accorder un congé à Rivière du Loup. C'est pendant ce séjour à son petit chalet du bord du fleuve que le ciel lui tomba sur la tête.

Le coup fut porté le 17 juillet. Toute une suite de révélations identiques furent publiées simultanément dans le *Globe,* le *Herald* et l'*Evénement,* de Québec. Elles étaient horrifiantes.

George McMullen était l'auteur de l'histoire. Il prétendait qu'Allan avait prêté de l'argent à Macdonald. Il nommait les journaux qu'Allan lui avait dit avoir payés. Il ajoutait qu'Allan avait fait à Hincks un prêt additionnel à remboursement indéfini de dix mille dollars et qu'il avait promis à Hector Louis Langevin, le suc-

71

cesseur de Cartier, $25,000 pour sa campagne électorale « à la condition d'obtenir sa bienveillante assistance ». Il y avait pis encore. En appendice à l'histoire de McMullen, on avait publié toute une série de lettres et de télégrammes, véritable dynamite politique. C'est par exprès qu'on les avait presque dissimulés à la fin des articles, pour tenter d'en cacher la provenance. Elles avaient été subtilisées, en pleine nuit, dans le coffre-fort d'Abbott pendant qu'il était en Angleterre, puis copiées par son secrétaire particulier et ensuite vendues comptant au Parti Libéral.

De Cartier à Abbott, Montréal, le 24 août 1872 :

« En l'absence de Sir Hugh Allan, je vous serais fort obligé de verser au Comité Central une somme additionnelle de vingt mille dollars aux mêmes conditions que j'avais inscrites au bas de ma lettre à Sir Hugh Allan, datée du 30.

Georges E. Cartier

« P.S. : Veuillez s'il vous plaît envoyer $10,000 de plus à Sir John A. Macdonald, aux mêmes conditions. »

Des arrangements? Des conditions? Que valaient donc maintenant les dénégations assermentées d'Allan ?

Mémorandum signé par trois membres du Comité Central, J. L. Beaudry, Henry Starnes et P.S. Murphy : « Reçus de la part de Sir Hugh Allan, des mains de J.J. C. Abbott, vingt mille dollars pour fins générales d'élections ; les dispositions devront être prises selon les conditions décrites dans la lettre de Sir Georges E. Cartier, en date du 30 juillet, et selon la demande incluse dans sa lettre du 24 courant. »

Montréal, le 26 août 1872

Encore une fois, ce mot maudit : *arrangements.* Quelle bonne chose pour le Gouvernement que la mort de Cartier !

Télégramme : de Macdonald à Abbott, à Sainte-Anne, le 26 août 1872 : « J'ai besoin de dix mille dollars de plus ; c'est la dernière fois que je m'adresse à vous ; ne me laissez pas tomber ; répondez aujourd'hui. »

72

Réponse : De Abbott à Macdonald, de Montréal, le 26 août 1872 :
« Retirez dix mille dollars en mon nom. »

« Trois autres documents beaucoup plus extraordinaires que ceux-ci ... furent tenus sous le boisseau », écrivait Lord Dufferin au secrétaire aux Colonies. Après tout cela, Asa B. Foster, le sénateur mécontent, émit une déclaration pour commenter, en les corroborant, les révélations de McMullen.

Ces révélations firent sur l'opinion publique un effet incalculable. Sur un ton dramatique, comme il en avait l'habitude, Dufferin rappelait plus tard « la teneur et la honte qui accablèrent les citoyens quand ils prirent conscience pour la première fois de la possibilité pour les hommes d'Etat en qui ils avait mis toute leur confiance de se rendre coupables d'une pareille conduite ».

A la fin de juillet, le scandale du Pacifique faisait l'objet de toutes les conversations. Cela continua pendant tout l'automne. Tous les autres commentaires et nouvelles passaient au second plan. Les rangs du parti furent décimés. Pendant cet été orageux, plus d'un fidèle Tory se mua en partisan libéral actif.

Rien, pendant toute sa longue carrière, n'avait affecté Macdonald aussi durement que les révélations de McMullen. La nouvelle, selon son dire, « le désarçonna passablement » — c'était « ce genre de malchance écrasante que tout homme, dit-on, rencontre au moins une fois dans sa vie ». Il s'attendait à des difficultés, bien sûr, mais jamais à un tel cataclysme. Bien sûr qu'il avait envoyé les télégrammes, mais il n'avait jamais cru qu'on le démasquerait.

Alexander Cambell, le vieil associé de Macdonald et leader du Sénat, se mit en communication immédiatement avec son chef pour lui demander de rencontrer au plus tôt Langevin, à Québec. La stratégie était évidente : il était désormais absolument nécessaire de former une commission royale d'enquête qui réunirait, de préférence, des juges « sûrs ». On fit mander en vitesse l'indispensable Abbott pour mener les négociations. C'est « avec beaucoup de circonspection » qu'il écrivit à Charles Dewey Day, un juge retraité de la Cour supérieure et Chancelier de l'Université McGill. Deux jours plus tard, le juge lui-même écrivit une lettre aimable à Macdonald pour lui déclarer qu'il se ralliait carrément à lui. Il était troublé par le fait que la correspondance, telle que publiée dans les journaux « semblât l'accuser ». Il ajoutait : «qu'il ne fallait pas perdre une minute à tenter de changer le courant de l'opinion publique ». De toute évidence, aux yeux de Macdonald, Charles Dewey Day était l'homme qu'il fallait pour présider la commission d'enquête.

Mais à partir de ce moment, Macdonald, écrasé par la crise, se jeta de nouveau dans l'alcool et disparut. Pas un membre de son Cabinet n'avait réussi à le joindre et personne ne connaissait ses plans ou ses intentions. La presse raconta qu'il était disparu de Rivière du Loup. Sa femme ne savait pas où il était. Le Gouverneur général, affolé, au beau milieu d'une visite officielle dans les Maritimes, n'obtint pas de réponse à une lettre urgente et confidentielle qu'il lui avait adressée. Il envoya d'urgence un télégramme ; toujours pas de réponse. Le 5 août, le *Daily Witness* de Montréal, dans son édition de deux heures, publia la rumeur voulant que Macdonald se soit suicidé en se jetant dans le Saint-Laurent. Cette histoire, inventée de toutes pièces par ses adversaires politiques, fut rayée de l'édition suivante, mais elle avait quand même paru vraisemblable à plusieurs ; cela confirmait la culpabilité du Gouvernement. Suicide ou pas, la vérité c'est que pendant plusieurs jours, en pleine crise politique grave, le Premier ministre du Canada était en train de se saoûler la gueule et demeurait introuvable. C'est Dufferin qui finalement tira le mystère au clair et qui l'annonça, par lettre, avec précaution, au secrétaire aux Colonies : « J'ai finalement découvert qu'il s'était enfui de sa villa du bord de mer et qu'il s'est réfugié chez un ami dans les environs de Québec. »

6

Les trois commissaires commencèrent à recueillir les témoignages le 4 septembre, à midi, dans la salle du comité des chemins de fer de la Chambre des Communes.

Quand on apprit le choix des commissaires on cria à la collusion. Curieusement, la presse n'attaqua pas le juge Day, mais les deux autres nominations furent accueillies avec scepticisme. Le *Globe* jugea sommairement le juge Antoine Polette, ex-politicien et juge retraité de la Cour supérieure du Bas-Canada. Il n'était « qu'un Conservateur français amer et plein de préjugés ». Mais c'est à l'honorable James Robert Gowan, un juge de district de Simcoe, en Ontario, lié d'amitié avec Macdonald depuis vingt-cinq ans, qu'il réserva sa plus verte semonce. Le journal le décrivait comme un mercenaire politique et un « suiveux de parti ».

Le fonctionnement de la commission était impropre à plusieurs égards. Il n'y avait aucun avocat pour contre-interroger les témoins. La tâche revenait à Huntington. Mais Huntington et tous les membres de l'Opposition boycottaient les travaux car ils croyaient devoir les référer à un comité parlementaire. La commission avait en main la liste des témoins mais les commissaires ne savaient trop quelles questions leur poser. Leur première question était généralement vague. Seuls les trois juges et Macdonald, qui représentait le Gouvernement, avaient droit de contre-interroger les témoins. Plusieurs d'entre eux ne furent pas entendus. Cartier était mort, McMullen ignora tout simplement le subpoena. Le sénateur Asa B. Foster trouva inopportun de se présenter. George Norris, le commis qui avait pillé le coffre-fort d'Abbott, fit répondre par son avocat qu'il était trop malade pour se présenter. Des trente-six témoins entendus, quinze n'apportèrent absolument rien de neuf à la cause et on ne les pressa pas davantage. Ils affirmèrent, selon le cliché habituel, qu'ils ne savaient que ce qu'ils avaient appris en lisant les journaux.

La raison qui avait poussé Macdonald à former une commission royale était évidente. Dufferin disait : « Les vieux juges éventrent moins bien les témoins que ne le font en contre-interrogatoire les jeunes avocats. » Il n'y avait donc rien d'étonnant à ce que Macdonald « s'attendît à un rapport bienveillant ».

Jour après jour, pendant tout le mois de septembre, le public put voir de puissants hommes d'affaires et des politiciens importants, habitués de par leurs fonctions à un travail de précision, chercher leurs mots, donner des réponses incomplètes et évasives, affirmer dans leurs témoignages que les reçus avaient été « perdus » ou qu'ils n'existaient pas, faire précéder leurs remarques de phrases comme « je ne me souviens pas, » ou « cela est peu probable ».

Le premier témoin, Henry Starnes, président de la Allan's Merchants Bank et directeur du fonds électoral de Cartier, répondit aux questions concernant les contributions à la campagne électorale. Il fut on ne peut plus vague : « Je ne sais pas d'où venait tout l'argent mais on le déposa chez moi je ne sais trop comment. » C'étaient là les propos du premier banquier de la ville ! Il ne pouvait dire la somme exacte qu'Allan avait lui-même avancée. Les commissaires ne lui demandèrent pas de présenter ses comptes.

75

Puis ce fut au tour de Sir Francis Hincks. C'était un débater féroce. On l'appelait l'hyène. Mais quand il comparut à la barre il se fit doux comme un mouton. Il affirma qu'il ne savait pas qu'Allan « avait contribué libéralement à la caisse électorale ». Pourtant il devait savoir que l'argent était venu de quelque part : il en avait lui-même reçu une partie.

Quand les directeurs des compagnies de télégraphes de Montréal et d'Ottawa témoignèrent, on apprit que les copies des télégrammes de l'année précédente avaient été détruites, selon le nouveau règlement qui voulait qu'elles ne fussent conservées que pendant six mois. Ainsi, toutes les copies des télégrammes afférents à l'enquête étaient disparues. L'omniprésent Allan, apprit-on alors, était également président de la compagnie de télégraphes.

Hector Louis Langevin, comme plusieurs autres hommes publics, déclara qu'il détruisait la plus grande partie de son courrier. Le ministre des Travaux publics de Macdonald témoigna : « J'ai toujours détruit mes lettres aussitôt après les avoir lues, sauf les lettres officielles qui sont classées au ministère... et je crois, d'après ce que j'ai vu jusqu'à maintenant, que j'avais parfaitement raison de le faire ».

Langevin admit qu'Allan lui avait versé des contributions électorales mais « aussi bien que je me souvienne, » aucune condition n'y était rattachée. Il avait reçu plus de 32,600 dollars. Somme immense, provenant d'une seule source, équivalant à 200,000 de nos dollars actuels.

Les commissaires acceptaient ces affirmations telles quelles, sans pousser plus loin leur enquête, et cela n'échappa pas à la vigilance des observateurs. L'adversaire politique de Macdonald, George Brown, ancien chef libéral et rédacteur en chef du *Globe,* tapait sur le clou tous les jours. Il venait tout juste d'arriver d'Angleterre où il avait dîné avec un des principaux éditorialistes du *Times* et avec quelques autres journalistes. Quand Macdonald comparut devant la commission, les journaux britanniques les plus importants étaient déjà prêts à le matraquer.

Le pays tout entier attendait avec impatience le témoignage de Macdonald. Le Premier ministre nia ou atténua toutes les affirmations rapportées par McMullen. Il nia également que l'argent versé par Allan au fonds électoral eût pu influencer le Gouvernement de quelque façon. De plus, il affirma clairement qu'il n'avait jamais été dans les intentions du Gouvernement de laisser aux Américains la direction du chemin de fer. Mais il ne pouvait pas nier deux accusations accablantes. Et il ne les nia pas : il avait vraiment demandé à Allan de verser des fonds à la caisse électorale et il lui avait vraiment promis la présidence de la compagnie.

Macdonald jura qu'il n'avait pas utilisé un cent de l'argent d'Allan pour sa propre campagne électorale; mais il fut forcé de faire une autre admission qui ne pouvait que lui être dommageable : l'argent d'Allan avait été dépensé d'une manière « contraire aux lois, » pour amener les électeurs au bureau de scrutin et « en diners et diverses choses semblables ». Les euphémismes et les imprécisions délibérées du Premier ministre ne pouvaient pas empêcher le public d'en déduire que l'argent avait été utilisé pour soudoyer les électeurs. Ministre de la Justice, Macdonald avait donc sciemment contrevenu à la loi.

Même Lord Dufferin, qui n'avait pas ménagé ses peines en faveur de Macdonald, pensait que son témoignage avait « bien mauvaise apparence ».

La presse britannique l'attaqua durement. Le *Times* affirma que son témoignage avait avéré les révélations de McMullen. La *Pall Mall Gazette* soutint que « sa conduite scandaleuse est sans précédent » et exigea qu'il soit démis de ses fonctions à jamais. Les journaux d'opposition du Canada se firent un plaisir de reproduire ces articles ; le travail de défrichage de George Brown avait bien servi le Parti Libéral.

Deux jours plus tard, ce fut au tour d'Allan de témoigner. Aucune bravade mais une mémoire défaillante. Il avait même oublié qu'il avait signé, le 28 mars 1872, un nouveau contrat avec ses promoteurs américains, contrat qui l'autorisait à accepter une subvention foncière de moindre importance que celle qui avait d'abord été proposée.

« Je n'avais aucun souvenir de ce contrat jusqu'à ces derniers jours, déclara le châtelain de Ravenscrag, et si on m'en avait parlé j'aurais dit que je ne l'avais jamais vu. » Mais il n'y avait aucun doute : le contrat existait bel et bien et l'homme d'affaires le plus astucieux du Canada, qui insistait pour tout consigner par écrit, l'avait sûrement signé.

Quant à la fameuse correspondance qu'il avait entretenue avec McMullen, Smith et Cass, c'étaient «des lettres personnelles contenant des renseignements confidentiels dont la publication n'était pas prévue », et à ses yeux, cela semblait suffisant pour qu'on n'en parlât plus. Il admit que certains passages de ses lettres pouvaient « sembler contredire » son propre témoignage et il répéta, comme il l'avait expliqué auparavant, qu'elles avaient été écrites négligemment.

Le témoin Allan démontra qu'il n'entendait que ce qu'il voulait bien entendre. McMullen avait affirmé qu'entre le 30 juillet et le 6 août 1872, Allan et Cartier avaient passé entre eux un accord secret, avec la bénédiction de Macdonald. Grâce à certaines considérations financières, cet accord devait permettre à Allan d'obtenir la charte. Et là, devant ses yeux, s'étalait la propre lettre d'Allan au Général Cass, datée du 7 août, affirmant que « nous avons signé hier un accord par lequel ils acceptent, grâce à certaines considérations financières, de former une compagnie dont je serai président, de se ranger à mon point de vue, de nous donner, à moi et à mes amis, une majorité des actions, et d'accorder à cette nouvelle compagnie le contrat de construction du chemin de fer... »

Il avait également utilisé le mot « accord » dans une lettre à McMullen datée du 6 août. Mais, selon l'interprétation étonnante d'Allan, « hier » ne voulait plus dire hier, « signé » ne voulait pas vraiment dire signé, et un « accord », à la réflexion, n'était pas vraiment un accord.

Allan affirma qu'il avait négligemment utilisé le mot « hier » alors qu'il voulait plutôt dire « récemment » ou « il y a quelque temps ». Ce n'était qu'un « simple lapsus ». Signé un accord » n'était qu'une expression « utilisée dans la précipitation du moment ». Et bien qu'Allan eût bel et bien sous les yeux la lettre dans laquelle il avait écrit que la décision appartenait en dernier ressort à un homme — Cartier — il affirmait maintenant qu'un accord avec Cartier n'était pas nécessairement l'équivalent d'un accord avec le Gouvernement. Et il ajouta alors que, jusqu'au jour où Macdonald lui envoya un télégramme pour l'avertir qu'il refusait d'y souscrire, il l'avait vraiment considéré « comme une sorte d'accord ».

Encore une fois les commissaires n'insistèrent pas auprès du témoin. Qu'était-il arrivé, exactement, de l'argent qu'il avait versé à trois ministres ? Pourquoi, s'il ne s'agissait que de cadeaux non sollicités, insista-t-il tellement pour avoir des reçus ? Etait-il dans ses habitudes de dépenser presque quatre cent mille dollars lors d'une campagne électorale ? Les commissaires ne s'attardèrent pas à poser ces questions.

Quand vint le tour de J.J. C. Abbott (son témoignage était farci de « il est peu probable »), la commission d'enquête ne soulevait presque plus d'intérêt.

Les journaux publiaient encore des comptes rendus textuels des travaux de la commission, mais les lecteurs commençaient à trouver tout cela fort ennuyeux. Quand Abbott revint le 27 septembre pour lire et corriger sa déposition — ce qui lui prit deux heures — un des commissaires s'endormit doucement. Il s'éveillait de temps en temps pour priser. Un autre faisait les cent pas derrière le banc. De temps à autre, il s'arrêtait pour prendre une pincée de tabac à priser dans la tabatière de son collègue endormi. Seul le juge Day réussissait à demeurer attentif.

Abbott continuait à ronronner de sa belle voix de ténor, gloire de la Montreal's Christ Church. Les messagers cognaient des clous. Le secrétaire de la commission jetait un oeil distrait sur le *Canada Monthly*. L'un des trois ou quatre journalistes présents s'étendit sur l'un des sièges capitonnés que le public avait abandonnés et il s'endormit lui aussi.

Les travaux de la commission d'enquête tiraient lentement à leur fin. Les commissaires ne firent aucun rapport. Ils publièrent tout simplement le dossier de la preuve, sans le commenter.

7

Le dernier acte se joua sur la Colline parlementaire, du 23 octobre au 5 novembre et, selon James Young, l'historien du Parlement, « ce fut l'un des débats les plus remarquables et les plus excitants de l'époque ».

Pendant cette nouvelle session du Parlement, on ne discutera que d'un seul sujet : la preuve soumise devant la commission royale.

Le Parlement commença à siéger le jeudi, 23 octobre, jour froid et humide qui annonçait déjà l'hiver. Mais rien ne pouvait décourager la foule qui, ce matin-là, se pressait dans les rues principales. Les rumeurs allaient bon train. On racontait que les critiques de la presse britannique avaient découragé Macdonald. On racontait encore que Macdonald croyait pouvoir réunir une majorité. Ou encore que Macdonald allait se retirer de la politique. L'écho de ces rumeurs s'amplifiait dans les escaliers caverneux de Russell House. Des tourbillons humains se formaient, circulaient, éclataient pour se reformer plus loin. Le scandale alimentait tous les commérages.

A midi, une véritable marée humaine déferlait vers la colline parlementaire. A deux heures, les galeries et les corridors du Parlement étaint si bondés qu'il était difficile d'y respirer. Dehors, un vent humide transperçait les manteaux les plus épais ; à l'intérieur, il faisait une chaleur suffocante.

Encore une fois Lord Dufferin se retrouvait dans la Chambre rouge pour y lire, en deux langues, le discours de quelqu'un d'autre — un discours dans lequel il annonçait, entre autres choses, que le rapport de la commission royale serait soumis à la Chambre des Communes et que la charte royale du Pacifique Canadien serait résiliée, faute de fonds. La Chambre ajourna ses travaux. Les préliminaires prenaient fin. Ce n'est qu'au lendemain du weekend que le match allait vraiment s'engager.

Le lundi après-midi, à trois heures, les membres du Gouvernement et de l'Opposition prirent leurs sièges. Macdonald était affalé à son pupitre, à la droite du président. Il affichait une indifférence désinvolte. Tout près, à la place de Cartier, siégeait le rondouillard Langevin, son nouveau lieutenant québécois. C'était une ligne d'attaque de première force : Hincks, la hiène vieillissante : Leonard Tilley, le bel homme du Nouveau-Brunswick ; et, évidemment, Charles Tupper, le vaillant « cheval de bataille du Cumberland », probablement le meilleur tacticien parlementaire. Tous en position d'attaque.

Alexander Mackenzie était assis juste en face de Macdonald. Ses traits de granit rappelaient son passé de maçon. Sur son pupitre s'empilaient tous les documents qu'il avait réunis pour son discours. Il y avait travaillé tout le weekend.

L'Opposition présentait elle-même une formidable équipe offensive : Mackenzie, caustique et sec, passé maître dans l'art de l'invective ; Edward Blake, l'homme fort des Grits ; il avait le mépris si foudroyant qu'il pouvait écraser un adversaire d'une seule phrase ; Richard Cartwright, qui faisait des phrases coupantes et mordantes ; E.B. Wood, le manchot, qu'on appelait Bib Thunder, à cause de ses discours vociférants ; et évidemment Huntington, éloquent et sonore. Ils faisaient face à leurs ennemis, de l'autre côté du no-man's land des Communes. Ils avaient hâte d'engager le combat.

Les deux camps se croyaient assurés de la victoire. L'opinion publique soutenait l'Opposition mais c'est le Gouvernement qui détenait la majorité. A ce stade du développement politique du pays, les lignes de partis n'étaient pas encore très étanches. Le parti d'opposition n'était qu'un rassemblement assez décousu de Réformistes et de *Clear Grits*, chapeautés par le Parti Libéral. Plusieurs partisans de Macdonald se déclaraient indépendants. Personne ne pouvait prévoir comment les six députés de la nouvelle province de l'Ile du Prince Edouard voteraient. Par conséquent, une grande partie du débat parlementaire se fit en coulisses, pendant que d'un côté on tentait de conserver ses partisans et que de l'autre on tentait de se les gagner.

Les députés indécis furent assiégés jour et nuit. Promesses, cajoleries, menaces, pots-de-vin même. A Ottawa le whisky coulait aussi abondamment que l'eau dans la Rivière Rideau. Si abondamment en vérité qu'on dut enfermer certains partisans du Gouvernement, connus pour leur jovialité, pour les empêcher de voter, sous l'effet de l'alcool, contre leur propre parti.

A la fin des audiences de la commission, Macdonald estimait à 25 voix la majorité tory. Mais le lundi 27 octobre, elle était réduite à 18 voix, puis à 16 ; certains affirmaient même qu'elle n'était plus que de 13 voix. Le Premier ministre pouvait encore gagner la partie à condition de réussir à limiter les débats à trois ou quatre jours et de faire l'un de ses puissants discours dès les premières heures de l'engagement.

Mais cela n'arriva pas. Tous voulaient parler (quarante y réussirent) ; et tous étaient présents. Tous les sièges étaient occupés sauf un : on n'entendit pas parler de Louis Riel.

La bataille s'engagea un peu après quinze heures. Aux acclamations de l'Opposition, Mackenzie, menaçant, se leva. Il parla pendant plus de trois heures, emporté par les applaudissements nourris. Il fit un discours méchamment efficace. On demandait au Parlement, dit-il, de voter une proposition qui affirmait le contraire de la vérité — soit que Sir Hugh Allan avait tout simplement versé son argent comme un bon partisan du Parti Conservateur, même si le pays tout entier avait appris « très clairement de la bouche même de ce gentilhomme qu'il ne faisait aucune politique partisane ». Il termina son intervention en déposant une motion de censure.

Quand Tupper se leva après dîner pour répondre à Mackenzie, les loges étaient bondées. Lady Dufferin et sa suite occupaient toute la première rangée de la loge du Président. On murmurait que le Gouverneur général lui-même se trouvait dans la salle, déguisé. En fait, l'impatient Dufferin avait supplié Macdonald « de m'aménager à la Chambre quelque petit cabinet », mais le Premier ministre était trop avisé pour permettre, en ce moment de crise, pareille infraction au règlement.

Tupper maniait la matraque avec une grande maîtrise. Ce médecin robuste de la Nouvelle-Ecosse, aux yeux fixes et au visage agressif, croyait en une seule tactique : attaquez avec toutes les armes possibles. N'admettez rien, tabassez, claquez, enfoncez ; si un adversaire s'avise de murmurer un seul mot, démolissez-le.

Il sauta sur ses pieds, heureux à la pensée que « le temps est enfin venu ou mes collègues et moi sommes en position de discuter cette affaire en la présence d'un Parlement indépendant ». Il rompit en visière et il ne lâcha plus : la prospérité du pays était menacée. Le nom du Canada était souillé. On projetait de faire avorter la construction du chemin de fer, rien de moins. Allan n'avait fourni que des sommes « insignifiantes ». Les accusations étaient fausses et scandaleuses.

Ce numéro de bravoure avait mis la foule en liesse et le cheval de bataille du Cumberland dut continuer son discours au milieu des sifflets qui fusaient de toutes parts. Nullement décontenancé, il poursuivit sa diatribe pendant plus de trois heures pour ensuite céder la place au héros de l'Opposition, Lucius Seth Huntington.

Il était plus de vingt-trois heures. Il défendit résolument sa propre position dans l'affaire et attaqua ironiquement ses adversaires, en privilégiant Charles Tupper sur tous les autres.

A un certain moment la Chambre croula de rire quand il s'en prit à la déclaration d'Allan au général Cass dans laquelle celui-ci affirmait qu'il avait soudoyé vingt-sept des quarante-cinq partisans de Cartier : « Simple curiosité, je voudrais connaître ces vingt-sept personnes. (Cris et applaudissements). Il y a dans cette Chambre une brigade Sir Hugh Allan composée de vingt-sept députés. Selon Sir Hugh Allan lui-même, ils ont été dépêchés ici pour voter pour le Gouvernement et si, un seul d'entre eux veut maintenant se lever, je vais moi, m'asseoir.

Huntington poursuivit dans la même veine. Il reprocha au Premier ministre de jouer en même temps les témoins, les procureurs et les défenseurs de la compagnie du chemin de fer. Il termina son discours à une heure trente. Il jeta un coup d'oeil du côté des partisans indécis du Gouvernement et il déclara : « vient le temps où l'on doit choisir entre sa loyauté au parti et sa loyauté au pays. »

Jour après jour, le débat rebondit de part et d'autre mais le Premier ministre se taisait toujours. Qu'est-ce qui ne tournait pas rond ? Sa majorité si vantée s'éclipsait « comme les feuilles dans la Vallée de Vallombrosa », selon les mots de Lord Dufferin. Ses amis, en colère, le suppliaient de faire quelque chose. *IL DEVAIT* parler ; il était le seul à pouvoir arrêter cette marée montante. Mais le Premier ministre s'entêtait toujours dans son silence.

Il s'était remis à boire. Hagard, la fatigue l'affaiblissait et la tension le minait. Plusieurs croyaient qu'il ne se sentait pas suffisamment en forme pour prendre fait et cause pour son parti.

Mais ce n'était pas cela. Macdonald attendait le discours d'Edward Blake. Il était presque certain, d'après certaines insinuations qu'il avait pu lire dans la presse libérale, que l'Opposition possédait d'autres preuves dommageables, peut-être quelque document « de caractère mortellement compromettant », dû à la plume de Cartier. Peut-être avait-il envoyé lui-même, durant la campagne électorale, quelque lettre préjudiciable ; ce qu'il y avait de plus étonnant dans toute cette affaire, c'est que le Premier ministre ne savait plus s'il en avait, oui ou non, envoyé une. C'est souvent avec un verre de trop dans le nez qu'il avait passé une bonne partie de ce temps. Il DEVAIT avoir le dernier mot. Il ne pouvait pas se payer le luxe de s'avancer le premier sur le terrain pour voir ensuite Blake lui porter le coup de grâce.

Ce n'est qu'à la fin de la semaine qu'il commença de s'apercevoir que, pour une fois, il avait été honteusement déjoué. Blake retardait délibérément son intervention ; il espérait que la santé de Macdonald se détériorerait au point même de l'empêcher de parler. Point de nouvelles révélations : c'est une guerre d'usure que les Libéraux menaient.

Il était dangereusement tard. Le whip du Parti Libéral, James Edgar, tentait de partager les voix. Il donnait 99 voix au Parti Libéral, auxquelles s'ajouteraient peut-être les quatre voix de l'Ile du Prince Edouard. 103 voix sur 206. Edgar avait abattu un travail de géant. Il s'était cramponné aux députés en les cajolant, en leur parlant, en leur promettant mer et monde. David Glass, autrefois maire de London en Ontario, était son dernier trophée. Il changea de camp en prononçant un discours percutant. Plus tard, il sera récompensé de sa défection.

Macdonald décida d'entrer dans l'arène le lundi soir. Il n'avait pas l'air très en forme. Lors Dufferin avait remarqué l'après-midi même qu'il était passablement éméché. Et quand un Libéral se leva pour affirmer qu'un député de ses collègues s'était vu offrir un pot-de-vin de cinq mille livres pour voter en faveur du Gouvernement, le Premier ministre eut toutes les peines du monde à se lever pour lui répondre. Il ne lui restait pourtant plus que trois heures avant de faire le discours de sa vie.

Ce soir-là, les corridors de la Chambre étaient bloqués. Nombreux étaient ceux qui avaient sauté leur repas pour pouvoir se trouver des places dans les loges bondées. Même les « arrière-banquettes » étaient envahies par des étrangers.

Des centaines d'autres, leur laissez-passer inutile à la main, attendaient dehors, tendant l'oreille pour essayer d'attraper quelques bribes du débat qui se déroulait à l'intérieur. On s'était rué dans la capitale pour y assister au duel oratoire entre John A. Macdonald et Edward Blake.

Quelques retardataires achevaient leur café au restaurant du Parlement. Soudain on entendit : « Sir John se lève ! » Les tasses volèrent et les retardataires partirent en courant. Tous les députés occupaient leur siège, sauf Louis Riel, alors en exil, quand Macdonald se leva lentement, pâle, nerveux et hagard. « Une plume aurait pu le jeter par terre. » Alors, pendant plus de cinq heures, il électrisa l'assemblée.

Ceux qui étaient là ne devaient jamais oublier ce spectacle. Plusieurs affirmaient que Macdonald venait de prononcer le plus grand discours de sa carrière pendant que d'autres affirmaient que c'était le plus grand discours qu'ils avaient jamais entendu de leur vie. Même l'injurieux *Globe* en parla comme d'un discours « extraordinaire ». Il pouvait bien être malade, déprimé et soucieux ; mais quelque part au fond de lui-même, cet animal politique à la fois simple, excentrique et étrangement attirant avait trouvé une nouvelle énergie. « Ce sont les vertus du gin », affirmèrent certains, « ce gin que les pages lui versent dans son verre, à eau », disait-on encore ; mais c'est un autre stimulant, beaucoup plus puissant, qui poussait Macdonald. Il battait pour sauver sa peau ; et lui seul pouvait la sauver.

Il commença très doucement et très calmement puis il s'enflamma peu à peu. Il changea de ton et de style, il donna de la voix : Macdonald commençait à se battre. Il s'attaqua sauvagement à Huntington :

son but était « de résilier la charte. » Huntington était manipulé en sous-main par un « pouvoir étranger et hostile ». Cet américanophile avait été élu député « non seulement grâce à l'argent étranger mais aussi grâce à l'influence d'une compagnie de chemin de fer étrangère ». Des voleurs étaient à l'emploi de l'Opposition ; et comment ! Huntington n'avait-il pas versé dix-sept mille dollars à McMullen pour obtenir les fameux documents ?

« Je défie l'honorable député de me rencontrer en duel ! » cria Huntington.

« Il est très évident, dit Macdonald dans le tumulte qui s'ensuivit, que j'ai touché là un point sensible. »

Le Président s'interposa et le Premier ministre parla d'autre chose, réitérant encore et encore qu'il n'y avait pas de marché, pas de contrat entre Allan et son Gouvernement — et que la contribution d'Allan n'était qu'une simple souscription à la caisse électorale.

Il était plus d'une heure trente. Personne n'avait quitté la Chambre. Macdonald se déchaîna, intoxiqué tout autant par les acclamations de la foule que par le contenu du verre qu'il tenait à la main. Il atteignait l'apogée de son discours. Aucune accusation de dépense illégale n'avait pu être retenue contre aucun membre du Parlement devant aucun tribunal, déclara-t-il. Il mit au défi le Parlement, il mit au défi le pays, il mit au défi le monde entier de lire la charte — de la lire ligne après ligne et mot à mot et de tenter d'y trouver quoi que ce soit qui puisse contrevenir aux lois du Canada (acclamations bruyantes). Il défia quiconque de trouver « parmi les treize (directeurs), un seul homme qui eût prépondérance sur un autre. » (acclamations renouvelées).

« Monsieur le Président, je confie le Gouvernement et je me confie moi-même au bon jugement de cette Assemblée et du pays tout entier. (acclamations bruyantes) . . . J'ai fait la bataille de la Confédération, j'ai fait la bataille de l'Union et j'ai fait la bataille du Dominion du Canada. Je m'en remets au Parlement, je m'en remets au pays, je m'en remets à la postérité et je crois savoir que, malgré les nombreux échecs de ma vie, ce pays et ce Parlement m'accorderont leur confiance. (acclamations).

« Et si je me trompe, monsieur le Président, je peux sans crainte faire appel à un jugement supérieur, au jugement de ma conscience et au jugement de la postérité. (acclamations).

« Je me soumets en toute confiance au jugement de cette Chambre. Peu importe le sort qui m'est réservé. Je vois au-delà de la décision de cette Chambre ; vous prendrez parti pour ou contre moi, mais quelle que soit votre décision je sais, et ce n'est pas vanité de le dire, car même mes ennemis admettront que je ne suis pas vaniteux, que pas un homme au Canada n'a consacré plus de temps, plus de cœur, plus de santé, plus d'intelligence et plus de force au service de ce Dominion du Canada. »

C'était la fin. Il reprit son siège, complètement épuisé, pendant que ses partisans et même certains députés de l'Opposition, l'acclamaient à tout rompre.

Il avait réussi, par ce seul discours, à reprendre son emprise sur le Parti Conservateur, emprise jusqu'alors indécise et diminuée. Il n'aurait pas pu continuer autrement. Il était plus d'une heure trente du matin quand Macdonald acheva son discours, mais malgré l'heure tardive, la Chambre continua de siéger. C'est alors qu'Edward Blake tira de son siège son immense silhouette et qu'il se tînt debout, droit et imposant, dévisageant ses adversaires à travers ses lunettes à monture d'argent. C'est à cet avocat ébouriffé, costaud et étrangement pâle que le Parti Libéral avait confié la mission de tirer les dernières salves.

Oracle pour plusieurs, ami pour quelques-uns, énigme pour tous, Blake était une sorte de Hamlet politique qui, tourmenté intérieurement par l'ambition personnelle, affichait un dégoût étrange pour tous ces lauriers qu'on agitait devant lui. Ses collègues le croyaient capable de réussir, mais il ne réussit vraiment jamais complètement. Il n'était Premier ministre d'Ontario que depuis un an quand il démissionna pour faire son entrée sur la scène fédérale. Il aurait pu prendre la tête du Parti Libéral, à la place de Mackenzie, mais il déclina l'invitation. Toute sa vie, il refusera les honneurs.

Il manquait d'assurance et cela était dû à son extrême sensibilité. Devant un affront, réel ou imaginaire, il pouvait fondre en larmes en public. Un jour, il étonna grandement le Gouverneur général : il pleura devant lui en se rappelant une remarque que Macdonald lui avait adressée. Avocat brillant, il était habitué au respect que lui vouaient les juges et ses collègues. Les politiciens de cette époque maniaient l'invective avec ardeur et il était incapable de s'y habituer. Curieusement, Blake lui-même, quand il était en pleine forme, était parfaitement capable de réduire un adversaire en miettes.

Le discours que Blake s'apprêtait à prononcer était exactement le genre de discours que la situation dictait et dans lequel il excellait. La force de Blake consistait à construire son discours point par point, à l'appuyer sur des faits vérifiables et sur de solides évidences. Mais c'était aussi sa faiblesse parce qu'il en mettait trop. Blake ne convenait de rien. Il vérifiait chaque affirmation en se référant aux documents originaux et il continuait à accumuler les preuves longtemps après avoir prouvé ses assertions.

Blake était pâle, nerveux et épuisé. Pendant que les autres se reposaient dans le fumoir, le Hamlet de l'Assemblée déchiffrait des documents à la bibliothèque du Parlement.

Les deux discours, ceux de Macdonald et de Blake, sont à l'image de ces deux hommes totalement différents. Celui de Macdonald était d'une chaleur intense, celui de Blake était de glace. Macdonald avait été spirituel, Blake avait été sérieux. Macdonald avait été personnel et subjectif, Blake avait été analytique et distant.

Il se tenait debout maintenant, pendant que la clameur s'apaisait, la main gauche enfoncée dans la poche de son veston, tout à fait immobile — Blake le Vengeur. Il n'avait ni le temps ni le goût de faire de l'humour. Il alla plutôt droit au but, s'emparant de la supplique finale de Macdonald pour la retourner contre lui. « Ce n'est pas à ces sentiments élevés que l'honorable gentilhomme fit appel durant la campagne électorale, ce n'est pas sur le jugement intelligent du peuple qu'il s'appuya, mais sur l'argent de Sir Hugh Allan. » Ce prologue tranchant, rappelle James Young, galvanisa l'assemblée.

Il parla jusqu'à deux heures trente ce matin-là et il parla encore pendant quatre heures l'après-midi et le soir suivants. Sa cause avançait point par point. Blake n'avait rien d'un histrion, au contraire — peu de gestes et peu d'inflexions de voix — cela ne faisait d'ailleurs qu'augmenter le poids de ses paroles qui tombaient dans l'oreille de députés qui, plus souvent qu'autrement, ne savaient que bégayer. Et quand il s'exclama : « Je crois que c'est ce soir ou demain soir que nous verrons la fin de vingt ans de corruption », les bravos retentirent. Quand Blake reprit son siège, Macdonald était déjà parti. Il était étendu sur un divan dans une salle de comité, épuisé, presque inconscient.

Pourtant, on ignorait encore quel serait le résultat du vote. Quelle avait été l'efficacité réelle de Blake ? Avait-il réussi à annuler l'effet d'encouragement du plaidoyer passionné de Macdonald ? Les

Libéraux n'avaient pas encore réussi à faire voter l'assemblée ; tous gardaient leurs sièges et attendaient la mise aux voix qui ne venait toujours pas.

Enfin ce fut au tour de Donald A. Smith de parler. Ce dur à cuire, cet ancien commerçant de fourrures, en passe de devenir une autorité à la Compagnie de la Baie d'Hudson et à la Banque de Montréal, représentait la circonscription de Selkirk, au Manitoba. Smith se rangeait d'habitude du coté du Gouvernement, mais aujourd'hui, on ne savait pas comment il allait voter et les partisans de Macdonald avaient toujours hésité à faire des approches à cet homme dominateur et glacial. Ils avaient finalement réussi à convaincre le Premier ministre de parler lui-même à Smith. La rencontre n'eut aucun succès ; quand le député s'amena au bureau de Macdonald il le trouva saoûl et agressif. Quoiqu'il en soit, au Gouvernement, on avait le sentiment que Smith était du bon côté.

Il était une heure du matin, le 5 novembre, et la Chambre était dans l'expectative quand Smith se leva. Son discours était court, mais il parvint à en tirer tout le suspense possible. Il affirma avec suavité qu'il ne croyait pas possible que le Premier ministre ait accepté l'argent d'Allan dans un but de corruption. A ces mots, les députés gouvernementaux commencèrent à applaudir ; mais Smith n'avait pas fini : il avait l'impression que le chef du Gouvernement aurait été bien incapable d'accepter de l'argent d'Allan à des fins de corruption. Il était prêt à voter en faveur du Gouvernement — les applaudissements des députés gouvernementaux s'amplifièrent — *s'il pouvait le faire selon sa conscience ...*

La consternation s'abattit sur les Conservateurs ! Les bravos et les rires fusèrent du côté de l'Opposition.

... Il regrettait sincèrement, disait-il, de ne pouvoir le faire ; il n'était pas question de corruption, bien sûr, mais il y avait quand même dans cette affaire « une très grave inconvenance. »

Les députés se renfrognèrent alors dans leur siège, Smith s'assit et le Président ajourna le débat. Smith fut pris d'assaut. Le Premier ministre avait toujours eu de l'admiration pour lui. Maintenant il se sentait trahi. Smith sera vomi par les Conservateurs pendant au moins dix ans.

Evidemment, c'était la fin. Macdonald n'attendit pas de connaître l'humiliation de la mise aux voix. Il démissionna dès le lendemain, et avec une bonne grâce remarquable, il passa dans l'Opposition.

« Eh bien, c'est une affaire classée, » dit-il négligemment à sa femme ce soir-là.

« Que veux-tu dire ? » demanda-t-elle.

« Eh bien, le Gouvernement a démissionné, » répondit-il. Il enfila sa robe de chambre, prit deux ou trois livres sur une table et s'allongea sur son lit.

« Je suis vraiment soulagé d'en être sorti », dit-il. Il ouvrit alors un livre et commença à lire.

Il ne revint jamais sur le sujet ; c'était bien selon son tempérament ; c'était comme si, pour préserver son équilibre, il l'avait effacé de sa mémoire.

Les nouveaux chefs du pays n'en firent pas autant. Pendant les dix années suivantes, à chaque occasion qui se présenta, ils ne manquèrent jamais de rappeler à leurs adversaires le scandale du Pacifique. Cette affaire allait avoir de profondes conséquences sur leurs politiques et sur celles des Conservateurs. Quand, des années plus tard, on en arriva enfin à la signature du contrat pour la construction du chemin de fer du Pacifique Canadien, on s'aperçut que les événements de 1873 affectaient profondément les conditions du contrat, les choix des directeurs de même que leurs futures relations avec le Gouvernement.

Quand Alexander Mackenzie se présenta devant les électeurs au début de 1874, sa victoire fut considérable. On pensait généralement que Macdonald était fini politiquement et qu'il se retirerait rapidement de la scène politique. Le chemin de fer s'était vengé. Ce scandale avait ruiné sa santé, entaché son honneur et brisé sa carrière. George Ross, député libéral de Middlesex, se rappelait alors qu'il avait déjà pensé qu'un retour de Macdonald constituerait un miracle plus grand que la traversée de la Mer Rouge par les Israélites.

Durant les années qui suivirent le scandale, Sir Hugh Allan demeura coi. Ce terrible faux pas l'avait rendu taciturne et peu communicatif. Il ne laissa aucun souvenir du rôle qu'il avait joué dans cette affaire, il n'exprima aucun regret, et il ne fit jamais part des émotions qui l'avaient habité à cette époque.

Il vint pourtant près de le faire un soir qu'il dînait dans son château caverneux de Montréal en compagnie de William Smith, vice-ministre de la Marine et des Pêcheries. Enhardi par le brandy qu'Allan lui avait servi, Smith tenta de percer le mur derrière lequel celui-ci s'abritait.

« Sir Hugh, osa-t-il, tout à fait entre nous, ne pensez-vous pas que vous avez fait une erreur en vous associant à John A. dans l'affaire du scandale du Pacifique ? »

Hirsute, le chevalier de Ravenscrag fixait le feu dans la cheminée. Il mit un certain temps à murmurer une réponse définitive. Enfin...

« Peut-être », répondit-il.

Chapitre
trois

LES
PIONNIERS

1

Pendant tout ce temps et pendant que l'ouragan politique s'apprêtait à balayer l'est du pays, des centaines d'hommes, occupés à déterminer le tracé de la route du chemin de fer, étaient en train de geler, de crever de faim, de tomber malade et même de mourir parfois dans les crevasses inexplorées du nouveau Canada.

La vie que menaient les équipes d'arpentage du Pacifique Canadien était très dure. Ils n'avaient jamais rien connu d'aussi frustrant. Mal payés, surmenés, séparés de leurs familles, privés de courriers, dormant dans la vase et dans les bancs de neige, brûlés par le soleil ou par le froid, atteint de scorbut et d'épuisement, déchirés par les tensions qui surgissent inévitablement entre des hommes découragés et isolés pendant une longue période de temps, les arpenteurs continuaient quand même d'avancer, bon an mal an. Ils explorèrent ainsi une grande partie du Canada ; ils escaladèrent des montagnes jamais escaladées auparavant, ils traversèrent des lacs qui n'avaient jamais connu l'aviron de l'homme blanc et ils traversèrent à gué des rivières qu'on ne trouvait sur aucune carte. Ils marchaient du pas régulier auquel ils s'étaient habitués au long des années ; ils mesuraient les distances, vérifiaient l'altitude à l'aide d'un baromètre anéroïde pendu à leur cou et ils examinaient le terrain d'un oeil averti. Ils voyaient déjà la voie ferrée dans leur imagination. Ils parcoururent ainsi 46,000 milles carrés de ce territoire canadien pendant les six premières années où ils effectuèrent des levés topographiques pour le compte du Pacifique Canadien.

D'innombrables équipes d'arpentage cartographièrent ainsi 12,000 milles de ce territoire, pouce par pouce. Les bûcherons, guidés par les marques des pionniers, frayaient des pistes. Les chaîneurs, qui suivaient à la trace, mesuraient les distances et plantaient un jalon tous les cent pieds. Suivaient les hommes de transit, qui calculaient l'angle de chaque courbe et qui estimaient à l'oeil les distances qu'on ne pouvait pas chaîner. Derrière les transits venaient les jalonneurs et les niveleurs ; ils calculaient les altitudes et les inscrivaient sur des points de repère à intervalles d'un demi-mille. En 1877, on pouvait trouver, éparpillés à travers le Canada, du Bouclier jusqu'au Pacifique, plus de 25,000 de ces points de repère et pas moins de 600,000 jalons. A cette date, les arpentages avaient déjà coûté trois millions et demi de dollars et trente-huit hommes étaient morts au travail. Sandford Fleming devint ingénieur en chef en avril 1871. Il n'avait pas la tâche facile. Il lui fallait trouver des hommes d'un genre très particulier et il lui était difficile de les trouver en nombre suffisant. Plusieurs étaient absolument incapables de supporter ce dur labeur.

« Le niveleur de l'équipe est tout à fait incapable de faire le dur travail que je vais sans aucun doute exiger de toute mon équipe, » griffonna dans son journal Walter Moberly, l'arpenteur-pionnier de la Colombie Britannique, quand il s'amena dans la région d'Athabasca en novembre 1872. « C'est un homme important, mais cependant je *dois* trouver des hommes forts pour faire le travail. »

Mais même si on avait pu trouver suffisamment de ces bons hommes, Fleming n'aurait peut-être même pas pu les employer. En effet, il lui fallait tenir compte de toutes sortes de considérations d'ordre politique : non seulement lui fallait-il penser à représenter les différentes régions du pays mais on le pressait constamment de distribuer des emplois à des amis ou à des protégés politiques.

Pourtant Fleming dut apparemment se résigner à supporter, pour des raisons politiques, ce photographe-explorateur hargneux qu'était Charles Horetzky. C'est grâce à l'intervention de Sir Charles Tupper qu'il avait obtenu cet emploi. Horetzky s'était séparé de John Macoun à Fort St. James et il avait pris la route de Port Simpson. Il revint à Ottawa pour y défendre avec fanatisme la route Pine Pass-Port Simpson. C'est alors que Fleming le démit de ses fonctions. Horetzky affirmait toujours avec insistance que la jalousie étouffait Fleming qui préférait la Yellow Head Pass. Fleming avait une autre version : « Il était parfois nécessaire d'engager des personnes qui n'avaient pas les capacités nécessaires pour occuper la fonction d'ingénieur en chef ou qui n'étaient pas adaptées à ce travail. »

Quoiqu'il en soit, Horetzky se brouilla avec la nouvelle administration et retourna bientôt en Colombie Britannique pour y reprendre son travail. Selon toute apparence, Fleming n'y pouvait rien. A l'été de 1875, Marcus Smith, qui dirigeait une équipe d'arpenteurs en Colombie Britannique, eut un violent accrochage avec Horetzky, près de l'embouchure de Bute Inlet. « Il se jeta sur moi comme un tigre enragé, il refusa mes ordres et dit qu'il retournait chez lui à Ottawa », raconta Smith. Et pourtant Horetzky garda son emploi jusqu'à l'avènement d'une nouvelle administration, en 1878.

Cette même année, deux équipes, qui travaillaient dans le territoire inexploré qui s'étend d'Ottawa à Fort Garry, abandonnèrent la partie. Le marché noir des emplois était florissant et, bon gré mal gré, Fleming et son personnel devaient garder à leur service des incompétents notoires.

« J'aimerais que vous puissiez me dire ce que fait Walter Dewdney », écrivit Marcus Smith, alors en charge des travaux en Colombie Britannique, à l'un de ses employés, en mai 1875. « J'ai entendu dire qu'on l'avait vu la semaine dernière sur la piste ; il était ivre mort et il faisait un fou de lui. » Edgar, le frère de Dewdney, était député de Yale et il exerçait dans la province une forte influence politique ; il était donc fort difficile de se débarrasser de ce Walter de malheur.

Le plus étonnant de l'affaire c'était de pouvoir encore trouver des hommes qui acceptaient de faire les arpentages. Les arpenteurs menaient en effet une vie solitaire. La sécurité à long terme n'existait pas, même pour les ingénieurs expérimentés. Les équipes étaient congédiées à la fin de l'été et réembauchées au printemps suivant. A la fin de la décennie, quand le travail commença à diminuer, plusieurs se retrouvèrent en difficultés.

Les arpenteurs menaient une existence solitaire dans les lieux les plus retirés. Ils étaient coupés des nouvelles de leurs familles, de leurs amis et du monde en général dans une région où les rites et les coutumes des indigènes leur étaient tout aussi étrangers que ceux d'une satrapie orientale. Au printemps de 1875, Henry Cambie, parti en exploration sur le confluent est de la Homathco, tomba sur des Indiens si éloignés de toute civilisation que plusieurs femmes n'avaient jamais vu une barbe « et qu'elles ne voulaient pas croire que la mienne poussait vraiment sur mon menton ». L'un des hommes de Moberly accepta par inconscience l'invitation d'un Indien à visiter sa cabane. Il s'assit par erreur sur une peau d'ours, tout près d'une jeune fille bien découplée. Il comprit trop tard que c'était là l'équivalent d'une demande en mariage. En désespoir de cause il la retourna à son père en échange d'une belle alliance qu'il portait au doigt.

Et pourtant, d'année en année, ils y retournaient, ces hommes rudes, intelligents et résignés. Ils buvaient tout ce qu'ils pouvaient trouver, et quand ils buvaient ils chantaient leur chanson-thème —

ils la chantèrent de la côte ravagée de la Colombie Britannique jusqu'aux pics de granit du nord de l'Ontario — la chanson de l'équipe d'arpentage du Pacifique Canadien.

> Far away from those we love dearest,
>   Who long and wish for home,
> The thought of whom each lone heart cheereth,
>   As 'mid these North-west wilds we roam,
> Yet still each one performs his duty
>   And gaily sings:
> Tra, la, la, la, la, la, la, la, la, la, la, la, la,
> Hurra ! The jolly C.P.S. !
> They're at home upon Superior's shore,
>   Hurra ! we'll drink to them success,
> And a safe return once more.

Les privations, sur le terrain, étaient terrifiantes. Dans la région du Lac Nepigon, J.H.E. Secretan en fut réduit à manger des pétales de roses qu'il avalait avec une gorgée d'eau marécageuse. Sept hommes périrent, près de Jackfish River, à la suite d'un feu de forêt si infernal que même la couche arable du sol avait disparu dans l'incendie. Près de Long Lake, William Kirkpatrick dut interrompre le travail de son équipe d'arpentage pour permettre à ses hommes de ramasser des bleuets, ultime moyen de survivance. Et en Colombie Britannique centrale, l'équipe de Roderick McLennan perdit presque toutes ses bêtes de somme ; 86 hommes moururent de froid, de faim et de surmenage. Tout cela se passait pendant l'hiver de 1871-72.

Mais une autre expédition d'hiver fut encore plus désastreuse : lancée en 1875 par E.W. Jarvis, elle avait pour mission d'explorer la Smoky River Pass dans les Rocheuses. Fleming avait déjà arrêté son choix : le chemin de fer passerait par la Yellow Head Pass, mais cela ne l'empêchait pas d'en examiner avec attention une douzaine d'autres. Jarvis quitta Fort George en janvier. Il était accompagné de son assistant, C.F. Hanington, d'Alex Macdonald, en charge des équipages de chiens, de six Indiens et de vingt chiens.

Jarvis et Hanington ont tous deux fait le récit de cette terrible aventure, fertile en épisodes mystérieux : ce fut la silhouette spectrale de Macdonald, qui frappa à la porte de leur cabane, par 49 degrés sous zéro, couvert de glace de la tête aux pieds ; ce fut le leader de l'attelage de chiens qui fit un faible effort pour se lever, eut un spasme de la queue et tomba raide mort, les pattes gelées jusqu'à l'épaule ; ce furent les hallucinations auditives que connût un soir toute l'équipe — le son fantomatique d'un arbre qu'on abattait à moins de deux cent verges de là, mais aucune trace de raquettes ou de coups de hache.

L'équipe traversa un vaste territoire non cartographié ; on n'avait emporté que deux couvertures par homme et c'est un simple drap qui servait de tente. La plupart du temps, les hommes ne savaient même pas où ils étaient. Ils campèrent par des températures allant jusqu'à cinquante-trois degrés sous zéro. Un jour, une mince couche de glace céda sous leurs pas et ils dûrent ramper hors de l'eau, trempés jusqu'aux os, leurs raquettes encore aux pieds. Ils se retrouvèrent souvent au fond de canyons encaissés où ils avaient trébuché pour trouver le chemin bloqué devant eux par des chutes d'eau gelées de 200 pieds de haut. Un jour, ils connurent un formidable changement de température — de 40 degrés sous zéro à 40 degrés au-dessus — qui produisit chez eux un étrange épuisement, comme s'ils s'étaient soudain retrouvés sous les tropiques. Un matin, alors qu'ils marchaient dans la neige près de leurs traîneaux, l'abîme s'ouvrit devant eux : toute l'équipe, homme et chiens, était perchée sur le rebord d'une chute d'eau gelée, à deux cent dix pieds dans les airs ; la corniche n'avait pas plus de deux pieds de largeur.

En mars, les chiens mouraient l'un après l'autre et les Indiens étaient « dans un état de désespoir lugubre et ils déclaraient qu'ils... ne reverraient plus jamais leurs maisons et ils pleuraient amèrement ». Hanington lui-même ne put s'empêcher d'éprouver un certain sentiment de désespoir : « J'ai pensé à l'endroit qui m'est le plus cher au monde » — j'ai pensé à ma mère, à mon père, à mes frères et soeurs, à mes amis — le bon temps à la maison — à toutes les bonnes actions que je n'ai pas encore faites et aux mauvaises que j'ai commises. Qui donc découvrira nos squelettes et quand ?... Si jamais on les découvre... Je me suis également demandé si nos amis nous pleureraient longtemps ou s'ils ne nous oublieraient pas aussi vite que possible, comme cela arrive souvent. Bref, j'ai vu la mort de près... »

Jarvis décrivit « la curieuse sensation d'ankylose qui se répand dans nos membres » pendant qu'ils avançaient lentement sur leurs raquettes ; ils avaient l'air de marcher sur place, au ralenti. Et pourtant ils parvinrent à destination. Hanington avait perdu trente-trois livres ; Jarvis, à cent vingt-cinq livres, était squelettique. Quand ils arrivèrent finalement à Edmonton, la première nourriture qu'ils avalèrent les fit vomir et provoqua chez eux des excès de dysenterie. Et pourtant ils continuèrent. Ils s'engagèrent une fois de plus dans la prairie balayée par le blizzard et s'acheminèrent vers Fort Garry. Ils passèrent 116 jours sur la piste ; ils parcoururent 1,887 milles, dont 932 milles à raquettes. Leurs chiens morts, ils durent porter tous leurs bagages sur une distance de 332 milles.

Pourquoi pareille ténacité ? Quel diable les poussait donc ? Sûrement pas l'argent — ils en manquaient — ni le goût de l'aventure : il y en avait trop. C'est dans leurs actions et dans leurs écrits qu'on trouve la réponse : ils le firent pour la gloire. Ce qui poussait chacun d'entre eux c'était le mince mais toujours présent espoir qu'un jour son nom serait donné à une montagne, à une rivière ou à un bras de mer ou, — gloire des gloires — que son nom apparaîtrait dans les livres d'histoire qui le décriraient alors comme celui qui avait réussi à triompher de tous les autres et qui avait déterminé le tracé du grand chemin de fer.

2

De tous ces hommes il y en avait un en particulier qui croyait avoir trouvé la bonne route et qui passa les dernières années de sa vie à se rappeler, amer mais peu précis dans ses affirmations, toutes les tentatives qu'on avait faites pour l'embobiner et lui voler « sa route ». Cet homme, c'était Walter Moberly.

En 1871, Walter Moberly travaillait à Salt Lake City. C'est là qu'il avait appris la signature du contrat avec la Colombie britannique. Il se rendit immédiatement à Ottawa où son vieil ennemi, Alfred Waddington, tentait de former une compagnie de chemins de fer. Moberly détestait Waddington pour la même raison qu'il détestait quiconque tentait de défendre un autre tracé que le sien. Waddington avait choisi Bute Inlet comme terminus et il défendait son choix avec fanatisme. C'était « son » bras de mer ; c'est lui qui l'avait exploré. Il adoptait la même attitude quand il lui fallait

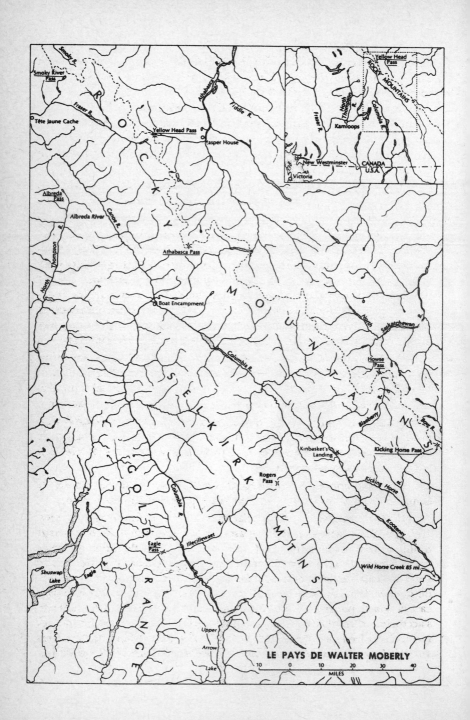

LE PAYS DE WALTER MOBERLY

MILES
10   0   10   20   30   40

défendre la Eagle Pass, la rivière Fraser ou Burrard Inlet. C'était un autre de « ses » bras de mer ; il en avait parcouru les rives avant tout autre Blanc.

Le vieil arpenteur usé, surperbement confiant en lui-même, fit valoir à Macdonald les avantages de son tracé qui s'étendait des prairies jusqu'à la côte. Il ajouta même : « Vous pourrez commencer la construction de la voie six semaines après mon retour en Colombie Britannique ».

« Evidemment, ajouta-t-il, je ne sais pas de combien de millions vous disposez, mais, pour traverser ces gorges, il vous faudra dépenser beaucoup d'argent. »

Macdonald fut impressionné. Moberly n'avait-il pas déjà été adjoint à l'arpenteur en chef de Colombie britannique ? C'est alors qu'il occupait cette fonction qu'il avait découvert la Eagle Pass dans le Gold Range (appelé plus tard Monashees), en observant un vol d'aigles qui traversaient les montagnes. Moberly savait que les aigles suivent généralement un courant d'air ou qu'alors ils empruntent une brèche dans le mur alpin. En suivant plus tard la route des aigles, il découvrit dans le Gold Range la passe qu'il cherchait.

Il fit de cette découverte un récit très romancé : après une nuit blanche, il avait abandonné ses compagnons et il était descendu dans la vallée de la Rivière Eagle. C'est là qu'il avait écrit au couteau, sur un arbre, cette prophétie : « Voici la passe du chemin de fer ».

Moberly retourna en Colombie britannique, avec la bénédiction du Premier ministre, et devint ingénieur de district en charge de la région qui va de Shuswap Lake aux contreforts des Rocheuses, à l'est. Il avait quarante ans.

Il était d'une endurance légendaire ; il pouvait danser, boire et chanter toute la nuit et partir en brousse le lendemain matin.

Il était aussi agile qu'un chat et semblait avoir autant de vies. Un jour, dans la région d'Athabasca, il fut emporté dans le courant d'une rivière, avec son cheval, sur une distance de plus de deux cents verges. Il saisit une branche qui pendait au-dessus de lui, se hissa à bout de bras et rejoignit la berge. Par une journée froide de janvier, il tomba sous la glace de Shuswap Lake et faillit se noyer, car la glace pourrie se défaisait sous ses mains et l'empêchait de s'accrocher. Presque épuisé, il réussit pourtant à se défaire de ses raquettes ; il en prit une dans chaque main et, en étendant les bras sur la glace, il réussit à s'en sortir. Une autre fois, alors qu'il descendait la Rivière Columbia en canoë d'écorce, il donna la chasse à un ours : il le coinça contre la rive, lui mit un pistolet contre l'oreille et le tua net ; il le saisit par les pattes arrière pour l'empêcher de couler à pic — tout cela se déroulait sous les yeux de ses compagnons de voyage, effrayés et remplis d'appréhension.

Il était impulsif, têtu et très indépendant d'esprit. Il était incapable de travailler avec quiconque était en désaccord avec lui. Et il était en désaccord avec tous ceux qui croyaient qu'il pouvait y avoir une autre route pour le chemin de fer que celle qu'il avait portée dans ses rêves pendant des années. Moberly s'intéressait au chemin de fer depuis plus longtemps que la plupart de ses collègues. Il y pensait depuis ses premières explorations, en 1858. Maintenant, treize ans plus tard, il se préparait à confirmer ses découvertes. Il commença ses explorations le 20 juillet 1871, le jour même de l'entrée de la province dans la Confédération.

Il assuma personnellement la direction des travaux dans sa région favorite, bordée par la Eagle Pass dans les montagnes Gold Range et par la Howse Pass dans les Rocheuses, juste au nord de la Kicking Horse Pass. Une formidable barrière de pics s'étendait entre ces deux chaînes de montagnes — les Selkirk, apparemment infranchissables. C'est là, dans la tranchée en épingle à cheveux qui entourait cette barrière que coulait la Rivière Columbia, d'abord vers le nord-ouest, puis vers le sud-est, jusqu'au point où elle repassait à quelques milles seulement de sa source. L'hypothèse de Moberly était la suivante : le chemin de fer emprunterait la brèche de la Howse Pass, ferait le tour des Selkirk en suivant la vallée de la Columbia, puis s'enfilerait à travers les Gold Range par la Eagle Pass qui conduisait à Kamloops et aux canyons de la Fraser.

Moberly passa les huit mois suivants dans les montagnes et dans les crevasses de Colombie britannique. Il descendit la verte Columbia avec une incroyable flottille de bateaux qui prenaient l'eau de toutes parts et de canoës d'écorce, rapiécés de vieilles guenilles et de graisse de bacon. Il se traîna péniblement à flanc de montagnes, s'accrochant à la bride des chevaux de somme, toujours accompagné de fidèles Indiens.

L'hiver arrivé, il partit pour New Westminster à raquettes, à plus de 400 milles de là, aussi simplement que s'il allait faire sa promenade du dimanche. Il traversa d'un seul trait les Selkirk empanachés de glaciers ; il y cherchait une passe praticable ; en route, il fut presque enseveli par une avalanche. Au Jour de l'An de 1872, il se retrouva seul dans une hutte de trappeur abandonnée et il griffonna dans son journal : « C'est le plus misérable Jour de l'An que j'aie jamais passé. » Il ne réussit pas à trouver, au milieu de ces crêtes effil-es, le passage qu'il cherchait.

A sa descente des montagnes, Moberly était si convaincu de la validité de son tracé qu'il décida de son propre chef de faire route immédiatement vers la Howse Pass afin d'y déterminer de façon définitive l'emplacement de la voie ferrée. Il obtiendrait la permission plus tard. Il embaucha des hommes pour la saison 1872 ; il forma des convois de bêtes de somme et il dépensa des milliers de dollars en équipements et en approvisionnements de toutes sortes ; il en cacha une grande partie à Eagle Pass dans la pensée qu'il faudrait à ses hommes au moins deux saisons pour déterminer le tracé et qu'en conséquence ils y passeraient tout l'hiver.

Il s'apprêtait à s'ébranler vers l'intérieur du pays, avec son équipe lorsque, quatre heures avant son départ de Victoria, il reçut un coup mortel : Fleming lui annonçait par télégramme qu'on avait officiellement adopté la route de la Yellow Head Pass et qu'en conséquence l'arpentage de la Howse Pass devait être abandonné. Il devait dès lors déplacer ses hommes vers le nord et assumer la direction des travaux d'arpentage dans la Yellow Head Pass. Tous les rêves de Moberly s'écroulèrent d'un seul coup. « Sa » route ne serait pas LA route, après tout.

Amèrement déçu, l'arpenteur se précipita à Portland, en Orégon, où il tenta, en payant, de se défaire de ses contrats. Mais déjà, une grande partie des approvisionnements avait été acheminée vers de lointaines régions montagneuses où on ne pourrait jamais les utiliser. On abandonna à Eagle Pass des provisions d'une valeur de sept mille dollars.

Il partit. Il traversa d'abord l'Orégon en diligence (elle se brisa), puis en bateau à vapeur (il coula), puis il franchit le Territoire de Washington à cheval jusqu'en Colombie britannique où il réussit à intercepter les porteurs qu'il avait engagés. C'est alors que, le coeur brisé, il se dirigea avec ses hommes vers cette Yellow Head Pass qu'il méprisait tellement et où Fleming, qui traversait alors le pays en compagnie de Grant, s'était arrangé pour le rencontrer. Le mot « avancer » décrit mal le voyage de Moberly : on dut bûcher la piste, pied par pied, pour la débarrasser du fouillis des cèdres tombés qui la barraient jusqu'aux vallées caverneuses des Rivières Columbia, Thompson et Albreda.

Moberly lui-même ne parvint à la Yellow Head Pass qu'en septembre. Le livre de Grant, *Ocean to Ocean,* ne nous apprend rien de la désagréable rencontre qui eut lieu entre l'ingénieur en chef et son adjoint errant de Colombie britannique, mais elle dut être orageuse. Fleming fut très surpris de la lenteur des travaux d'arpentage et des dépenses inconsidérées de Moberly. Des tonnes d'approvisionnements étaient restées à Eagle Pass ! Et quatre cents bêtes de somme ! L'ingénieur en chef ne comprenait pas la nécessité d'un si grand nombre de chevaux. Il avait bien envie de congédier Moberly. Mais il ne pouvait pas se le permettre : il fallait bien quelqu'un pour diriger les équipes de la Yellow Head et pour faire avancer les travaux.

La fessée verbale de Fleming dégoûta Moberly : mais ce qui le dégoûtait davantage c'était sa décision d'écarter son tracé favori, décision qu'il qualifiait « d'action non patriotique ». Pour Moberly, le choix d'une autre passe équivalait à une véritable trahison. Selon son propre témoignage, il passa bien près alors d'abandonner son service.

Dix ans plus tard, Moberly, aigri, vint bien près de faire une déclaration publique pour accuser son chef d'avoir tenté de le faire mourir de faim dans la Yellow Head en ordonnant de cesser tous les achats. « Si jamais j'avais reçu cet ordre, je ne me serais tout simplement pas rendu à la Yellow Head Pass, car je n'aurais pas amené des hommes dans les montagnes pour y mourir de faim pendant l'hiver. »

Il s'inquiétait lui-même, quand vint le moment de quitter l'équipe de Fleming, de la lenteur des travaux d'arpentage qu'il dirigeait. La malchance semblait s'attacher à ses pas : les équipes n'arrivaient de Howse Pass que très lentement. En vérité, pendant l'absence prolongée de Moberly, les hommes s'étaient tout simplement installés pour laisser passer l'hiver. Moberly leur poussa dans le dos : il faudrait faire vite si on voulait traverser la haute Athabasca Pass avant qu'elle ne soit bloquée par les blizzards car après, ils se verraient coupés de leur travail à la Yellow Head.

Une autre équipe avait déjà perdu six précieuses semaines à attendre les approvisionnements qui n'arrivaient pas de Victoria. Ils en apprirent plus tard la raison quand ils découvrirent l'incompétence du fournisseur et comptable de l'endroit — un autre protégé politique. Moberly, qui dirigeait l'opération, dut accepter d'en être blâmé.

Rendu là, Fleming avait perdu confiance en Moberly. Il lui dépêcha un Indien porteur d'un message lui ordonnant de revenir à Kamloops. Fleming était convaincu que cette tactique brutale forcerait Moberly à quitter le service, mais son adjoint têtu ignora tout simplement cet ordre. Beau temps mauvais temps, il s'acharnait à accélérer les travaux de la Yellow Head.

Fleming revint à la charge après le Jour de l'An. Il envoya un autre message à Moberly pour l'informer que Marcus Smith l'avait supplanté et qu'il était désormais chargé de toutes les recherches exploratoires en Colombie britannique. Finalement, Moberly quitta le service et partit pour Ottawa où « l'ingénieur en chef le reçut très froidement ». Il flâna dans la capitale en attendant Fleming pour lui faire signer ses comptes de dépenses. Fleming rejeta la première vérification des comptes de Moberly et il les transmit à un second auditeur pour une nouvelle analyse. Ils furent finalement acceptés mais déjà Moberly, frustré, avait dû emprunter de l'argent pour payer sa pension.

Désenchanté, il déménagea à Winnipeg. Il s'y engagea dans une tâche plutôt prosaïque : la construction des premiers égouts de la ville. Il se plaignit amèrement, pendant toute sa vie, du traitement que lui avait infligé Fleming mais il eut quand même son moment de triomphe : vingt ans après sa découverte de la Eagle Pass, le dernier crampon de la voie du CPR fut planté à l'endroit même où Moberly, dans sa clairvoyance, avait gravé dans l'écorce sa prophétie.

3

C'est en 1873 que Marcus Smith prit la direction de tous les travaux d'arpentage en Colombie britannique. Il devint alors le personnage le plus controversé de toute l'équipe du Pacifique Canadien. Les opinions les plus diverses circulaient sur son compte. Moberly l'aimait bien. C. F. Hanington le décrivait comme un homme merveilleux. Harry Armstrong. qui travailla d'abord au bureau de dessinateurs de Smith, à Ottawa, et qui devint par la suite son ami, le décrivait ainsi : « C'est un homme très grincheux et très impatient, mais par contre il a très bon coeur ». Mais certains de ses employés ne le voyaient pas du même oeil. Robert Rylatt, un membre de l'équipe d'arpentage de Moberly à la Howse Pass, écrivit rageusement que Smith était « misérable, dur, injuste et arbitraire ». A l'été de 1872, un jeune jalonneur, Edgar Fawcett, qui trimait dans le territoire de la Homathco, le traita de « vieux diable », et il écrivit dans son journal : « Je ne suis pas venu ici pour me faire invectiver par M. Smith pour $45.00 par mois ». Et quand Smith annonça qu'il quittait l'équipe pour continuer son chemin, un autre membre du groupe écrivit dans *son* journal : « C'est la meilleure nouvelle que nous ayons reçue depuis notre départ de Victoria ».

Il faut bien dire que Smith, de son côté, ne ménageait personne. Il affirmait que Henry J. Cambie était sournois et flagorneur. Fleming avait droit à toute une gamme d'épithètes peu flatteuses. Le successeur de Fleming, Collingwood Schreiber, était « mesquin et petit » pendant que Charles Horetzky était « un fou et un vaniteux ». Smith se méfiait de tous les politiciens : selon lui, Alexander Mackenzie était malhonnête ; il soupçonnait même le Gouverneur général et il l'accusait d'avoir spéculé dans l'entreprise du chemin de fer ; quant à John A. Macdonald, il était prêt « à tout sacrifier, hommes et choses, dans le but d'aplanir les difficultés ».

Mais c'est à ceux qui osaient s'opposer à la route du Pacifique qu'il avait adoptée en 1877 que Smith réservait son mépris le plus cinglant. Cette route partait de la Pine Pass pour se diriger vers le sud-ouest, traversait Fort George puis les Chilcoten Plains jusqu'à la limite des hautes eaux de la Homathco, puis longeait enfin cette rivière turbulente jusqu'à son embouchure à Bute Inlet. Smith se querellait amèrement avec tous ceux qui favorisaient un autre tracé.

Il se querella avec Fleming parce que celui-ci continuait de défendre le tracé Yellow Head Pass - Fraser River - Burrard Inlet. Il se querella avec Cambie parce que celui-ci favorisait deux tracés différents : le tracé de la Rivière Fraser et le tracé du nord, qui allait de la Yellow Head à Port Simpson. Il se querella avec Horetzky parce que celui-ci voulait que le chemin de fer passe par le nord pour aboutir à l'embouchure de la Rivière Kitlope. Il divaguait tellement quand il parlait de « sa » route que quand il remplaça Sandford Fleming en congé, Mackenzie, qui était alors Premier ministre et ministre des Travaux publics, refusa de lui parler.

Il utilisait tous les moyens à sa disposition pour forcer le Gouvernement à choisir la route Pine Pass - Bute Inlet.

Il écrivait à des députés, dépêcha secrètements des équipes d'arpentage dans le nord, fit parvenir lettres et articles aux journaux et harcela tout le monde, y compris deux Premiers ministres. Il croyait qu'on fomentait des complots contre lui et il accusa Fleming de faire disparaître ses rapports, par simple jalousie. Fleming supporta tout cela sans en rien laisser paraître, du moins en public, mais il fit de son mieux pour se débarrasser de Smith. A un certain moment il crut qu'il *l'avait* congédié. Smith ne broncha pas. Fleming faisait comme s'il n'existait pas. Smith était peut-être erratique mais c'était un bon ingénieur et un arpenteur-né ; il continua à faire partie de l'équipe d'arpentage du Pacifique Canadien, même s'il n'y occupait plus un poste de commande, longtemps après le départ de Fleming.

C'est en 1872 qu'il avait pénétré pour la première fois dans le long fiord de Bute Inlet et qu'il avait remonté la Homathco — « un paysage sombre et grandiose, sans équivalent dans le reste du monde ». La région l'avait immédiatement séduit, tout comme elle avait séduit Moberly. Elle en avait également conquis d'autres, dont l'ingénieur en chef lui-même qui, lui aussi, avait son tracé favori.

Nous retrouvons dans son journal et dans ses rapports officiels les descriptions lyriques qu'il faisait de la région. C'est ainsi qu'il décrivait les « charmantes » vallées des Rivières Chilcoten et Chilanko, qui s'étendaient sur plus d'un mille de profondeur, avec les accents du prétendant aveuglément amoureux composant un poème à sa bien-aimée. Il parlait des terres basses, parsemées de bouquets de fleurs mûres, des clairs ruisseaux qui les traversaient en serpentant gracieusement, des hautes herbes d'un beau vert-de-grisé pâle « se mariant harmonieusement au feuillage de l'épinette », et de « l'irrégularité pittoresque des conifères » ; tout cela « formant un paysage d'une beauté primitive rarement égalée ». Comparée à la prose plate de certains de ses collègues, celle de Smith était parfois remplie de sensualité.

Il venait tout juste d'avoir cinquante-six ans — c'était un petit homme râblé, au torse large, dur comme le shaganappi et hirsute comme un hérisson — quand il grimpa pour la première fois aux flancs ruisselants de la Homathco. Il venait du Northumberland. Il avait été arpenteur toute sa vie et comme tant d'autres arpenteurs, il ne dédaignait pas la bouteille. Il travaillait à l'arpentage des prairies, à l'époque de la prohibition ; mais son baril de « jus de citron » était toujours rempli de whisky pur. Il n'était pas facile de travailler sous ses ordres : il ne tolérait ni l'incompétence, ni la fatigue, ni la faiblesse humaine comme telle. En juin 1872, le jeune Edgar Fawcett, le jalonneur de l'équipe d'arpentage de la route Bute-Homathco, s'accrochait péniblement à un flanc de montagne raide et rocailleux quand un boulder, dans sa chute, le frappa et lui fit perdre connaissance. Ce contretemps irrita Smith : « Il faudra renvoyer chez lui ce garçon qui ne peut pas éviter les éboulis ».

Il était pris d'angoisse lorsque les explorations prenaient du retard. George Hargreaves, le niveleur de l'équipe d'arpentage de la Bute, en parle à plusieurs reprises dans son journal.

26 juin 1872 : « Le vieux Smith arriva au camp à 19 h. 30. Il fulminait littéralement et nous accusait de placer des obstacles sur son chemin. Il affirma qu'il poursuivrait les arpentages coûte que coûte même si, pour y arriver, il devait aller chercher des hommes à cinq mille milles de là ».

3 juillet : « Je me suis querellé avec le vieux Smith parce que j'avais cessé de travailler avant d'avoir terminé la levée des niveaux ... Il me dit alors : « que voulais-tu dire quand tu disais que tu avais fini, tu dois être fou ! ».

5 juillet : « Smith semble s'être querellé avec deux ou trois hommes de même qu'avec Bristow, l'homme de transit. Il l'a traité de maudit fou et d'idiot ; celui-ci lui répondit que si on continuait d'utiliser pareil langage avec lui il retournerait au Canada ; de plus, il avertit Smith que son comportement nuisait à l'avancement des travaux. Smith lui enjoignit de retourner à son instrument, sans quoi il lui servirait la plus maudite ... ».

« Il jurait constamment et se comportait généralement de la pire façon. C'était terrible », écrivait le jeune Fawcett dans son journal, une semaine après l'incident du boulder. « Il jurait contre moi pour le moindre détail et il retardait notre déjeuner jusqu'à quatorze heures trente. »

Et pourtant, Fawcett admettait qu'il n'était pas traité plus mal que les autres, car Smith ne faisait aucune distinction entre les hommes. Il s'en prenait à tous : à Tiedeman, le directeur de l'équipe, aux hommes de transit, aux niveleurs, aux bûcherons, aux porteurs indiens. Il était donc très démocratique.

Les Indiens déchargèrent calmement leurs canoës et s'apprêtèrent à s'engager dans la brousse. Smith fit mander Hargreaves et lui demanda qui avait donné l'autorisation aux Indiens de partir. Hargreaves répondit que les Indiens n'avaient besoin d'aucune autorisation pour faire quoi que ce soit. Cette remarque sembla étonner Smith au plus haut point. Il demanda alors ce que les Indiens voulaient. Les Indiens répondirent qu'ils ne voulaient pas travailler pour Smith. Hargreaves évita la désertion générale en s'excusant au nom de Smith et en acceptant de payer les Indiens en argent comptant, à la fin de chaque voyage.

Mais Smith n'était pas dur qu'envers les autres, il l'était également envers lui-même. A soixante ans, en un seul été, il parcourut plus de mille milles en canoë dans la région du Lac Supérieur ; il avait dû franchir plus de deux cents portages dont la longueur variait entre quelques verges et quatre milles.

Les jeunes chaîneurs et jalonneurs qui, à la fin de chaque journée étaient si fourbus qu'ils étaient prêts à tout abandonner, devaient le prendre pour un surhomme aux allures sataniques. « Hier j'ai vainement cru que je devrais tout laisser tomber », écrivait l'un d'entre eux. « Je n'ai mangé de toute la journée qu'un peu de pain et de porc frais, ce qui ne va pas sans m'affecter profondément. Si c'est cela l'arpentage, eh bien moi, j'en ai plein le dos ! »

Et pourtant ce vieux diable de Smith, qui avait deux fois leur âge, se démenait jusqu'à la nuit ; il gravissait les rochers et pataugeait dans les eaux glaciales ; mais pourtant il lui restait toujours assez de souffle pour abreuver d'imprécations et de jurons les traînards.

En vérité, il était aussi épuisé que les autres. « Me sens terriblement fatigué », écrivait-il dans son journal le 9 juillet 1872. Mais pour lui, cette nuit-là, il n'était pas question d'arrêter de travailler avant d'avoir fini de calculer les résultats de ses excursions en montagne. Quatre jours plus tard, quand il s'embarqua pour Victoria, il vint bien près de s'effondrer. « Ce dur mois de labeur et d'anxiété m'avait complètement épuisé ; je m'étendis et je sommeillai pendant des heures, sans pouvoir bouger. »

Malade ou pas, un mois plus tard, Smith était de retour. Il souffrait de crampes aux hanches et à la jambe gauche ; le onze août, il était si malade qu'il ne put se lever avant midi. Il se leva enfin, sella son cheval et entreprit de traverser un marécage. Le cheval s'enlisa. Smith tenta de l'éperonner. La selle glissa et il roula dans le marais. Il était trop faible pour reseller le cheval mais il réussit à ramper jusqu'à l'embouchure d'un lac où il trouva deux Indiens qui prirent soin de lui.

A l'été de 1872, il travaillait toujours dans la même région. Il avait alors soixante ans et il confia à l'un de ses arpenteurs « qu'il avait moins envie de ce voyage » que de tout autre qu'il avait entrepris auparavant. « Je suis loin d'être bien. Je suis très faible et en montagne, Dieu ! que les chutes d'eau sont élevées ! »

A l'époque où il écrivait cette lettre, il envisageait encore une fois de quitter les Chilcoten Plains pour traverser les Cascade Mountains jusqu'à Bute Inlet. Il partit à pied avec six Indiens et il se débattit pendant deux jours et demi le long des flancs abrupts des canyons. Il fallait parfois des heures pour n'avancer que de quelques verges car ils devaient, pour contourner les arêtes rocheuses, grimper jusqu'à quinze cents pieds pour ensuite redescendre de l'autre côté. Un torrent qu'ils ne pouvaient franchir les força à dévier leur route. Ils durent alors parcourir plus de quinze milles sur un glacier. C'est sur les genoux et les mains qu'ils en franchirent les arêtes aiguisées.

Ce n'était certes pas là le genre d'excursion d'été qu'un médecin aurait prescrit à un homme malade de soixante ans, surtout à la suite des inondations qui avaient emporté les fonts.

Smith et ses hommes mirent sept heures à construire un pont suspendu au-dessus du Grand Canyon de la Homathco ; il « avait l'air d'une canne à pêche suspendue au-dessus du torrent. » Smith rempa lentement sur cette passerelle précaire, puis il s'écroula lourdement sur les rochers. Il passa alors six heures à escalader à quatre pattes tout un fouillis de racines, d'immenses arbres morts et de grands amoncellements de roc, avant de pouvoir joindre le campement.

Smith entretenait une sorte de relation amour-haine envers cette région de sombres canyons et de prairies riantes, étrangement irrésistible. Mais il en sortait épuisé. Tout ce labeur aura-t-il été vain ? Des équipes d'arpenteurs s'affairaient sur le terrain parchemé de la Colombie Britannique et scrutaient les fiords ravagés de la côté, à la recherche d'un passage praticable vers le Pacifique. Sandford Fleming envisageait pas moins de douze routes possibles pour aller de la chaîne de montagnes jusqu'à l'eau salée. Deux seulement traversaient le territoire de Smith. Qu'arriverait-il si on en choisissait une autre ? Qu'arriverait-il s'il ne trouvait que la défaite au bout de ces terribles journées passées dans les marais engourdissants et au flanc des falaises menaçantes ? Mais Marcus Smith n'était pas homme à envisager la défaite ; sa bataille ne faisait que commencer.

Chapitre
quatre

UN
HOMME
NOBLE

1

« Je laisserai le Pacifique Canadien en héritage à ma patrie d'adoption. » C'est, dit-on, ce qu'aurait déclaré Alexander Mackenzie, dans son accent gaélique sec, au moment où Donald A. Smith, député de Selkirk, tentait de le convaincre de choisir une compagnie privée pour construire le chemin de fer. Malgré tout, Smith n'abandonna pas le camp de Mackenzie. « Cet homme a de la noblesse, » répétait Smith. Et les électeurs, qui le réélirent avec une forte majorité en 1874, semblaient lui donner raison.

Ils avaient voulu un homme noble et ils en avaient un : un Ecossais aux principes solides, au regard franc et perçant.

Mackenzie n'était pas complètement immunisé contre les tentations du népotisme et du favoritisme, mais il avait toutes les allures de l'honnête homme. Comme le disait Macdonald lui-même, les électeurs avaient réduit à presque rien sa représentation en Chambre et ils avaient érigé un piédestal à son parfait contraire. Avec sa voix métallique, ses attitudes rigides, son abstinence de Baptiste et ses manières brusques, Mackenzie était exactement l'opposé du politicien à la voix douce, indulgent, bonhomme et tolérant qu'il remplaçait.

Il n'était pas aussi conciliant que Macdonald et il avait tendance à débattre les questions comme s'il était toujours dans l'Opposition ; d'un mot il foudroyait ses adversaires. Il ne laissait jamais tomber une affaire et sa tendance à vouloir remettre leurs fautes sur le nez de ses adversaires allait influencer sa politique des chemins de fer.

Il se gardait de dévoiler ses tourments intérieurs. Il n'était pas homme à pleurer en public, non plus qu'à rire.

On croyait le stigmatiser en affirmant que son passé de maçon faisait aussi bien sa faiblesse que sa force. Cela n'était pas très juste. Le Gouverneur général, qui espérait toujours secrètement le retour de Macdonald, le trouvait « travailleur, consciencieux et précis. » Dufferin le trouvait terriblement étroit d'esprit, mais l'éventail de ses intérêts était pourtant fort étendu. Il avait possédé et utilisé un télescope. Il aimait la poésie et la littérature anglaises. Il n'avait pas fréquenté l'école très longtemps mais il avait réussi à lire tout ce que ses collègues mieux éduqués avaient lu et il semblait en avoir retenu bien plus. Plus jeune, il passait pour un farceur impénitent mais maintenant, il offrait l'image d'une sobriété à toute épreuve. On pouvait difficilement imaginer l'apparition d'un sourire dans ce visage de marbre. Mackenzie croyait que l'Eglise était le roc sur lequel reposait la civilisation ; il passait rarement une journée sans lire quelque passage de la bible ou sans tomber à genoux pour demander pardon et conseil à Dieu.

Libéral, il cherchait à comprimer les dépenses gouvernementales. Il ne pouvait tolérer les projets grandioses des Conservateurs. Ils semblaient trop souvent conçus pour favoriser les amis en leur permettant d'accroître leur fortune personnelle plutôt que pour favoriser la croissance de l'empire.

Mackenzie et ses partisans jugeaient irréfléchi et téméraire le projet de chemin de fer de Macdonald ; il ne servirait, selon eux, qu'à gaspiller les fonds publics. Les Tories, qui entretenaient de bonnes relations avec le big business, étaient plus portés, par tempérament, à courir des risques ; mais Mackenzie lui, trouvait ses appuis politiques dans les régions rurales plus conservatrices et dans les petites villes de l'Ontario.

Sous Mackenzie, la construction du CPR ne progressa que de quelques milles ; mais il est probable que Macdonald, pendant ces années de vaches maigres, n'eut pas fait mieux. Mackenzie fut malchanceux : pendant toute la durée de son mandat, le pays fut aux prises avec une dépression sérieuse qui s'étendait à tout le continent.

Comme tant d'autres choses, la dépression, amorcée par la faillite spectaculaire du Northern Pacific de Jay Cooke, était importée des Etats-Unis.

Le 17 septembre, au moment même où la commission royale examinait les implications de l'accord secret passé entre Cooke et Allan, la grande maison financière ferma ses portes. Cinq mille commerces firent faillite à la suite de l'action de Cooke, de ses courtiers et de ses banques affiliées. Le marché des actions des compagnies de chemin de fer s'effondra ; quand vint l'hiver, des milliers d'Américains criaient famine.

Pur accident historique, qui contraignit pourtant le régime Mackenzie ; le nouveau Premier ministre se trouva donc à court

Deux ans avant la Confédération, Walter Moberly,
un arpenteur au service du Gouvernement
de la Colombie Britannique, scribouille sur un arbre,
près de la Eagle Pass, son message prophétique.

LA ROUTE DES PIONNIERS

Cette page et les quatre pages suivantes illustrent bien
le genre d'obstacles qui, en 1870, attendaient
les constructeurs de chemins de fer. Des marécages géants,
comme celui que nous voyons ci-haut,
pouvaient avaler une locomotive d'un seul coup.
C'est ce qui arriva.

Encore des barrières : le vieux
Bouclier précambrien, au nord
du Lac Supérieur et la vaste prairie nue
et sans arbres, sillonnée de tranchées.

Dans le Far-West, le tracé des arpenteurs
devait traverser trois chaînes de montagnes.
Plus loin ils affrontaient des canyons
presque infranchissables. Ils devaient pourtant
les vaincre pour se rendre sur la côte
tourmentée du Pacifique.

*Les membres d'une équipe d'arpentage
du Pacifique Canadien cherchent
une route qui leur permettra
de franchir les montagnes.*

Sandford Fleming entreprend le voyage
qui le mènera d'un océan à l'autre.
Entre Thunder Bay et la Rivière Rouge,
il doit franchir les nombreux lacs et portages
de la terrible piste Dawson.

*Marcus Smith avait l'écorce rude. Ici, il regarde
deux membres de son équipe d'arpentage en train de
traverser prudemment son canyon préféré, le Homathco.*

Les hommes ont de la fierté et s'affrontent durement.
A gauche : deux hommes de Moberly en viennent aux coups.
Ci-dessus : Fleming affronte Moberly à la passe de la Yellowhead.

Pendant dix ans, les arpentages se poursuivront
hiver comme en été, sur le Bouclier, dans la plaine et
en montagne. 600,000 jalons couvriront bientôt
le Nord-Ouest canadien.

d'argent. Il est pourtant peu probable qu'il eût pu faire mieux en période de prospérité.

Il imaginait mal son pays comme une grande nation transcontinentale, habitée dans toute son étendue, d'un océan à l'autre. Le Canada, pour Mackenzie, s'étendait tout entier à l'est du Bouclier ; puis, très loin, on trouvait deux autres petites îles de l'archipel canadien : la colonie de la Rivière Rouge et la Colombie Britannique. Pour lui, elles étaient un mal nécessaire, rien de plus. De plus, Mackenzie ne pouvait pas s'empêcher de faire des remarques désobligeantes qui consternaient les gens de Colombie Britannique et qui les incitaient à le payer de retour. En 1877, il utilisait encore le mot « insensé » pour décrire le traité conclu avec la province du Pacifique.

Il avait hérité de son prédécesseur une tâche impossible. Même si le traité n'était pas nécessairement insensé, certaines des conditions qui y étaient inscrites étaient à tout le moins téméraires. En 1871, en pleine période de prospérité, Macdonald avait cavalièrement promis à la Colombie Britannique qu'il commencerait la construction du chemin de fer avant deux ans. *Deux ans !* Au printemps de 1873, pendant que les arpenteurs s'enlisaient dans le labyrinthe effrayant des montagnes, Macdonald comprit enfin qu'il devrait payer au moins le tribut du verbe à sa promesse imprudente. Quelques jours seulement avant la date d'échéance, il choisit imprudemment Esquimalt, le port de mer près de Victoria, comme terminus du chemin de fer.

En pratique, cela signifiait que le chemin de fer devrait emprunter la terre ferme jusqu'à Bute Inlet pour se faufiler ensuite entre les rives de granit perpendiculaires de la côte sur une distance de cinquante milles à partir de l'embouchure du bras de mer ; puis il devrait alors sauter les vingt-neuf milles du détroit de Georgie jusqu'à Nanaimo sur l'Ile de Vancouver, pour ensuite suivre la côte est de l'île jusqu'à Esquimalt. Il faudrait, pour traverser ces précipices battus par la mer, construire huit milles de tunnels et percer dans le roc des brèches innombrables. La voie devrait alors sauter d'île en île et franchir six canaux profonds où la mer s'engouffrait souvent à plus de neuf noeuds à l'heure ; tout cela exigerait la construction de huit mille pieds de pontages dont deux travées de plus de mille trois cents pieds, plus longues toutes deux que n'importe quelle travée jamais construite dans le monde.

Mackenzie se retrouvait donc devant un fait accompli : l'échéance avait été fixée, le terminus avait été choisi et la province s'agitait. Les conflits entre la province du Pacifique et le Canada central, qui allaient se poursuivre jusqu'au vingtième siècle, avaient trouvé la une terre fertile où s'épanouir.

Mackenzie s'était efforcé, pendant toute la campagne électorale, de réduire à de plus simples proportions le rêve impossible de Macdonald. Il parla d'une route qui traverserait le pays par terre et par eau, la voie ferrée ne devant être construite que par étapes. C'était la dépression. Il n'y avait donc aucun espoir de financer l'entreprise à l'aide de capitaux privés. Si on voulait commencer la construction du chemin de fer, il fallait le faire section par section, en puisant dans les fonds publics. La première section, un embranchement situé au Manitoba et qui allait de Selkirk à Pembina à la frontière américaine, donnera à la Rivière Rouge, du moins l'espérait-on, le raccord attendu depuis si longtemps. Plus tard, à mesure que les fonds deviendront disponibles, on construira d'autres sections — mais bien peu avant dix ans. Les citoyens de Colombie Britannique trouvaient que c'était fort peu. Le Premier ministre, George Walkem, sauta à pieds joints dans la *bataille des tracés,* qui durera tout le reste de la décennie.

Macdonald avait choisi Esquimalt mais les ingénieurs, de Jeur côté, n'avaient pas encore décidé l'emplacement du terminus.

A la fin de 1873, Sandford Fleming avait le choix entre sept routes différentes qui menaient à la côte. Dans les Rocheuses, six passes étaient en exploration. Au milieu des années 70, Fleming avait en main les études de douze tracés différents qui traversaient la Colombie Britannique et de sept ports côtiers.

Mais en Colombie britannique on ne retenait que deux de ces tracés. Il y avait d'abord la route des commerçants de fourrures qui traversait la Yellow Head Pass et qui descendait le Canyon Fraser jusqu'à Burrar Inlet ; cette route pouvait assurer la prospérité de Kamloops, de Yale et de New Westminster. Les Colombiens habitant la terre ferme défendaient ce tracé. L'autre route partirait probablement de la Yellow Head pour traverser la région de Cariboo et les Chilcoten Plains jusqu'à Bute Inlet, puis elle enjamberait les détroits jusqu'à Nanaimo et de là se rendrait jusqu'à Victoria ; elle assurerait la prospérité de la région de l'or qui se mourait d'inanition et de l'île de Vancouver.

Le Premier ministre, un homme de Cariboo qui savait flairer une bonne affaire politique, se rangea d'instinct aux côtés des partisans du tracé de Bute Inlet. Il décida de passer par-dessus la tête du Premier ministre et de s'adresser directement à la Couronne. La Couronne, en la personne du secrétaire aux Colonies, Lord Carnavon, offrit de servir d'arbitre entre la province et le gouvernement fédéral.

Mackenzie voulut d'abord rejeter cette offre d'arbitrage. Quoi ! Le Colonial Office se mêlait des affaires internes d'un Dominion indépendant ! Mais le Gouverneur général le persuada d'en accepter l'idée.

Suivirent en 1874 les « Carnavon Terms » selon lesquels on devait construire un chemin de fer sur l'île de Vancouver, poursuivre les arpentages et mettre en chantier la ligne transcontinentale pour laquelle le Gouvernement s'engageait à dépenser au moins deux millions de dollars par année.

En échange de quoi la province acceptait de reporter l'échéance au 31 décembre 1890.

L'ex-maçon, sous ses airs stoïques, commençait pourtant à sentir peser tout le poids de sa charge. L'inflammation intestinale et l'insomnie, toutes deux causées par les tensions de la vie politique, ne lui laissaient aucun repos. La nouvelle province du Pacifique le tirait d'un côté et voulait le forcer à s'en tenir aux conditions du marché qu'elle avait conclu avec son prédécesseur. Et l'implacable Edward Blake, qui ralliait autour de lui les sentiments anti Colombie Britannique et dont on faisait un remplaçant possible au Premier ministre, le tirait de l'autre côté.

Blake s'était rebellé et il avait quitté le Cabinet. En octobre 1874, il avait fait à Aurora, en Ontario, le discours le plus controversé des dix dernières années. Dans un passage qu'il consacrait à la politique des chemins de fer il avait écarté la Colombie Britannique du revers de la main en disant qu'elle n'était rien d'autre « qu'un océan de montagnes ». Il avait également attaqué le projet du chemin de fer en disant qu'il était insensé et onéreux. Si la Colombie Britannique voulait se séparer du Canada, ajoutait-il, elle n'avait qu'à le faire. Mackenzie fut forcé, pour ramener Blake au sein du Cabinet, d'amender les « Carnavon Terms » : désormais ils n'entreraient en vigueur que s'il était possible de le faire sans augmenter les taxes. Blake revint au Cabinet en mai 1875, comme ministre de la Justice. Il mit au point, avec le Premier ministre, une formule de compromis pour la Colombie Britannique : en échange du chemin de fer de l'île, le gouvernement se déclarait prêt à verser $750,000 à la province.

Blake trouvait de solides appuis dans tout le reste du Canada. En avril 1876, le Parlement adopta la loi de l'impôt à laquelle il tenait tant par un vote de 149 à 10. Seuls les députés de l'Ile s'y opposèrent. Le Gouvernement du Canada avait décidé de procéder comme il l'entendait dans l'affaire du chemin de fer et de cesser de tenter d'amadouer la Colombie Britannique. Et si cela devait engendrer la sécession... eh bien tant pis !

2

Frederick Temple Blackwood, vicomte de Clandeboye et comte de Dufferin, s'impatientait de ne rien faire. Il se mourait d'entreprendre un voyage de conciliation auquel ses magnifiques talents de diplomate l'avaient tout naturellement préparé. En fait, il souhaitait se rendre en Colombie Britannique à titre de porte-parole du Gouvernement fédéral et de représentant du secrétaire aux Colonies.

C'est avec un sentiment qui confinait presque à la terreur que Mackenzie, Blake et Richard Cartwright, le ministre des Finances, accueillirent la proposition de Son Excellence — c'est du moins ce que racontait le Gouverneur général. La seule pensée de voir le représentant de la Reine, particulièrement *ce* représentant de la Reine, plonger dans le problème politique le plus délicat du Dominion canadien, les inquiétait au plus haut point. Dufferin adorait faire des discours ; il en faisait en toutes circonstances. Sans doute en prononcerait-il partout en Colombie Britannique. Or, ses discours étaient émaillés d'une flagornerie tout irlandaise et ils pouvaient être enjôleurs au point de plonger ses auditoires dans le plus grand embarras. Réussirait-il, inconsciemment, à susciter chez les gens des espoirs tels que toute compréhension réciproque deviendrait par la suite impossible ? Les trois hommes se rendirent chez le Gouverneur général le 26 mai et « ils eurent une longue et très désagréable discussion ». On en vint à la conclusion que le Gouvernement général ferait en Colombie Britannique une visite officielle mais qu'il ne devrait jamais se départir de la neutralité traditionnelle d'un Gouverneur général. Le Gouverneur général et sa comtesse se rendirent donc en train jusqu'à San Francisco is ils empruntèrent le bateau jusqu'à Victoria, ce « nid de guêpes », mme l'appelait Dufferin. C'est le 16 août 1876 qu'ils descendirent HMS Amethyst au port d'Esquimalt. Ils traversèrent les rues de la pitale aux acclamations de toute la population — des Indiens portant urs canoës, des Chinois à tresses, des mineurs de Cariboo, une foule petites filles portant l'uniforme des écoles privées, des vétérans de Hudson Bay et surtout des centaines de loyaux sujets britanniques officiers à la retraite, ex-fonctionnaires et immigrants récemment barqués.

Le bel homme qui, de son carosse, répondait aux acclamations i montaient vers lui, venait tout juste d'avoir cinquante ans. Il ectait une certaine morgue car il n'était pas sans vanité : il avait abitude, par exemple, d'envoyer des copies de ses discours à la esse ; il y inscrivait des notes comme « applaudissements prolongés », ires nombreux », « Hear ! Hear ! » aux endroits appropriés. Pour- nt, ses discours étaient bons. La phrase était bien tournée et les allu- ns au contexte régional étaient fort élégantes. N'était-il pas issu, rès tout, d'une famille de littéraires ? Sa mère — du côté Sheridan de famille — écrivait des ballades ; sa tante chantait et écrivait de la ésie. Lui-même avait écrit un petit livre de voyages amusant. Produit pe du système d'éducation britannique, diplômé d'Eton et d'Oxford, connaissait toute la noblesse d'Angleterre, mais il prenait également verre avec Tennyson, Browning et Dickens.

Comme il n'était arrivé au Canada que depuis peu, Dufferin aginait facilement que le pays formait un tout homogène et non s simplement un vague amalgame de petites communautés égoïstes souvent rivales. Le provincialisme étroit des Canadiens l'agaçait et ndant toute la durée de son mandat il tenta de les encourager à velopper une commune fierté. Mais il fut très surpris de ne pas uver à Victoria l'étincelle du nationalisme. La petite ville insu- re ressemblait en tous points à une petite ville d'Angleterre. C'est que la plupart des résidents avaient vu le jour et « comme tous ux qui appartenaient à la classe moyenne britannique, ils n'avaient e mépris pour tout ce qui n'était pas anglais ». Non seulement la pitale se considérait-elle comme distincte et séparée du Canada, mais e se considérait également comme séparée du reste de la province.

Dufferin croyait, à son départ, que les Colombiens n'avaient d'au- idée en tête que les profits qu'ils pourraient tirer de la construction chemin de fer. Ses préjugés furent largement confirmés durant la semaine remarquable qui suivit. Jour après jour, à partir de neuf heures du matin jusqu'à sept heures du soir, il dut recevoir, sans interruption, délégation après délégation, venues là discuter du sujet le plus controversé au pays. « Lord Dufferin, écrivait à Mackenzie sa secrétaire privée, me demande de vous dire qu'il a toutes les difficultés du monde à garder son sang-froid en présence de ces gens stupides. » Le Gouverneur général avait déjà passé dix heures par jour, pendant sept jours, « à écouter sans cesse la même vieille histoire, les insultes proférées contre Mackenzie, contre le Canada, contre Sir John Macdonald ; puis on ajoutait qu'il fallait absolument que le chemin de fer emprunte la route de Bute Inlet jusqu'à Esquimalt ».

Il ne faut pourtant pas oublier qu'à cette époque Victoria tentait littéralement de sauver sa peau. La dépression avait frappé cette colonie plus durement que le reste du pays. Le coût de la vie, à cause de l'isolement de la ville, demeurait très élevé. Dufferin le rappelait en ces termes à Carnavon : « A Victoria, les citoyens partagent tous la même idée : que le chemin de fer se rende jusqu'à Esquimalt. La petite ville compte sur cette toute petite chance pour assurer son avenir... car la plupart de ses habitants a spéculé sauvagement sur la vente des terrains... Vous pouvez dès lors facilement imaginer l'empressement presque frénétique avec lequel Victoria s'accroche à la possibilité de devenir le terminus du grand chemin de fer transcontinental ».

Il retrouva le même état d'esprit sur le continent. « La préoccupation commune de tous les citoyens de Colombie est de savoir où passera le Pacifique Canadien et où sera établi le terminus. Ils souhaitent tous le voir passer sur leur terrain pour en voir augmenter la valeur, à tout le moins aussi près que possible de l'endroit où ils habitent pour pouvoir empocher des profits, d'une manière ou d'une autre. »

Pourtant, malgré toutes ces pressions, Dufferin revint à Ottawa plein de sympathie pour les Colombiens. Il craignait de voir Mackenzie, poussé par Blake et Cartwright, essayer de se défaire de ses engagements. En conséquence, la « terrible affaire de C.B. », selon l'expression de Lord Dufferin, déclencha à Rideau Hall un spectacle extraordinaire. C'est à cette occasion que, pour la première et pour la seule fois dans l'histoire canadienne, un Gouverneur général et ses deux principaux conseillers en vinrent presque aux coups.

Dufferin était convaincu que Lord Carnavon devait revenir pour servir d'arbitre dans la question du chemin de fer de l'Ile ; Victoria continuait d'affirmer que le projet faisait partie de la ligne principale du CPR pendant que Mackenzie affirmait fermement qu'il n'avait qu'une envergure régionale. Le Gouverneur général suggéra même d'augmenter de $750,000 à un million le dédommagement prévu : la Confédération était en danger, ce sacrifice était donc raisonnable.

Le samedi 18 novembre, il rencontra Blake et Mackenzie à Rideau Hall. Les deux hommes s'opposaient farouchement à lui et leur rencontre fut orageuse et désagréable. Ils « en vinrent presque aux coups ... Mackenzie était tout simplement pitoyable et Blake était au bord des larmes, comme cela lui arrive souvent quand il est excité. »

Au lendemain de cette rencontre extraordinaire, les esprits s'étant refroidis, on élabora une formule qui permettrait de sauver la face à tout le monde, en retardant toute l'affaire de dix-huit mois jusqu'à ce que les arpentages soient complétés et qu'un tracé définitif soit choisi : si ce plan échouait, Mackenzie acceptait prudemment de tenir une sorte de meeting de Londres sous les auspices de Carnavon.

L'importun Dufferin dut s'en contenter. Il avait traité ses ministres plus durement qu'aucun autre Gouverneur général ne le pourra faire ou ne le fera jamais ; sans doute crut-il avoir gagné ; mais en vérité sa noble tête s'était heurtée à un véritable mur de granit qui n'avait pas cédé sous le choc.

3

En 1877 la bataille des tracés jetait les pamphlétaires les uns contre les autres. Et pourtant Sandford Fleming n'avait pas encore choisi le passage des Rocheuses ni le terminus de la côte. Cet apparent lambinage était sans doute dû à la nature de la région elle-même mais plus encore aux temporisations de nature politique qui retardaient le projet.

Dans son énorme rapport de 1877, Fleming restait ambigu. En 1875, le concensus général voulait que le terminus soit établi à Bute Inlet. C'est alors qu'en novembre 1876 Fleming rendit compte, un peu tard, qu'il serait peut-être intéressant de consulter l'Amirauté pour connaître son opinion concernant les différents ports de la côte. Les marins, très majoritairement, favorisaient Burrard Inlet.

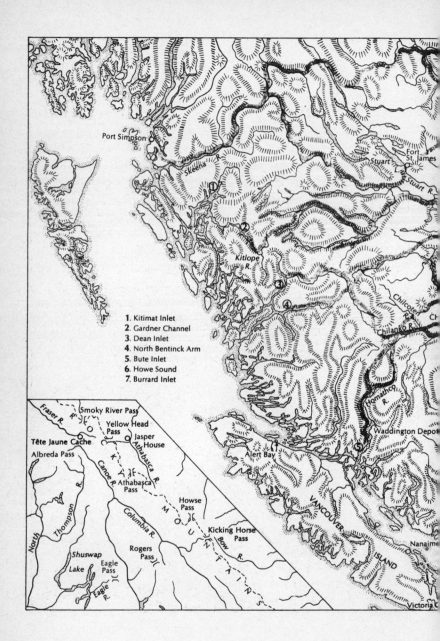

1. Kitimat Inlet
2. Gardner Channel
3. Dean Inlet
4. North Bentinck Arm
5. Bute Inlet
6. Howe Sound
7. Burrard Inlet

Port Simpson

Skeena R.

Kitlope R.

Stuart
Fort
St. James
Stuart R.

Chilcotin R.
Chilanko R.

Homathco R.

Waddington Depot

Alert Bay

VANCOUVER
ISLAND

Nanaimo

Victoria

Fraser R.
Smoky River Pass
Yellow Head Pass
Jasper House
Tête Jaune Cache
Albreda Pass
Athabasca R.
Canoe R.
Athabasca Pass
Howse Pass
Kicking Horse Pass
Columbia R.
North Thompson R.
Rogers Pass
Bow R.
Shuswap Lake
Eagle Pass
Eagle R.
MOUNTAINS

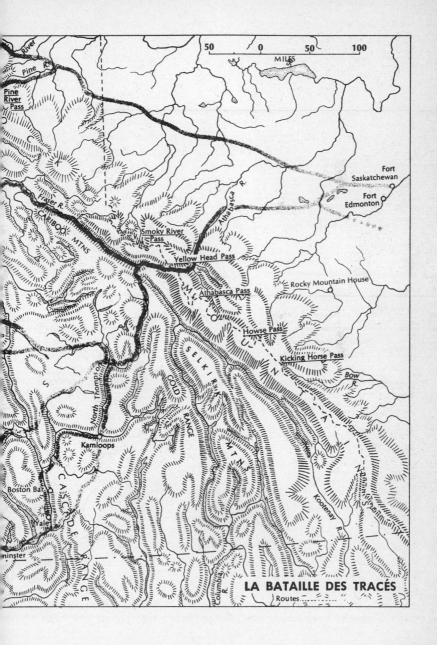

LA BATAILLE DES TRACÉS

Routes ·····

Fleming n'arrivait pas, malgré tout , à se décider. Il était évident qu'il laissait aux politiciens le soin de prendre la décision finale ; et au cas où ils ne se décideraient pas, il avait une suggestion à faire : il y avait un autre port à l'embouchure de la Rivière Skeena, qui avait l'avantage de se trouver à cinq cents milles plus près de l'Orient que les deux autres.

A cette époque Fleming était toujours ingénieur en chef mais il était en congé. Autrefois cet homme robuste n'hésitait pas à chasser une ours avec un parapluie ou à dérouler ses couvertures dans deux pieds de neige, comme il l'avait fait le jour de son vingt-quatrième anniversaire, mais en 1876, à cinquante ans, il était épuisé.

Calviniste du Fifeshire, il priait tout haut au sommet des montagnes. Garçon, il avait copié une maxime trouvée dans le *Poor Richard's Almanack* : « Tu aimes la vie ? Alors ne perds pas de temps car c'est de cela que la vie est faite ». Fleming adorait la vie ; à Ottawa, il donnait de joyeuses parties ; il aimait beaucoup le champagne et il en gardait toujours une caisse dans son bureau ; il aimait les aliments riches — les huîtres étaient son plat favori.

Chose certaine, il ne perdait pas son temps.

Il avait occupé, en 1871 et 1876, deux postes harassants : il avait été, en même temps, ingénieur de l'Intercolonial et du Pacifique Canadien. Il avait accepté cette deuxième fonction à contrecoeur et sans émoluments additionnels. « J'ai travaillé jour et nuit, comme ce n'est pas possible, » rappelait-il à Charles Tupper. Après tout, *Poor Richard* n'avait-il pas dit : « . . . le renard qui dort n'attrappe pas de poules . . . on dormira toujours assez dans la tombe ». Le petit Fleming avait également transcrit cette maxime.

Quand la construction de l'intercolonial fut terminée en 1876, ses médecins lui imposèrent le repos complet. On lui accorda un congé de douze mois et il partit pour l'Angleterre ; mais le Gouvernement le rappela deux fois, la première pour écrire le rapport monumental de 1877 et la deuxième pour négocier avec son suppléant, l'hirsute Marcus Smith. Son congé dura deux ans.

Il s'absenta donc pendant dix-neuf mois, entre le printemps de 1876 et le début de 1878, et c'est Marcus Smith qui le remplaça. Smith occupait le poste, bien sûr, mais selon toute apparence, il n'exerçait aucune autorité réelle. Fleming, lors de ses séjours au Canada, contremandait les ordres de son adjoint et il lui exprimait constamment son désaccord. Il réagissait ainsi surtout parce que Smith défendait farouchement le tracé qui traversait la Colombie Britannique à partir de la Pine Pass jusqu'à Bute Inlet.

Smith refusait de plier. Malgré l'impraticabilité évidente de cette voie qui devait franchir les détroits, l'ardeur qu'il mettait à défendre « son » tracé ne se refroidissait aucunement.

Un bateau à vapeur pouvait, affirmait-il, transporter tout un train jusqu'à l'île. Il s'était également désintéressé de la Yellow Head Pass, qui avait la faveur de son supérieur en congé. En 1877, la Pine Pass, qui se trouvait plus au nord, hantait toujours cet esprit mystérieux. En avril 1877 il demanda à Mackenzie la permission de sonder la passe avec trois équipes d'arpentage, ajoutant qu'il aimerait lui-même les accompagner. Mackenzie, qui tentait de couper les dépenses de ce service, refusa ; c'est alors que l'incontrôlable Smith décida de s'engager quand même, sans en avoir obtenu l'autorisation. Il écrivit à Cambie, qui l'avait remplacé à la tête des équipes d'arpentage de Colombie Britannique, pour lui demander d'envoyer Joseph Hunter dans la région de Pine River et de le faire accompagnier de deux ou trois hommes et de quelques porteurs. Cette expédition devait rester secrète. On dirait aux curieux que Cambie ne faisait qu'étendre ses explorations à la région de Skeena. Pendant ce temps, Smith se rendit lui-même en Colombie Britannique pour y faire une tournée qui, par certains aspects, ressemblait fort à une campagne politique.

Un ami parla plus tard à Mackenzie de « l'insolence de Marcus Smith. Il déclare partout que votre politique des chemins de fer est équivoque et prétentieuse et que vous n'avez pas la moindre intention de poursuivre les travaux en Colombie Britannique. De plus, c'est avec beaucoup d'assurance qu'il prédit le retour au pouvoir des Conservateurs ».

Smith, en coulisse, multiplia ses tractations. Le 7 décembre il écrivit à Hunter pour lui dire que Mackenzie et Dufferin « bougeaient mer et monde » en vue de faire adopter le tracé Fraser River — Burrard Inlet.

Il donna instruction à Hunter de laisser « couler » officieusement des renseignements à la presse concernant ses explorations de la Pine Pass. Il rédigea lui-même un communiqué de presse qui commençait par ces mots : « Même si toute l'affaire a fait peu de bruit, une fuite nous a permis d'apprendre que les explorations du flanc est par Marcus Smith, ingénieur en chef, et celles du flanc ouest par Mr. Hunter, ont été couronnées de succès l'été dernier. » Le communiqué ajoutait que la Pine Pass était plus courte et plus basse que la Yellow Head et qu'elle se raccordait bien à Bute Inlet.

Smith lui-même intriguait à l'envie ; c'est sans doute pourquoi il imaginait de noirs complots et de sinistres intentions partout où il allait. Il vivait dans un monde de cape et d'épée où il s'imaginait conjurant désespérément, à ses risques et périls, les sombres forces de la trahison et de la corruption.

Pendant ce temps, en Colombie Britannique, Henry Cambie se voyait entraîné dans ces machinations. Mackenzie, incapable d'ébranler Smith, l'avait contourné et il avait télégraphié directement à Cambie l'ordre de commencer les études de la Fraser, que le Gouverneur général avait, à son retour, si fortement recommandée. Quand Smith revint de l'Ouest, on le snoba.

Mackenzie demanda enfin à Cambie de lui fournir un rapport écrit sur la Fraser. Cambie fut dès lors plongé dans un dilemme. Les rapports devaient normalement être adressés à l'ingénieur en chef. On demandait donc à Cambie de doubler Smith. Il s'en ouvrit à Smith qui le reçut férocement : après tout, Cambie était opposé au tracé de Bute Inlet ; c'était donc son ennemi.

L'étrange spectacle d'un ministre (Premier ministre de surcroît), qui tentait de doubler le directeur de son propre ministère pour obtenir des renseignements d'un subordonné, se poursuivit tout le mois. Mackenzie ignorait Smith et rencontrait secrètement Cambie. L'infortuné Cambie voyait l'étau se resserrer autour de lui. Il retardait toujours la remise de son rapport à Mackenzie, qui continuait de l'exiger. Pourtant, il n'exigeait aucun rapport spécial de Marcus Smith. « Il en aura un de toutes façons, qu'il le veuille ou non, » Smith remarqua-t-il d'un air sinistre. Il croyait fermement que les spéculateurs de la Fraser Valley utilisaient Cambie pour mousser le tracé de Burrard. Il disait : « J'ai décidé de prendre le taureau par les cornes et je suis prêt à résigner mes fonctions plutôt que de me plier aux caprices politiques du Gouvernement qui vont à l'encontre de mon propre jugement ».

Cambie, pour se conformer aux ordres de Smith, n'émit aucune opinion concernant les mérites relatifs des différents projets de routes en Colombie Britannique. Smith envoya le rapport à Mackenzie, accompagné d'une note laconique affirmant qu'il était « aussi complet et précis qu'il peut l'être dans les circonstances ». Il ajouta qu'il lui était encore impossible d'émettre un jugement sur la valeur respective des différents tracés. Mais Mackenzie avait d'autres sources de renseignements.

Il était évident que le Premier ministre avait déjà choisi Burrard Inlet comme terminus du chemin de fer. Plusieurs raisons avaient influencé sa décision : le rapport de l'Amirauté, l'habile plaidoirie des députés du continent, l'opinion de Lord Dufferin, les nouveaux arpentages de Cambie et enfin l'intransigeance obstinée de Smith. L'ingénieur en chef suppléant avait poussé son ministre au pied du mur. A partir de mars 1878, Mackenzie cessa complètement de le consulter ou même de lui parler.

Le 29 mars, Smith lui fit parvenir son propre rapport officiel. Comme prévu, il prônait l'adoption du tracé Pine Pass — Bute Inlet, mais il suggérait d'attendre encore un an avant d'en venir à une dé-cision finale. Mackenzie se trouva donc plongé dans un nouveau dilemme. Il lui était difficile de choisir Burrard Inlet alors que son ingénieur en chef suppléant s'y opposait directement et publiquement. Il n'y avait qu'une chose à faire : sans en parler à Marcus Smith, il rappela Fleming qui vit ainsi son congé de maladie en Angleterre interrompu pour la deuxième fois.

A son retour, Fleming retrouva le ministère en émoi. On se plai-gnait du langage de Smith et de sa façon de traîter les employés. Cer-tains rapports voulaient qu'il eût publiquement accusé certains ingé-nieurs du service de travailler en collusion avec les contracteurs du chemin de fer — une accusation qui ne pouvait manquer de mettre en colère les membres de ce fier service. A Winnipeg, disait-on, Smith avait passé plus de temps à colliger des informations pour pouvoir les utiliser contre Fleming et contre Mackenzie qu'il ne l'avait fait à ten-ter de régler les problèmes épineux de son propre service.

Mackenzie avait décidé que Smith devait partir et il avait averti Fleming qu'il ne pouvait plus considérer Smith comme directeur du service. Il s'ensuivit une curieuse situation : Smith rageait dans son bureau et, selon toute apparence, il faisait encore partie du personnel mais il était déchu de tous ses pouvoirs. « Il ne fut jamais congédié mais c'était tout comme, » raconta plus tard Fleming. Sans doute Fleming s'attendait-il à recevoir la démission de Smith ; mais celui-ci, entêté, s'accrochait à son poste.

Dans une lettre à un ami, il lui avouait qu'il croyait que Lord Dufferin lui-même avait des intérêts dans la région de la vallée de la

Fraser — ce qui le poussait à « remuer ciel et terre » en faveur du tracé de Burrard.

Pendant ce temps, Fleming s'était mis à rédiger son propre rapport. Il ne put faire autrement que d'en conclure que si on devait choisir le tracé d'après les études des ingénieurs, et si ce choix ne pouvait plus être retardé, alors on devait rejeter le tracé de Bute Inlet pour lui préférer celui de Burrard Inlet. Quant à la passe, il ne se prononça pas. Il pensait qu'il fallait mener des arpentages plus complets dans la région de la Peace River Pass au cas où celle-ci s'avérerait moins coûteuse à aménager que la Yellow Head.

Fleming joignit le rapport de Smith au sien. Cependant, il n'y avait pas inclus la carte de Smith qui visait à montrer la richesse de la région bordant la Rivière Peace et la Rivière Pine. Smith rageait et affirmait que la carte « avait été supprimée par ruse ». Fleming répondit que Smith n'était ni botaniste ni agronome, mais seulement arpenteur ; une carte sur la fertilité des sols n'avait pas sa place dans son rapport.

Le 12 juillet 1878, le Gouvernement adopta officiellement le tracé de Fraser River — Burrard Inlet et se prépara à lancer des appels d'offre pour la construction du chemin de fer dans le sombre canyon de la Fraser. C'aurait dû être là la fin de la « terrible affaire de C.B. ». Mais non. Les partis politiques défendaient des tracés différents. Le tracé Pine Pass — Bute Inlet, grâce surtout aux pressions exercées par Marcus Smith, avait la faveur des Tories. Quant à Smith, il rôdait encore dans les parages. Deux ans plus tard il occupait un nouveau poste sous une nouvelle administration ; mais il était toujours, à ce qu'il disait, « la bête noire du Gouvernement ».

4

Le matin du 9 octobre 1877, les citoyens de Winnipeg furent réveillés par le son inhabituel du sifflet d'une locomotive. Bientôt, toute une génération l'associera aux bruits de la prairie et il leur deviendra plus familier que le rire de l'hyène ou que le gémissement du vent dans les saules. Mais en ce jour frisquet d'octobre, ce coup de sifflet avait encore l'attrait de la nouveauté. Nombreux étaient ceux qui n'avaient jamais entendu le sifflet d'un train. Pour certains,

Indiens et Métis, il évoquait la tristesse pendant qu'il annonçait aux Blancs un avenir prometteur.

La locomotive était une Baldwin, la Countess of Dufferin. Elle traînait six wagons-plateformes et une remorque ; mais il lui fut impossible de se rendre à destination sur sa propre lancée. On dut la transporter par eau car le chemin de fer ne se rendait pas encore jusqu'à la frontière. Eût-il d'ailleurs été terminé qu'il n'aurait pu faire le raccord de l'autre côté de la frontière américaine.

Mais à cette époque la locomotive tenait encore du merveilleux et toute la ville descendit vers le quai pour en faire l'inspection et pour acclamer le robuste entrepreneur, Joseph Whitehead, qui était en charge des opérations et qui, garçon, avait travaillé en Angleterre sur les trains tirés par des chevaux. Whitehead, qui construisait la voie ferrée entre Saint-Boniface et Selkirk, avait importé cette locomotive pour le chantier de construction. Elle représentait, pour les Blancs tout au moins, toutes les promesses de l'avenir, la fin de cet isolement traumatisant qui avait duré un demi-siècle. Elle répondait également aux espoirs des habitants de la Rivière Rouge qui, depuis dix ans, réclamaient la voie ferrée.

Cet isolement était réel et terrible et les exemples pour l'illustrer ne manquaient pas. Au début de la décennie, un baril de clous coûtait au moins dix fois plus cher à la Rivière Rouge qu'en Ontario ; on utilisait donc du shaganappi pour faire tenir ensemble les chariots de la Rivière Rouge.

Les bateaux à vapeur, qui commencèrent à descendre la rivière à la fin des années soixante, ne firent pas baisser les prix de façon appréciable, même pendant les brèves périodes où s'affrontaient les compagnies qui tentaient de s'emparer du monopole de la navigation. L'International, tout rapiécé, qui battait pavillon de la Compagnie de la Baie d'Hudson, avait permis à celle-ci de conserver le monopole du trafic de la Rivière Rouge jusqu'au jour où, au printemps de 1871, un étrange vaisseau qui transportait 125 passagers et 115 tonnes de fret, s'amarra à Fort Garry. C'était le Selkirk, que James Jerome Hill venait de lancer. Ex-Canadien, borgne, doté d'une vive intelligence, Hill avait maintenant son port d'attache à Saint-Paul. Il avait déterré une vieille loi américaine qui exigeait que toutes les marchandises qui traversaient la frontière à partir du territoire américain pour se rendre dans les ports canadiens soient liées par garantie financière. Sans faire de bruit, il construisit le Selkirk, le lia par garantie, et persuada

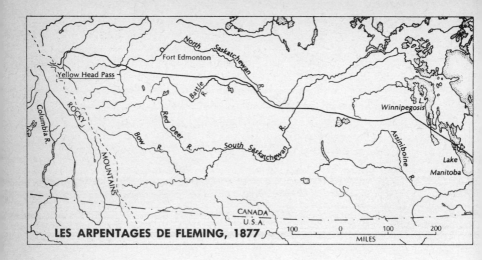

LES ARPENTAGES DE FLEMING, 1877

les douaniers de Pembina, à la frontière, de bloquer tous les navires échappant à cette garantie. L'International fut légalement échoué et Hill s'empara du monopole du transport dans la vallée de la Rivière Rouge. On disait qu'il avait récupéré le coût total de la construction de son nouveau navire à même les profits de ce premier voyage.

Jim Hill avait eu l'audace de défier le monopole de la Compagnie de la Baie d'Hudson qui, pendant deux cents ans, avait régné sur le Nord-Ouest. Donald A. Smith, commissaire en chef de la compagnie, riposta. Il fit lier par garantie l'International en le mettant au nom de Norman Kittson, un commerçant de fourrures respecté du Minnesota, agent de la compagnie à Saint-Paul. Il croisa alors le fer avec Hill.

Ils étaient d'égale force et ils se ressemblaient par maints côtés. Petits, les yeux vifs, musclés, ils avaient tous deux un passé chargé d'aventures et de romantisme. Ils se connaissaient et se respectaient ; ils s'étaient rencontrés par hasard en février 1870, dans la prairie chauve et balayée par les neiges.

Cette scène est restée mémorable car elle est à l'origine d'une association qui, éventuellement, mènera à la fondation de la compagnie des chemins de fer du Pacifique Canadien. Hill se dirigeait vers Fort Garry. Il était parti de Saint-Paul dans un blizzard terrible et il avait fait un voyage affreux. Au moment où il traversait les prairies désertiques du sud du Manitoba, il aperçut soudain, à travers un

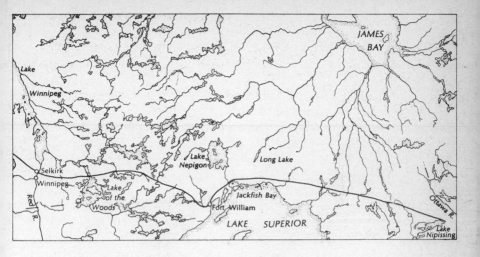

nuage de poudrerie, la silhouette vague d'un autre attelage de chiens qui descendait vers le sud. Il aperçut alors Donald A. Smith qui se dirigeait vers l'est du Canada via Saint-Paul.

La scène vaut d'être reproduite : on y voit deux hommes tout petits, emmitouflés dans leurs fourrures, aveuglés par la poudrerie et littéralement noyés dans ce désert glacial et inhabité qui s'étend sur une distance de cent quarante milles.

Ils s'arrêtèrent et partagèrent leur repas — Hill, ce jeune rêveur à l'esprit alerte et rempli des visions d'un empire de chemins de fer et Smith, ce vétéran du Labrador, qui avait grimpé l'échelle glissante du commerce des fourrures à la force des dents. Hill avait trente-deux ans, Smith en avait cinquante ; dix ans plus tard, ils seront multimillionnaires. Vingt-cinq ans plus tard Smith, se remémorant cette scène, disait : « Je l'ai aimé tout de suite et je n'ai jamais trouvé une bonne raison de changer d'opinion ».

C'étaient donc là les deux adversaires qui, en 1871, menaient une bataille acharnée pour s'emparer du trafic commercial de la Rivière Rouge, entre le Minnesota et Fort Garry, là où le village voisin de Winnipeg sortait lentement de la boue de la prairie.

Ni l'un ni l'autre ne voulait plier : aussi les deux hommes s'engagèrent-ils, en secret, à unir leurs forces. Ils se retirèrent tous deux officiellement du domaine de la navigation, laissant l'affaire aux mains de la Red River Transportation Company de Norman Kittson. Mais en fait la Kittson Line regroupait les intérêts de Hill, de Kittson et de la Compagnie de la Baie d'Hudson. Les actions de la compagnie étaient inscrites au nom de Smith mais il accepta d'avance de les transférer à quiconque lui succéderait au poste de commissaire en chef. La Kittson Line faisait un escompte de 33% à la Compagnie de la Baie d'Hudson sur tout le fret maritime, ce qui lui assurait un avantage déterminant sur ses concurrents.

Aussitôt après la signature de cet arrangement secret, les taux de fret grimpèrent. Pendant l'hiver de 1874-75, un groupe de marchands de Winnipeg et du Minnesota, indignés devant cette situation de monopole, mirent sur pied leur propre compagnie de navigation.

Ils construisirent deux bateaux, le Minnesota et le Manitoba et bientôt la bagarre éclata de nouveau. Norman Kittson lança une guerre des prix, en ramenant ses propres taux au-dessous du prix coûtant. Il s'arrangea avec ses amis de la douane de Pembina pour retenir le Manitoba à la frontière, indéfiniment. Il fut finalement re lâché en juillet, mais Kittson l'enfonça par le côté avec son International, l'éperonna et le coula avec toutes ses marchandises.

Aussitôt sa remise en service, il fut saisi pour couvrir une dette insignifiante. Le même sort attendait l'autre bateau, au sud de la frontière. Les marchands se vendirent à Kittson en septembre. Et les prix grimpèrent encore une fois. Kittson et ses collègues se partagèrent un dividende de 80% de même que la colère grandissante de la colonie de la Rivière Rouge.

Ce conflit n'était pas gratuit. Dans la vallée de la Rivière Rouge, les nouveaux arrivants se faisaient de plus en plus nombreux. De toute évidence, celui qui pourrait mettre la main sur les transports de la ville nouvellement incorporée de Winnipeg en retirerait d'immenses profits.

Pendant ce temps, en septembre 1874, on avait commencé la construction de la voie ferrée attendue depuis si longtemps — un embranchement du futur CPR. Elle partait de Selkirk pour traverser Saint-Boniface, tout près de Winnipeg et se rendait jusqu'à Pembina pour s'y raccorder à la frontière avec une ligne américaine qui n'était pas encore terminée. C'est du moins ce qu'on espérait. La construction avançait à pas de tortue. Après le nivelage, les travaux s'arrêtèrent complètement : il n'y avait aucune raison de construire une voie ferrée qui ne menait nulle part — et la voie ferrée américaine s'arrêtait à quatre-vingt-dix milles de la frontière. Ce n'est que trois ans plus tard que le contrat pour la pose des rails fut octroyé, au moment où il devenait évident que le Saint-Paul et Pacifique agonisant, réorganisé et rebaptisé Saint-Paul et Manitoba, se rendait jusqu'à la frontière (il y parvint à la fin de 1878).

C'est en novembre 1878 qu'on posa enfin le dernier crampon sur les rails de l'embranchement Pembina. La population de Winnipeg atteignait alors six mille habitants. Une excursion de « gala » fut organisée pour l'occasion et c'est par train que s'amenèrent les citoyens qui venaient participer à la cérémonie.

Mary Sullivan, la fille bien découplée d'un chef de section irlandais, enfonça le crampon d'un seul coup, aux acclamations de la foule. Mais celles-ci furent de courte durée. Les rails étaient là bien sûr, mais en vérité cet embranchement de Pembina n'avait du chemin de fer que le nom.

Selon les conditions du contrat, les constructeurs avaient jusqu'en novembre 1879 pour terminer les travaux et pour remettre au Gouvernement le projet terminé. Entretemps, ils avaient décidé d'en tirer le maximum de profits en le mettant eux-mêmes en service pendant qu'ils continuaient à construire les voies de garage nécessaires, les garcs, les châteaux d'eau et tous les accessoires nécessaires au fonctionnement d'un chemin de fer.

Durant les mois qui suivirent, ce tronçon de voie ferrée fut le plus décrié de tout le continent.

On ne trouvait qu'un seul château d'eau le long des soixante-trois milles de voies ferrées ; pas de télégraphes, pas d'ateliers de réparations, pas de clôtures ; il fallait souvent arrêter le train pour laisser passer les bestiaux. Seul combustible : le peuplier vert, qui fournissait fort peu d'énergie ; combien de fois les passagers ne durent-ils pas attendre à la gare pendant que la locomotive immobile, sifflant et crachant la vapeur, faisait le plein pour se rendre à la gare suivante.

Il fallait, pour y voyager, des nerfs d'acier, un estomac de fer et un grand esprit d'aventure.

Chtaque fois qu'un train traversait un pont, toute la structure oscillait et vacillait de façon inquiétante. La voie ferrée était mal ballastée et les wagons, même à la vitesse de onze milles à l'heure, tanguaient et se bousculaient. En plusieurs endroits, la boue éclaboussait le train.

Un journaliste du Times, de Londres, écrivait qu'il avait plus souffert du mal de mer sur la ligne Pembina que pendant son voyage sur l'Atlantique déchaîné.

Un autre voyageur, rapportait le journaliste du Times, qui n'avait pas fait ses prières depuis très longtemps, fut si ébranlé par l'expérience qu'il se convertit sur-le-champ, se mit à prier immédiatement et, tout simplement terrorisé, réussit à faire surgir des recoins les plus secrets de sa mémoire des prières qui y étaient enfouies depuis son enfance. Le chemin de fer de Pembina avait réussi à les faire remonter à la surface.

Les citoyens de Winnipeg attendaient en retenant leur souffle. Ils tendaient l'oreille aux faibles échos de la construction que charriaient les vents d'est ; la construction du chemin de fer en territoire canadien progressait déjà, étape par étape, à partir de l'embouchure du Lac Supérieur.

5

Dans l'après-midi du premier juin 1875, une cérémonie très enthousiaste eût lieu près de Fort William, sur la rive gauche de la Rivière Kaministiquia, à environ quatre milles de son embouchure à Thunder Bay, sur le Lac Supérieur. C'était la levée de la première pelletée de terre sur le chantier de construction de la ligne principale du Canadian Pacific Railway.

Toute l'affaire était commanditée par la firme Sifton and Ward, qui avait obtenu le contrat de nivelage des premiers trente-deux milles de voies, tronçon que le Gouvernement avait l'intention de construire par sections entre Fort William et Selkirk, au Manitoba. Comme tant de constructeurs de cette époque, John Wright Sifton et son frère Henry nageaient littéralement dans la politique ; ils étaient des amis intimes et des partisans du Premier ministre.

C'est donc devant une foule de plus de cinq cents personnes que le juge Delevan Van Norman annonça le début de la construction du Canadian Pacific Railway. Très bientôt, déclara le juge, un immigrant et sa famille pourront « rapidement, avec précision et en toute sécurité, jeter un coup d'oeil sur le pays, du Cap Breton en Nouvelle-Ecosse jusqu'à l'Ile de Vancouver en Colombie Britannique, tout en traversant un territoire aussi vaste que le grand océan qui divise et sépare le Nouveau Monde de l'Ancien ».

Le discours du juge s'acheva dans les applaudissements. Alors Adam Oliver, qui avait favorisé Fort William comme emplacement du terminus, se leva. C'était un joueur de euchre enragé. Certaines variantes de ce jeu s'appelaient « euchre du chemin de fer » et « euchre coupe-gorge » : Oliver, comme les événements allaient plus tard le démontrer, connaissait très bien les aspects coupe-gorge du jeu du chemin de fer. Il détenait avec ses associés Joseph Davidson et Peter Johnson Brown (autrefois failli du canton), quarante mille acres de bon bois de sciage dans la région de Fort William de même qu'un grand nombre d'autres propriétés et un moulin à scie. Ils avaient déjà obtenu un contrat du Gouvernement — la construction de la ligne télégraphique le long de la voie ferrée qui menait à la Rivière Rouge — et s'apprêtaient à en signer un autre pour la construction de l'entrepôt des locomotives. Oliver, tout comme les Sifton, était un Libéral en vue, député de la législature provinciale.

C'est au milieu de bruyantes acclamations qu'Oliver déclara : « Vous vous tenez à l'endroit même où dans peu de temps s'élèvera une des villes les plus importantes de votre Dominion ».

Il avait raison d'être enthousiaste.

Une enquête sénatoriale devait découvrir, un peu sur le tard il est vrai, que Oliver, Davidson et Brown s'apprêtaient à s'emparer du gros lot aux dépens des contribuables. L'histoire ne s'ébruita pas avant l'été de 1877, quand on apprit qu'Oliver et ses amis libéraux avaient vendu leurs terrains au Gouvernement à des prix exorbitants. Pire, ils avaient construit une partie d'un édifice — l'hôtel Neebing — sur le terrain déjà acquis pour la construction du chemin de fer et ils avaient réussi à le vendre à la Couronne bien au-dessus du prix qu'il valait.

C'était une affaire de tripotage éhonté. Oliver, Davidson et Brown avaient payé entre soixante et quatre-vingt-dix dollars des terrains qu'ils avaient revendus plus tard au Gouvernement pour plus de trois cent mille dollars. Et qui était donc l'évaluateur officiel du Gouvernement ? Brown ! Il avait investi cent mille dollars dans les terrains de Fort William. Un jour, les associés achetèrent 136 acres de terrain pour une somme de mille dollars et ils firent les plans d'une ville. Ils vendirent au Gouvernement, pour quatre mille dollars, huit acres de cette ville inexistante. Encore une fois c'est Brown qui avait fait l'évaluation. En vérité, la ville imaginaire d'Oliver n'était pas sur le tracé du chemin de fer.

Parlons maintenant de l'hôtel Neebing. Oliver, qui connaissait le tracé qu'emprunterait la voie ferrée et qui avait déjà vendu la propriété au Gouvernement pour dix mille dollars, commença d'ériger en catastrophe un « hôtel » sur le même terrain. Le Gouvernement débours donc $5,029, pour une simple structure assemblée à l'aide de planches de rebut. Les témoignages démontrèrent que le constructeur n'avait reçu que mille trois cents dollars et que les coûts de construction avaient été gonflés honteusement.

Le pays s'empara de l'affaire. Pendant la campagne électorale de 1878, John A. Macdonald, pour faire rire son auditoire, n'avait qu'à déclarer solennellement que la seule punition qu'il souhaitait aux membres du Gouvernement, advenant leur défaite, était qu'ils soient forcés de loger à l'hôtel Neebing pendant deux ans.

L'influence politique qu'Adam Oliver exerçait auprès de l'administration Mackenzie fut mise en lumière en 1880, quand une commission royale d'enquête commença à scruter les divers contrats octroyés le long de la rive nord du Lac Supérieur. Les circonstances dans lesquelles Oliver, Davidson et Compagnie avaient réussi à obtenir le contrat d'un quart de million de dollars pour la construction de la ligne télégraphique de Thunder Bay à Winnipeg étaient aussi étonnantes que louches.

Les soumissions furent ouvertes en août 1874, mais le contrat ne fut octroyé qu'au mois de février suivant. Ce délai devait permettre toutes les manigances. On ignora la plus basse soumission de façon « péremptoire », selon les termes de la commission royale. Les deux soumissions suivantes étaient celles d'un certain Robert Twiss Sutton, de Brantford ; et il était clair qu'il n'avait aucunement l'intention de remplir le contrat. Il n'avait répondu à l'appel d'offre que pour pouvoir se vendre à ses concurrents, pratique courante à cette époque. En décembre, Adam Oliver s'amena à Ottawa pour acheter Sutton.

Oliver espérait pouvoir acheter la plus basse des deux soumissions de Sutton. Mais une fois arrivé dans la capitale, quelle ne fut pas sa surprise de constater que pour des raisons qui demeuraient mystérieuses il pouvait obtenir la plus haute. Oliver promit un quart des bénéfices à Sutton ; Sutton acheta alors un de ses associés anonymes (un autre homme de paille) ; et la firme d'Oliver mit la main sur le contrat convoité. Il s'élevait à $53,000 de plus que la plus basse soumission.

Non seulement le plus bas soumissionnaire avait-il été traité de façon fort cavalière, mais on ne put jamais expliquer comment il se faisait que la plus haute soumission de Sutton ait eu priorité sur la plus basse. Mais les témoignages révélèrent au moins une chose : c'est Mackenzie lui-même qui s'était occupé de toute l'affaire et non pas un de ses subalternes, comme cela se faisait habituellement.

Et c'est Adam Oliver qui avait négocié avec le Premier ministre et non pas le plus bas soumissionnaire, Robert Sutton. Pour réussir cette espèce de miracle financier qu'Oliver avait réussi il lui fallait avoir pris connaissance en détail de toutes les soumissions — en principe secrètes.

Au jeu favori d'Adam Oliver, le brasseur doit gagner au moins trois mains pour éviter l'euchre. Oliver les avait toutes gagnées : il avait resquillé le terminus pour Fort William, il avait vendu des propriétés au Gouvernement à des prix exorbitants et il avait obtenu un contrat de construction de lignes télégraphiques à un prix de faveur. Il eut moins de succès comme constructeur. L'état de la ligne télégraphique provoquait des plaintes continuelles. Les poteaux, mal ancrés, tombaient. Les fils, accrochés aux arbres plutôt qu'aux poteaux, les étranglaient et les tuaient ; les racines pourrissaient et les arbres tombaient, entraînant les fils dans leur chute. La ligne télégraphique si onéreuse d'Adam Oliver mettait parfois plus d'un mois à acheminer un message jusqu'à Winnipeg.

6

Mackenzie commençait à sentir peser sur ses épaules le poids de sa tâche ; son caractère et sa santé s'en trouvaient affectés ; les problèmes du chemin de fer en étaient la cause principale. Non seulement était-il Premier ministre mais il avait également choisi d'assumer la charge de ministre des Travaux publics, le plus délicat de tous les ministères à cette époque où on octroyait les contrats pour la construction du chemin de fer.

Au printemps de 1877, l'ex-maçon dévoila ses sentiments. Il explosa à la Chambre des Communes et il affirma que « personne, dans ce pays, ne peut s'occuper des affaires publiques sans être sujet aux outrages les plus grossiers. Qu'un ami politique obtienne un contrat et on affirme immédiatement que c'est parce que c'est un ami politique. Qu'un adversaire politique obtienne un contrat et aussitôt on nous accuse de tenter de le soudoyer pour qu'il passe du côté du Gouvernement ».

Quoi qu'il en soit, ce sont surtout les amis et non les adversaires qui obtinrent les contrats de construction des diverses sections de voies ferrées et de lignes télégraphiques, le long des rives granitiques du Lac Supérieur et dans les marécages du Manitoba.

Le Gouvernement de Mackenzie octroya onze contrats pour le nivelage, la pose des rails et l'érection de lignes télégraphiques à l'ouest du Lac Supérieur. Huit des plus gros contrats — 95% du total — furent octroyés à de « grosses légumes » libérales bien en vue qui avaient été, étaient ou seraient bientôt députés fédéraux ou provinciaux.

Quand il assuma la direction du ministère des Travaux publics, Mackenzie était encore hanté par le souvenir du scandale du Pacifique ; il avait décidé d'établir une méthode inflexible pour traiter les offres concernant les contrats de travaux publics. Le plus bas soumissionnaire *devait* obtenir le contrat.

En principe cette méthode devait faire échec au favoritisme. Mais en pratique, le ministère devint tout simplement un bureau de courtier.

On ne se préoccupait aucunement de connaître l'identité du plus bas soumissionnaire. Par ailleurs, sa soumission pouvait être outrageusement vague. Il pouvait être parfaitement incompétent, ou en faillite — comme cela est arrivé souvent — ou simplement intéressé à faire le troc des contrats. Les nouveaux règlements enlevaient au Gouvernement toute responsabilité dans le choix des entrepreneurs ; les faux entrepreneurs se multiplièrent. Dans les années soixante-dix, soixante-douze contrats furent octroyés pour la construction du Pacifique Canadien, mais les plus bas soumissionnaires se retirèrent de dix contrats parmi les plus importants.

En 1880, une commission royale ouvrit une enquête pour fouiller l'affaire de plus près. Les commissaires siégèrent pendant plus d'un an et ils reçurent le témoignage assermenté d'un grand nombre de témoins. Leur rapport exhaustif, en trois volumes, nous fournit une image précise de la façon dont les sections gouvernementales du chemin de fer furent arpentées et construites, aussi bien sous le régime libéral que sous le régime conservateur. Ils laissaient à désirer tous les deux.

L'un des principaux contracteurs, A.P. Macdonald, ex-député conservateur, peignit un tableau peu reluisant de la corruption qui s'étalait dans les bureaux du ministère des Travaux publics. « Vous faites tout en votre possible pour savoir à quel degré de l'échelle se trouve votre soumission. Vous incitez alors les fonctionnaires à faire des choses qu'ils ne font pas (normalement)... vous leur offrez des pots-de-vin pour obtenir qu'ils prennent des risques... Vous approchez un fonctionnaire qui gagne $1,000 par année et vous lui en offrez $2,000 pour obtenir des renseignements émanant du bureau où il travaille... » Certains croyaient, ajoute Macdonald, que tout le ministère était corrompu.

Mais les amis politiques pouvaient toujours obtenir des faveurs spéciales. Pour eux, en maintes occasions, le ministère trouva le moyen de passer outre à sa politique. Siffont, Glass and Company furent de ceux-là : en 1874, ils réussirent à obtenir un contrat juteux pour la construction de lignes télégraphiques qui partaient de Fort Garry pour se diriger vers l'ouest en longeant la voie ferrée. John Wright Sifton, un ami de Mackenzie et un partisan libéral était le véritable associé de la compagnie. David Glass servait de couverture et c'est lui qui négociait à Ottawa.

Glass n'était pas entrepreneur. Il pratiquait le droit à London en Ontario. Il avait été le premier Tory à se retourner contre Macdonald lors du débat sur le scandale du Pacifique en 1873. Il était maintenant Libéral et il se faisait fort de rappeler à Mackenzie ce qu'il lui devait.

Mackenzie lui témoigna rapidement la gratitude qu'il avait envers lui. On permit en effet à la firme de faire une offre si ambiguë que Mackenzie et les fonctionnaires du ministère purent faire semblant de n'y avoir rien compris. Non seulement rejetèrent-ils une meilleure offre, mais ils permirent également à Sifton and Glass de renégocier la soumission originale de manière à en tirer un avantage supplémentaire considérable. Les commissaires durent utiliser plus de sept mille cinq cents mots pour expliquer les étapes étranges de ce tour de prestidigitation politique.

La soumission des associés couvrait la construction de toute la ligne mais on leur octroya un contrat qui n'en couvrait qu'une partie — la plus facile ; pourtant ils eurent droit de facturer leur travail

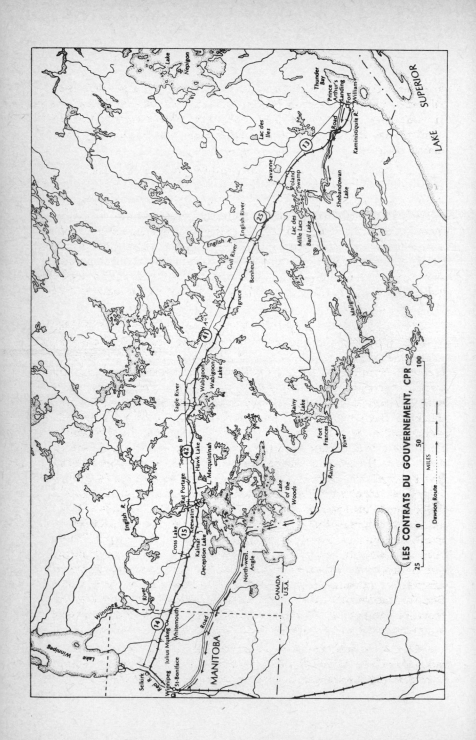

LES CONTRATS DU GOUVERNEMENT, CPR

tout comme s'ils construisaient également les parties difficiles. Bref, ils furent payés plus que de raison. Leur soumission était loin d'être la plus basse : deux soumissions inférieures avaient été mystérieusement retirées et une troisième avait été écartée pour des raisons pour le moins boiteuses.

La ligne télégraphique qu'ils avaient érigée était insatisfaisante à presque tous les points de vue. Les poteaux étaient mal plantés ; ils s'écroulaient souvent dans les marais et dans les fondrières et, comme ils étaient faits du bois le moins dispendieux, ils pourrissaient rapidement et tombaient. Cependant les contracteurs empochèrent un profit considérable car ils avaient reçu, selon le rapport de la commission, « ce à quoi ils n'avaient pas droit. » Mais une dette politique est une dette politique et David Glass pouvait dire que l'appui audacieux qu'il avait accordé au parti en 1873 avait trouvé sa récompense dans le contrat de 1874.

Ex-maire de Clinton en Ontario et député au Parlement de 1867 à 1872, Joseph Whitehead était un autre de ces amis politiques. Whitehead savait très bien comment s'y prendre avec les journalistes, il savait comment jouer de ses influences, comment acheter des contrats, et comment traiter avec les politiciens. Les machinations qu'il entreprit pour obtenir le contrat de la Section Quinze de la ligne Thunder Bay — Selkirk éclairent la connivence qui existait entre le monde politique et le monde des affaires, à l'époque de Mackenzie. Le tronçon de la Section Quinze s'étendait sur une distance de trente-sept milles. Il traversait une région marécageuse entre Cross Lake et Rat Portage, près de la frontière qui sépare l'Ontario du Manitoba. Whitehead répondit à l'appel d'offres pour le nivelage et la pose des rails ; toutes les soumissions furent ouvertes le 20 septembre 1876 ; mais la sienne était loin d'être la plus basse. Le plus bas soumissionnaire se retira ; en conséquence, le suivant obtint le contrat. Whitehead, évidemment, savait exactement qui avait soumissionné de même que le montant de la soumission. Il savait également qui il devait acheter. Il emprunta vingt mille dollars à son beau-frère, le sénateur Donald Macdonald et il les versa au soumissionnaire chanceux qui se retira de bonne grâce. Mackenzie accorda alors le contrat au troisième soumissionnaire et Whitehead l'acheta pour dix mille dollars.

C'est ainsi qu'il mit la main sur un contrat qui valait plus d'un million et demi de dollars. Mais, se disait-il, ce n'est là qu'un début ; la région que traversait la Section Quinze avait été soumise à l'arpentage le plus sommaire ; des dépenses supplémentaires s'ajouteraient donc inévitablement qui échapperaient aux conditions de l'offre, et pour lesquelles il pourrait facturer le Gouvernement. A la fin des travaux, ces dépenses supplémentaires, dont pas une n'avait été officiellement approuvée par le ministère, s'élevaient à $930,000.

A l'automne de 1874, une autre compagnie obtint des faveurs extraordinaires. C'était la quincaillerie Cooper, Fairman and Company, de Montréal. Le ministère des Travaux publics démontra une préférence incroyable pour cette compagnie quand vint le temps d'acheter les rails d'acier, les écrous, les boulons et les éclissages ; il cassa ou contourna plusieurs fois les règlements en sa faveur. L'associé anonyme de cette compagnie était le frère du Premier ministre, Charles Mackenzie, un quincaillier de Sarnia. En 1873 il avait investi quinze mille dollars dans la compagnie — plus que les deux autres associés ensemble. En retour il devait recevoir un tiers des profits. Les affaires roulèrent lentement jusqu'au jour où les contrats du Gouvernement commencèrent à affluer. Mackenzie quitta officiellement la compagnie en mai 1875 quand l'affaire commença à s'ébruiter ; mais il ne fait aucun doute qu'il faisait encore partie de la compagnie, du moins pendant une partie de la période où le ministère de son frère lui consentait des faveurs extraordinaires à même l'argent des contribuables.

On s'aperçut finalement qu'on n'avait pas besoin de tant de rails. Ils avaient été achetés prématurément, apparemment parce que Fleming et Mackenzie croyaient les obtenir ainsi à bon marché. Cet achat fut désastreux pour tous sauf pour la compagnie du frère de Mackenzie. Il ne fallait pas plus de 20,000 tonnes d'acier pour achever les travaux. Mais Mackenzie en commanda trente mille tonnes de plus, même si, entre-temps, le prix avait monté. La moitié de cette nouvelle commande échut à Cooper and Fairman au double du prix courant. Après quoi, à la déception générale, les prix s'écroulèrent. Les rails rouillèrent pendant des années, inutilisés, pendant que le prix des rails neufs s'écroulait rapidement et que l'intérêt sur l'investissement original grimpait. Le pays commençait à se rendre compte que la participation du Gouvernement dans les affaires du chemin de fer était aussi désastreuse que l'avait été celle de Sir Hugh Allan.

Du haut de son manoir ombragé de peupliers de Silver Heights, sur les hauteurs de l'Assiniboine, Donald A. Smith examinait avec passablement d'attention l'avenir de l'embrande Pembina. Il était membre d'un syndicat qui, en 1878, construisait la liaison par chemin de fer entre Saint-Paul et Pembina, à la frontière. Si ce même groupe arrivait à louer du Gouvernement son chemin de fer qui menait à la vallée de la Rivière Rouge, il serait alors en mesure d'établir une ligne directe jusqu'à Winnipeg. Smith s'occupait des négociations politiques. C'est lui qui avait donné le dernier assaut au moment de la débâcle qui avait suivi le scandale du Pacifique en 1873 ; il se trouvait donc en position de force pour négocier avec le Gouvernement Mackenzie.

Il y avait quelquechose d'un peu effrayant chez Donald A. Smith. Peut-être étaient-ce les sourcils — ces touffes hérissées et enchevêtrées qui saillaient du visage pour masquer les yeux gris, froids et peu communicatifs et qui lui donnaient, en permanence, un air soucieux. Smith, à cinquante-huit ans, avait l'air austère d'un patriarche biblique.

Il était stoïque ; rien ne pouvait l'ébranler. La compagnie l'avait aidé à le devenir. Plusieurs années auparavant, au cœur du Labrador, il avait été temporairement frappé de cécité. En compagnie de deux guides métis, il avait quitté le poste de Mingan, sur la côte nord du golfe Saint-Laurent, et il avait entrepris un terrible voyage en raquettes jusqu'à Montréal, à cinq cent cinquante-cinq milles de là à vol d'oiseau. Arrivé à destination, Smith frappa à la porte de Sir George Simpson, le célèbre « petit empereur » de la compagnie. Simpson refusa de s'apitoyer sur son sort. « Si tu dois choisir entre tes yeux et ton service à la Compagnie de la Baie d'Hudson, prends mon conseil et retourne immédiatement. » Et alors, après un examen médical superficiel, il lui fit faire demi-tour et le renvoya dans les neiges. Le voyage de retour fut si dur que les guides moururent avant d'arriver à destination. Smith se traîna jusqu'au bout, à demi-mort d'épuisement, de peur et de faim. Plusieurs années plus tard, quand on lui demanda de décrire cet horrible voyage, il ne put s'en rappeler.

Cet incident, ajouté à tant d'autres, l'avait sans aucun doute marqué. Il ne se plaignit jamais et il ne s'expliqua jamais. La Compagnie le voulait ainsi. Peu d'hommes publics furent plus vilipendés que Smith le fut durant sa longue vie ; il supporta tout sans broncher, comme il avait supporté les insultes du Petit Empereur. Pendant la campagne électorale de 1874, les partisans de Macdonald, choqués de le voir changer de camp, l'avaient bombardé d'oeufs crus au point de le rendre méconnaissable. Il ne broncha pas. Froid et courtois, il s'enveloppait d'une gentillesse qui cachait bien le feu intérieur, les colères violentes et la détermination farouche qui l'habitaient. Smith ne paniquait jamais. Aucune crise ne pouvait l'ébranler.

A Winnipeg il était admiré, haï, craint et respecté mais on ne l'aimait guère.

Il tirait sa force politique des commerçants de fourrures ; le jour des élections plusieurs d'entre eux avaient fait du maraudage d'une circonscription à l'autre, aux frais de la Compagnie de la Baie d'Hudson. Ainsi, pendant tout le temps qu'il passa à Winnipeg, Donald A. comme on l'appelait, fut un personnage controversé. On le citait rarement dans les journaux mais on l'y attaquait constamment, tout particulièrement après son changement d'allégeance politique, en 1873. Mais le châtelain de Silver Heights restait imperturbable.

Il était toujours passablement seul quand il séjournait à Winnipeg, car sa femme refusait de le suivre dans ce Nord-Ouest barbare. Elle était née au Labrador et elle avait passé la plus grande partie de sa vie dans la capitale du commerce des fourrures : Montréal. Smith l'avait épousée sans passer par l'église. Il n'y avait pas de prêtre au Labrador à cette époque. Plusieurs années plus tard, il fut anobli. Il allait devenir Lord Strathcona quand on apprit qu'il n'avait pas de certificat de mariage. Cela ne se faisait tout simplement pas : son titre de noblesse était en jeu. Smith accepta donc de se marier précipitamment à l'ambassade britannique à Paris. Il avait alors soixante-dix-sept ans.

Le chemin de fer qui menait à la frontière et que Smith et ses associés convoitaient était officiellement un embranchement du CPR, tout juste embryonnaire. Au début de 1878, le cousin de Smith, George Stephen, conclut avec Mackenzie au nom du syndicat qui construisait la liaison de Saint-Paul, un bail qui lui assurait pendant dix ans la location du chemin de fer du Gouvernement. Mais sa mise en vigueur exigeait un amendement au Canadian Pacific Railway Act de 1874. Le 18 mars, Mackenzie se leva en Chambre pour y déposer une proposition permettant au Parlement de louer le tronçon Pembina à des intérêts non identifiés. On ne parla pas des intérêts de Donald A. Smith ; en vérité, le Premier ministre faisait des efforts considérables pour les tenir secrets, car le nom de Smith était aborré de l'opposition conservatrice. Si, en 1878, le député de Selkirk s'était levé en Chambre pour appuyer la maternité, il est probable que Macdonald et ses partisans eussent été fortement tentés de se prononcer en faveur du matricide.

Quand le débat s'engagea sur le projet de loi qui visait à amender le Canadian Pacific Railway Act, lors de sa deuxième lecture, le 4 avril 1878, les Conservateurs étaient prêts, toutes griffes dehors.

Le débat venait à peine de s'engager que George Kirkpatrick, un fabricant de locomotives, fit remarquer que le groupe qui tentait d'obtenir le contrat était propriétaire de la provocante compagnie de bateaux à vapeur, la Kittson Line, celle-là même qui « avait floué les Manitobains ». Kirkpatrick souligna qu'un chemin de fer vers Winnipeg ne ferait que resserrer le monopole de cette compagnie.

Macdonald parla alors du « spectacle indécent de cet honorable député qui venait défendre en Chambre ce projet de bail dans son propre intérêt... qui défendait plus chaleureusement et plus fermement ce projet que le ministre qui l'avait proposé, qui ne servait que ses propres intérêts et qui lui rapporterait beaucoup d'argent ».

« L'honorable député admettait sa participation à cette entreprise et la Chambre devait en être informée. »

« Je n'ai jamais admis cela, » répliqua Smith ; mais Macdonald lui fit remarquer qu'il ne l'avait jamais nié, « et il ne fait aucun doute que s'il avait pu le faire il l'aurait fait ».

Mais pendant le débat acrimonieux qui suivit, Smith n'admit jamais qu'il avait dans la compagnie des intérêts substantiels, même lorsque l'Opposition le pressa de questions et le poussa dans ses derniers retranchements — et même si tous savaient qu'il était profondément impliqué.

Il parlait en connaisseur de « certains gentilhommes qui avaient beaucoup de moyens et d'esprit d'entreprise ». Quant à la Kittson Line, «n'ayant pas été personnellement associé à cette compagnie en aucune façon, il n'avait pas le droit d'en connaître les affaires internes ». Au sens étroit du mot, cela était vrai. Les actions de Smith, détenues par Kittson, avaient appartenu à la Compagnie de la Baie d'Hudson. Il les avait transmises à son successeur quand il s'était retiré de son poste de commissaire, en 1874, avant d'aller occuper une autre fonction. Mais qu'il en eût ou non le droit, il était certainement très au courant des affaires de la compagnie, tout particulièrement au moment où la firme s'apprêtait à fusionner avec la compagnie du chemin de fer de Saint-Paul, qu'elle avait récemment acquise et dans laquelle Smith détenait la majorité des actions.

Il fallait que le projet de loi soit accepté : la majorité gouvernementale s'en chargea. Mais chez les sénateurs, ce fut une toute autre histoire. Les Tories, qui détenaient au Sénat la majorité des voix, rejetèrent le projet de loi.

Le 9 mai, la veille du dernier jour de la session, Mackenzie sauta sur l'occasion pour réprimander le Sénat. Ce qui permit à Macdonald de contre-attaquer. Le Sénat, dit-il, a cessé le marché que le Gouvernement avait conclu avec Smith « pour en faire un homme riche et pour le payer de son appui servile ». Cette répartie provoqua la scène la plus explosive et probablement la plus déchirante de toute l'histoire de la Chambre des Communes.

Le moment était venu de dissoudre l'Assemblée. Le 10 mai, les députés étaient à leur siège, à trois heures de l'après-midi, attendant le signal traditionnel du Gentilhomme à la Verge noire. Smith se leva alors pour poser une question de privilège. Il nia son appartenance au syndicat de Saint-Paul et il commença d'attaquer Charles Tupper en lui rappelant certaines remarques qu'il avait faites l'été précédent.

Tupper, voyant le Gentilhomme qui se tenait à la porte (c'était le signal de la fin de la session), comprit qu'il n'aurait pas le temps de répondre. Mais « le cheval de guerre du Cumberland » n'avait nullement l'intention de laisser passer cela. Il invoqua le règlement et se leva immédiatement.

Smith dût se rasseoir. Il demanda alors au président si le fait de soulever de nouveau une vieille affaire ne constituait pas un abus des droits du Parlement, puisque Smith avait eu trois mois pour le faire.

Dans l'échange qui suivit Tupper accusa Smith de lâcheté. Il lui hurlait au visage. Le président dût le rappeler à l'ordre. Il accusait Smith d'avoir envoyé un télégramme au Gouvernement pour lui offrir son appui, puis d'avoir ensuite changé de camp lors du débat sur le scandale du Pacifique, en 1873. Smith nia carrément.

Ce fut alors au tour de Macdonald de tenter de s'immiscer dans le débat. Pendant que le président réitérait ses appels à l'ordre, il cria que Smith ne voulait même pas entendre une explication. Smith continua. L'amendement n'était pas celui qu'il avait espéré, dit-il — un amendement par lequel le Gouvernement aurait avoué franchement ses erreurs en s'en remettant au jugement du peuple.

Le chahut s'amplifiait. Tupper réussit à crier : « Ce n'est pas ce que vous avez télégraphié. » Il dut se répéter pour être entendu car les banquettes des Libéraux étaient très agitées. « Le spectacle était excitant au plus haut point, » remarquait un témoin. Dans le tumulte, on entendit à peine le Gentilhomme à la Verge noire qui frappait en vain à la porte ; le président tenta de lui répondre — mais il dut se résigner à gagner son fauteuil.

Smith continua de parler et chacune de ses nouvelles déclarations relançait le débat de plus belle. Le tumulte atteignit son comble quand Smith rappela à Macdonald ses beuveries de l'époque du scandale. Ce fut alors à qui crierait le plus fort.

Smith réussit à enfoncer un autre clou : Tupper, dit-il, lui avait affirmé ce soir-là même que Macdonald n'était pas en état de savoir ce qu'il disait.

Tupper se leva d'un bond et demanda au président si un homme « avait le droit de dévoiler, en les falsifiant, des conversations privées ». Smith s'apprêtait à parer l'attaque quand le Sergent d'armes réussit à annoncer « un message du Gouverneur général ».

La Chambre était tumultueuse. Le président tenta de dire qu'il avait « grand plaisir à informer la Chambre qu'il est maintenant de mon devoir de recevoir le Message ». Alors on entendit la puissante voix de Tupper qui criait par-dessus toutes les autres : « Lâche ! Lâche ! » pendant que Smith demeurait imperturbable.

Smith ne quitta pas son siège.

« Lâche ! Lâche ! Lâche ! » tonnait Tupper, « ... lâche, mesquin et perfide ! »

« Qui est le véritable lâche ? » rétorqua Smith. « La Chambre en décidera. C'est vous. »

« Lâche ! » cria Tupper encore une fois. « Perfide ... »

Smith prit de nouveau la parole, mais le président, débordé, l'interrompit et demanda qu'on fasse entrer le Gentilhomme.

C'est Macdonald qui eut le dernier mot, sûrement l'expression la moins parlementaire qui fut jamais inscrite au procès-verbal.

« Cet individu, Smith, cria-t-il, est le plus grand menteur que j'aie jamais rencontré. »

Le Gentilhomme se retrouva devant « la foule la plus tumultueuse qui eût jamais déshonoré les Chambres d'un Parlement ». Tupper, Macdonald et quelques autres Tories, enragés au plus haut point, se précipitèrent vers Smith, dans l'intention de lui faire un mauvais parti. Plusieurs tentèrent de le frapper. On dut séparer Macdonald et Smith pendant qu'il criait qu'il « pourrait l'écraser plus rapidement qu'il fallait à l'enfer pour brûler une plume ». Le désordre était considérable. Le président ne pouvait quitter la Chambre tant la cohue était pressante. Il put enfin se rendre à la Chambre du Sénat, suivi de la foule échevelée. C'est ainsi que s'acheva le régime de Mackenzie, non pas dans un soupir mais dans un coup de tonnerre. Il n'avait pas réussi à obtenir pour Donald Smith et ses associés le bail exclusif du chemin de fer de Pembina mais il pouvait encore leur accorder le droit de le faire fonctionner pendant dix ans et en août, c'est exactement ce qu'il fit. Ce fut là l'un de ses derniers gestes officiels.

Chapitre
cinq

LA
RÉSURRECTION

1

Le 17 septembre 1878, le Canada fut témoin d'une sorte de miracle politique. On s'était aperçu bien avant le début de la campagne électorale que les Conservateurs gagnaient du terrain ; mais les résultats restaient aléatoires. Les premiers résultats connus laissèrent pourtant bien des gens sceptiques.

Les bureaux de scrutin fermèrent leurs portes à dix-sept heures. Macdonald avait subi une défaite personnelle dans Kingston. Mais les gains massifs des Conservateurs firent oublier cette triste nouvelle. A vingt et une heure, le régime Mackenzie mordait la poussière ; à vingt-trois heures Macdonald savait que son parti était porté au pouvoir avec une majorité sans précédent. Avant l'élection, le Parlement comptait 133 Libéraux et 73 Conservateurs. Le nouveau Parlement comptera désormais 137 Conservateurs et 69 Libéraux. C'était une douce revanche pour Macdonald. Il devait par ailleurs sortir vainqueur de l'élection complémentaire de Victoria, en Colombie Britannique.

Il fut fort étonné de l'étendue de sa victoire. Le résultat des élections, rapporta Lord Dufferin à Londres, « avait pris le monde entier par surprise. » Une semaine plus tard, les deux partis ne s'étaient pas encore remis de leur surprise. « Sir John lui-même s'étonnait de ce balayage. » Quant à Mackenzie, il écrivait à un ami : « de toute ma vie je n'ai rien vu d'aussi étonnant. »

La politique des chemins de fer de Mackenzie lui avait fait perdre l'électorat de l'Ouest. Bien pis, elle lui avait également fait perdre ses électeurs de l'Ontario. Au lendemain des élections, il était épuisé et chancelant. Le long déclin commençait. Il était alors facilement irritable. Après une défaite, Macdonald retombait rapidement sur ses pieds. Contrairement à Mackenzie, il savait déléguer des pouvoirs. Mackenzie voulait toujours s'occuper des moindres détails et quand ses employés le décevaient, il s'effondrait. Il s'apprêtait à quitter la tête du parti. A vrai dire, il n'était déjà plus que l'ombre de lui-même ». Un jour, sur les marches du Parlement, Mackenzie s'ouvrit à Macdonald de son état dépressif. Macdonald répondit : « Mackenzie, tu ne devrais pas t'en faire pour ces choses. Quand j'ai été battu en 1874, je me suis mis dans la tête de cesser de m'en faire et de ne plus y penser. » Mackenzie répondit alors, dans sa naïveté, cette phrase qui éclaire bien le personnage : « Ah, mais je n'ai pas cet heureux état d'esprit. »

Pendant les deux années qui avaient suivi sa défaite, le chef tory était resté calme pendant que la presse libérale continuait d'annoncer sa retraite imminente. Puis, pendant la session de 1876, Macdonald reprit du poil de la bête et le pays dut commencer à se familiariser avec l'expression « National Policy ».

L'industrie canadienne se trouvait alors dans un état critique. Les manufacturiers américains, dont le marché était protégé par des tarifs douaniers élevés, vendaient à rabais leurs produits sur le marché canadien. De nombreuses industries étaient acculées au mur et pourtant Mackenzie, libre-échangiste traditionnel, n'envisageait aucune politique protectioniste.

Macdonald proposa de réajuster les tarifs afin d'aider les entreprises autochtones et de protéger les intérêts canadiens contre la concurrence déloyale. Mais il n'utilisa jamais le mot « protectionisme ». Il parlait plutôt de prospérité et du « Canada pour les Canadiens ». Le slogan avait de l'attrait dans un pays où sévissait la dépression.

En 1878, cette fameuse « National Policy » n'était rien d'autre qu'un euphémisme qui masquait une politique protectioniste. Ce n'est que plusieurs années plus tard qu'on vit qu'elle constituait l'un des trois piliers qui soutenaient la superstructure de la « nation transcontinentale ». L'encouragement à la colonisation de l'Ouest et la construction du chemin de fer du Pacifique étaient les deux autres. Le chemin de fer en constituait la clef : sans lui la colonisation de l'Ouest serait difficile ; mais grâce à lui les industries protégées verraient leurs marchés s'accroître substantiellement. Macdonald le savait. « Tant que ce grand projet ne sera pas complété, notre Dominion ne sera rien d'autre qu'une 'expression géographique' » dit-il à Sir Stafford Northcote, gouverneur de la Compagnie de la Baie d'Hudson. « Aujourd'hui, nos intérêts ne sont pas plus grands en Colombie Britannique qu'en Australie. Mais une fois le chemin de fer terminé, nous deviendrons un grand pays unifié où florira le commerce interprovincial et où nous partagerons des intérêts communs. » Cette « National Policy » deviendra bientôt la politique même du pays et elle inclura bientôt tout un tas de mécanismes boiteux, coûteux et controversés, typiquement canadiens qui, comme le chemin de fer, continueront le développement horizontal du pays que Macdonald avait amorcé.

En vérité, il y avait bien peu de différence entre la politique des chemins de fer de Macdonald et celle de son prédécesseur. Privé de capitaux privés, le Gouvernement fut forcé de continuer la politique de Mackenzie et de construire la ligne par étapes : d'abord le tronçon de 181 milles dans la région du Lac Supérieur ; suivra ensuite le contrat pour la construction d'un autre tronçon de deux cents milles qui partait de la Rivière Rouge pour s'étendre vers l'ouest ; et il faudra tout faire sans augmenter les taxes — c'est du moins ce que Charles Tupper affirmait.

En mai 1879 Tupper annonça que le Gouvernement considérait comme prématuré le choix de Burrard Inlet. Il voulait mettre plus de temps à explorer les passes Pine et Peace de même que Port Simpson sur la côte. Les efforts désespérés de Marcus Smith n'avaient sans doute pas été vains.

En dépit de tout cela, le Gouvernement se sentit obligé, cette année-là, d'octroyer quatre contrats pour la construction de 125 milles de voies ferrées en Colombie Britannique.

Un jeune Américain, Andrew Onderdonk, héritier d'une famille en vue de la Hudson River, fit une soumission qui couvrait les quatre sections ; son offre était loin d'être la plus basse ; mais il avait fortement impressionné Tupper, car il semblait jouir de moyens illimités que lui assuraient certains financiers américains. Les contracteurs canadiens rencontraient toutes sortes de difficultés dans la région marécageuse qui s'étendait à l'ouest du Lac Supérieur. Certains d'entre eux, qui avaient été parmi les plus bas soumissionnaires, paraissaient particulièrement chancelants. Il devenait évident qu'un homme d'expérience, financièrement solide, pourrait construire les quatre sections à meilleur coût et plus efficacement que quatre contracteurs à court d'argent travaillant indépendamment l'un de l'autre. On permit donc à Onderdonk d'acheter les quatre contrats. Il les paya $215,000. Il arriva à Yale le 22 avril 1880. Il y fut salué par une salve de treize coups de canon et déjà, en mai, il était prêt à commencer les travaux. Les partisans de Macdonald ne virent pas l'ironie qu'il y avait pour un Gouvernement conservateur d'accorder à un contracteur américain une importante section du chemin de fer.

Pendant ce temps, Marcus Smith, tenu pour mort par Fleming et Mackenzie, défendait toujours sans relâche le tracé Pine Pass — Bute Inlet. En vérité, la nouvelle administration semblait l'avoir ressuscité. Il y avait quelque chose d'étrange et d'extraordinaire à voir Smith se débattre encore furieusement, à cette époque, contre des moulins à vent.

Le 20 janvier 1879, il envoya à Tupper un mémoire confidentiel pour lui expliquer ses divergences avec Fleming. Puis, dans un second mémoire, il demandait à Tupper de lui confier une étude de deux ans de la section de la Pine Pass, sur le tracé de Bute Inlet. En mai, il écrivit à Macdonald pour lui demander d'intercéder en sa faveur : il voulait être réinstallé au poste d'ingénieur dans le secteur de la Colombie Britannique.

Pendant ce temps, Henry Cambie avait amené toute une équipe d'éminents arpenteurs et de scientifiques à l'intérieur des terres inhabitées du nord de la Colombie Britannique, dans la région qui s'étendait de Fort Simpson à Peace River. Cambie revint lui-même avec une équipe de porteurs et c'est dans une tempête déchaînée qu'il atteignit le sommet de la Pine Pass. Il revint à la civilisation en empruntant la Fraser, sur laquelle la glace était en train de se former rapidement. Il sauta seul, sans pilote, les rapides du canyon.

« Des arpentages pour la firme » affirma Smith au retour de Sambie ; mais c'est sur la foi de son rapport que le Gouvernement, en octobre 1879, abandonna définitivement le tracé de Bute Inlet et annonça l'établissement du terminus à Burrard Inlet. Il semblait bien que c'est par la Yellow Head qu'on franchirait les Rocheuses.

Mais Marcus Smith ne s'avouait pas vaincu pour autant. Il écrivit immédiatement au sénateur David Macpherson, pour contester cette décision. Puis il fit une alliance avec le général Butt Hewson, un ingénieur américain qui résidait au Canada et qui préparait une brochure pour mousser l'adoption immédiate du tracé Bute Inlet-Pine Pass.

Ces pressions eurent sans doute un pouvoir déterminant sur le choix des politiques gouvernementales. Le 16 février 1880, Tupper avertit la Chambre qu'il désirait des renseignements additionnels concernant la région de Pine River-Peace River avant de choisir définitivement la passe des Rocheuses. En Colombie Britannique, les arpentages du Pacifique Canadien en étaient à leur neuvième année. Chaque brèche de montagne et chaque tranchée avait été passée au peigne fin, comme un jardin de sable japonais.

Les hommes de Moberly avaient trimé dur sur les pentes de la Howse ; Jarvis était presque mort de faim dans la Smoky ; Cambie et Horetzky avaient traversé péniblement la Pine et la Peace ; Roderick McLennan avait perdu tous ses chevaux en explorant l'Athabasca ; Moberly lui-même avait dû subir les avalanches des Selkirk. Il avait passé le Gold Range au peigne fin pendant que Fleming et des douzaines d'autres exploraient la Yellow Head.

On avait discuté de toutes les passes et toutes avaient fait l'objet de nombreux rapports ; elles avaient toutes été écartées, ou parfois arpentées de nouveau — toutes les passes, sauf une : la Kicking Horse, dans le sud ; jamais arpentée, elle restait là, négligée, attendant qu'on la choisisse.

2

Sandford Fleming ne sera plus ingénieur en chef très longtemps. Tous les problèmes lui tombaient maintenant sur la tête : les dissensions dans son propre service, symbolisés par l'intraitable Marcus Smith ; son acceptation aveugle des politiques de chemin de fer de Mackenzie, hésitantes et souvent inappropriées ; les comptes qui arrivaient du Lac Supérieur et qui dépassaient de beaucoup les estimations ; les arpentages dispendieux en Colombie Britannique. Au printemps de 1879, il avait eu passablement de mal à se défendre devant le Comité des comptes publics des Communes et la création d'une Commission royale n'était plus qu'une question de temps.

Macdonald souhaitait le départ de Fleming mais il voulait le voir partir dans l'honneur, accompagné de la bénédiction du Gouvernement ; qui sait ? on pourrait encore avoir besoin de lui ! De toute évidence il n'était pas l'homme qu'il fallait pour poursuivre la dynamique politique des chemins de fer de Macdonald.

Il était d'une prudence excessive, ce qui ne l'empêchait pas de tomber dans les pires extravagances.

Son génie n'échappait à personne ; et pourtant, à certains moments, il était singulièrement aveugle. Pourquoi, par exemple, attendit-il cinq ans avant de consulter l'Amirauté ? N'avait-elle pas étudié à fond toute la question des ports de la Colombie Britannique ? Combien d'argent n'eût-on pas épargné s'il avait eu ces rapports en main dès le début ? Burrard Inlet, y était-il écrit en toutes lettres, était le seul terminus satisfaisant du continent.

Evidemment, toutes les erreurs politiques de l'époque lui tombèrent sur le dos. Pendant que le Gouvernement tentait de réconcilier les factions rivales, il devait, lui, continuer les arpentages. On lui imposa des employés incompétents et mal entraînés. Il dût parfois inventer des tâches qui n'existaient tout simplement pas. Quand venait le printemps, il ne savait pas combien d'argent il aurait à dépenser. Il devait attendre le bon vouloir du Parlement, qui votait les crédits. Les travaux prenaient alors du retard et c'est lui qu'on accusait.

Fleming travaillait trop. A partir de 1876, son médecin le força maintes fois à quitter le travail. Même à Ottawa, il passait une grande partie de son temps à se préparer pour témoigner devant des comités d'enquête parlementaires.

Il avait été trop prudent dans le Far-West, mais dans l'Est, il avait agi avec précipitation. Les retards s'y multiplièrent et les coûts dépassèrent largement les prévisions car ses ingénieurs n'avaient fait que des examens superficiels des sols. Entre 1875 et 1878, les contracteurs durent commencer tous les travaux avant que les plans n'en soient établis. On octroyait les contrats sur ébauche ; les estimations étaient approximatives. Quatre contrats, évalués à $3,587,096, coûtèrent $1,804,830 dollars de plus. Les arpenteurs ne connaissaient pas la profondeur des marécages et des fondrières ; ils n'avaient pas étudié la nature des marécages (un sol étonnamment spongieux). Il fallait pourtant les vider. Mais le coût des travaux avait été établi comme s'il s'était agi de roc solide. Cette erreur coûta $350,000 sur un seul chantier.

Fleming, cet Ecossais économe, faisait trop souvent des économies de bouts de chandelles pour ensuite se lancer dans des dépenses extravagantes. Le prix de la mise en service du chemin de fer dans les gorges de la Thompson et de la Fraser lui semblait si élevé qu'il s'acharna à chercher une autre route. Même la Pine Pass fut abandonnée. En 1880, le Gouvernement arrêta son choix sur le tracé proposé par Fleming en 1871. Par ailleurs, l'exploration des marécages coûtait si cher que Fleming refusa d'assumer cette dépense. En 1874, le prix des rails était très bas. Il en commanda donc plus qu'il n'en avait besoin. Mais le prix baissa encore davantage. Il semble bien que

Fleming ne discuta jamais avec Mackenzie de ces « économies » fort coûteuses. Pendant un bon moment il fut tout simplement introuvable et son suppléant, Marcus Smith, était en froid avec Mackenzie. Ces conflits de personnalité coûtaient cher et ne servaient qu'à embrouiller les affaires.

En 1875, on commença prématurément la construction du chemin de fer à l'ouest de Fort William. C'était là simple opportunisme politique. Mackenzie affirmait alors que la Section Quinze « avait été arpentée en long et en large ». Mais l'arpenteur lui-même, Henry Carre contredisait plus tard cette affirmation : « Nous y avons jeté un coup d'oeil, tout simplement. Les jours où nous ne déménagions pas, les porteurs de provisions marquaient à la hache un tracé que je déterminais à l'oeil à l'aide d'un compas de poche. Les hommes de transit faisaient alors les levés nécessaires. Si la route me semblait alors praticable, j'étais satisfait. Si on m'avait demandé d'établir le coût réel de ces travaux, j'aurais refusé catégoriquement de le faire. Nul mortel n'aurait pu y arriver. »

Pourtant d'autres mortels établissaient des devis estimatifs à partir de ces arpentages sommaires et d'autres encore se servaient de ces devis pour établir le prix de leurs soumissions. Selon Mackenzie la construction de la section Thunder Bay-Rivière Rouge devait coûter $24,535 le mille ; le Gouvernement changea de mains et le prix grimpa à $38,092 le mille.

La commission d'enquête blâma surtout Fleming. Il n'en méritait pas tant. Le témoignage de Horetzky, par exemple, était empoisonné : « M. Fleming est coupable de falsification délibérée et volontaire. Il m'a accablé de sa malveillance à partir du jour même où je lui ai proposé la Pine Pass. Ce faisant, j'ai inconsciemment chatouillé sa vanité ; il ne pouvait se faire à l'idée que quelqu'un d'autre puisse proposer un tracé différent du sien. »

Quelques mois seulement avant ce témoignage, Horetzky avait écrit à Fleming. Il lui témoignait son amitié et s'attaquait à Tupper qui, en 1872, l'avait protégé. (« J'en ai assez de Tupper et je le suivrai jusqu'au dernier . . .). Fleming reçut « trois lettres extraordinaires dans lesquelles il me vouait son amitié éternelle si je l'aidais à obtenir l'argent qu'il exigeait du Gouvernement, tout en me menaçant de vengeance si je ne le faisais pas ».

Fleming blâma Marcus Smith. C'était lui, soulignait-il, qui avait provoqué, en son absence, la hausse des coûts sur le chantier ouest du

Lac Supérieur. Cela était « étonnant... alarmant... inexplicable... incompréhensible » Smith, dans son témoignage, blâma Fleming. Il prétendit qu'il avait souvent tenté d'arranger les choses pendant les absences de Fleming mais que ses employés disaient s'en tenir aux ordres de l'ingénieur en chef.

Il fut démis de ses fonctions en février 1880, juste avant le début des audiences de la commission royale. Le Gouvernement se sentait généreux et lui versa une somme de trente mille dollars. On lui offrit également un poste honorifique aux chemins de fer mais il refusa. Il ne voulait pas être une simple marionnette.

Puis vint enfin le rapport de la commission royale : il était très dur envers l'ex-ingénieur en chef. Fleming partit alors à Venise où il devait prononcer une conférence au Congrès international de géographie. D'autres moments glorieux devaient parsemer sa vie. Sa biographie officielle ne fait aucune mention de ses petites jalousies, de ses écarts de tempérament, de ses manoeuvres politiques ; elle passe sous silence les gaspillages du ministère des Travaux publics qu'il dirigeait, de même que l'anarchie presque totale qui y régnait.

3

Harry Armstrong était ingénieur de la construction du tronçon Fort William-Selkirk, à demi complété. Il écrivait : « C'est dans un cul de sac que nous avons commencé la construction du grand chemin de fer canadien. » C'était vrai. On avait commencé à la Rivière Rouge la construction d'une section du chemin de fer qui se prolongeait péniblement jusqu'aux marécages de la frontière Ontario-Manitoba. Une autre section partait de Fort William en direction de l'ouest ; elle ne menait littéralement nulle part. Ces deux tronçons étaient virtuellement inutiles puisqu'ils ne se raccordaient pas. C'est dans ce no man's land que les ouvriers s'épuisaient à la tâche ; la région n'avait été que sommairement explorée et il n'y avait pas de voie ferrée pour y acheminer les approvisionnements.

Quatre ans plus tard, d'autres entrepreneurs décidèrent de combler l'écart de 181 milles qui séparait les deux tronçons ; ils durent transporter par canoë chacune des pièces de leurs équipement et tous leurs approvisionnements car le chemin de fer s'arrêtait à une bonne centaine de milles de la voie d'eau. Seulement 435 milles séparaient Fort William de Selkirk. Mais la barrière était si formidable qu'ils mirent plus de sept ans à établir la communication directe entre l'embouchure du lac et la Rivière Rouge.

Les constructeurs du chemin de fer s'apprêtaient à conquérir un pays qui tirait sa beauté de sa désolation même. A l'extrémité ouest du Lac Supérieur on ne trouvait que du roc — le vieux roc ébréché du Bouclier canadien, gris et roux, stratifié, taché de lichens roses, couronné de vignes sombres et de cinque-feuilles à fleurs jaunes. Autour des lacs gris, les épinettes noires aux cimes effilées faisaient contraste avec le vert nuageux des peupliers et des bouleaux. Ce sombre tableau s'éclairait parfois de l'éclat du lis, de la vesce bleue, de la rose de bruyère ou de la marguerite. Mais en hiver, le pays était d'un gris uniforme presque intolérable.

Plus à l'ouest, le pays changeait et commençait à étinceler. Ce pays de lacs, souriant au soleil, ténébreux sous les fréquentes pluies torrentielles, deviendra bientôt la mecque des touristes ; mais dans les années soixante-dix, c'était l'enfer pour les entrepreneurs qui voyaient s'enfoncer leurs fortunes dans la boue des grands marécages, apparemment insondables.

Il y en avait de toutes les dimensions. Il y avait d'abord les célèbres fondrières de sables mouvants que recouvrait une épaisse couche de végétation. La légende veut que ce soit dans un de ces marécages, près de Savanne, au nord de Fort William, qu'un train entier portant plus de mille pieds de rails se soit englouti au complet. Mais il y avait bien pire. Il y avait ces marécages géants, comme la Poland Swamp ou le Julius Muskeg ; c'étaient les pires — vastes lits de mousse de six milles de diamètre, aux profondeurs insondables. Au-dessus de ces vastes étendues couvertes de mousse, d'une platitude qui n'était qu'apparente, pointaient les troncs nus des tamaracks engloutis, leurs racines tissant une sorte de couverture sous laquelle se dissimulaient les fonds de boue et de gadoue. Il fallut, pour y poser la voie ferrée, étendre de véritables matelas de bois, lourds assemblages de longs billots qui avaient parfois plus de 800 pieds de long. Ce n'est que plus tard qu'on comblera ces marais.

Il y avait encore ces grands lacs apparemment calmes et peu profonds qui laissaient pourtant deviner des fonds marécageux et insondables ; mois après mois, ils engloutissaient des tonnes et des tonnes de gravier et de terre de remplissage. Une épaisse couche de limon, que les arpentages superficiels avaient négligée, dissimulait les fonds solides. Le lac Macquistinah, par exemple, engloutit à lui seul 250,000 verges cubes de gerre ; et c'est dans la fameuse Section Quinze, au fond du célèbre Cross Lake, que l'infortuné Joseph Whitehead vit s'engloutir les profits dont il avait rêvé ; il dut y déverser plus de 220,000 verges de gravier qui lui coûtèrent plus de quatre-vingt mille dollars. Malgré tout, la rampe s'enfonçait toujours.

Cross Lake mina littéralement Whitehead. L'entrepreneur y avait commencé les travaux en 1879 et il en était encore au remplissage quand, en mars 1880, le Gouvernement lui retira son contrat. Il avait déversé dans ce monstrueux golfe des tonnes et des tonnes de sable et de gravier, mais sans résultat appréciable. Il avait parfois fallu construire la rampe à plus de cinq ou six pieds au-dessus du niveau de l'eau mais soudain le lac, tout d'un coup et d'une seule gorgée, avalait toute cette masse de pierre, de gravier et de terre qui disparaissait alors sous les vagues.

A Lake Deception, James Ross disposait d'effectifs considérables. On charriait le gravier à toute vitesse. On utilisait alors la première pelle à vapeur du CPR et, malgré la rapidité des travaux, les rives continuaient de s'effondrer. Ross avait dynamité des tunnels. Il se servit de la pierre ainsi obtenue pour construire d'énormes murs de soutien. Un jour, en moins de quelques minutes, les rives s'enfoncèrent en poussant les remparts protecteurs cent pieds plus loin. Cela se fit si rapidement que les hommes et les chevaux eurent tout juste le temps de sauter pour s'échapper. Ross fit enfoncer les pieux au fond du lac. Il fit alors construire une chevalet qu'il emplit de gravier et de pierre. Un jour du mois de juin, juste comme un train de chantier venait de traverser la chaussée, les pieux s'enfoncèrent de cinquante pieds.

Ces incroyables marécages semblaient sans fond. Dans l'un d'eux on ne toucha du solide qu'après avoir enfoui des piliers à plus de quatre-vingt-seize pieds de profondeur. On eut finalement raison des marécages mais ce fut pour tomber dans une nouvelle difficulté : les voies ferrées avaient tendance à se profiler vers l'avant chaque fois qu'un train passait. Un jour qu'une lourde locomotive, traînant trente-cinq wagons, passait sur la voie, les rails avancèrent de plus de deux pieds dans la direction du train. Résultat : les crampons se cassaient presque tous les jours. On pouvait voir sur les voies de véritables vagues de cinq ou six pouces de hauteur ; elles étaient perceptibles du wagon de queue. Il fallut baliser des chevalets temporaires à l'aide de charrues géantes traînées le long d'une rangée de wagons-plateformes remplis de gravier. C'est Michael Haney, cet Irlandais pittoresque, qui les avait conçues sur place ; c'est lui qui, après la destitution de Whitehead, avait été nommé à la direction de la Section Quinze.

L'ingénieur Harry Armstrong le décrivait ainsi : « Un casse-cou explosif qui faisait les choses comme il l'entendait en se moquant de toute autorité.» Il connut toutes sortes d'accidents incroyables — et pourtant il survécut à tous.

Un jour il tomba de son cheval et fut grièvement blessé. Une autre fois il se prit le pied dans un fil de fer attaché aux rails et un train lui passa sur les orteils. Le 18 juillet 1880, il partit de Cross Lake aux commandes d'une locomotive. Le tender sauta les rails. La locomotive roula par-dessus un remblai de vingt pieds. Des nuages de vapeur bouillante s'échappaient des décombres mais Haney, qui occupait le siège du chauffeur, s'en sortit sans une égratignure.

Deux mois plus tard, il l'échappa belle encore une fois. Il voyageait entre Lake Deception et Cross Lake. Il venait de quitter le siège du chauffeur pour boire un verre d'eau. Au moment même où il le portait à ses lèvres, la locomotive s'engagea dans une courbe serrée. Haney perdit l'équilibre et fut projeté, tête première, sur le roc. Le train filait alors à vingt milles à l'heure. On le crut mort ; mais il s'en tira avec une éraflure au front.

Mais il n'était plus tout à fait le même — deux ans de labeur dans la Section Quinze l'avaient rendu malade et son médecin lui ordonna le repos complet — mais il obtenait des résultats.

Whitehead se retira finalement en février 1880. La confusion était totale. Les hommes n'avaient pas été payés et une nouvelle grève éclatait, à la suite de toute une série de grèves sauvages. Haney s'amena sur les lieux. Les ouvriers étaient de très mauvaise humeur. Il les réunit pour leur dire qu'ils recevraient leur argent aussitôt que la feuille de paye serait complétée. Certains décidèrent de rester au travail ; d'autres déclenchèrent la grève. Haney avertit les grévistes : les « ouvriers loyaux » seraient payés les premiers. Il partit alors pour Winnipeg afin d'y trouver les fonds nécessaires. Des grévistes, qui exigeaient d'être payés immédiatement, l'assiégèrent dans son hotel.

Haney fut inflexible : « Je vous ai dit ce que je ferais et je vais le faire. Je vous ai dit que les hommes qui étaient restés au travail seraient payés les premiers et vous pouvez parier votre dernière chemise qu'ils seront tous payés avant que vous ne receviez un cent. »

Le chef du groupe l'avertit qu'il ne lui permettrait pas de sortir de Winnipeg avant que les grévistes ne soient payés. Haney lui répondit carrément qu'il avait l'intention de traverser la rivière, à rames, de se rendre jusqu'à Saint-Boniface, de monter dans une locomotive, à minuit, et de revenir ensuite au chantier. « Faites ce que vous voulez maintenant, » leur dit-il sèchement. Il savait tenir parole. Il portait sur lui quarante mille dollars quand il s'engagea sur la voie ferrée, à pieds, au milieu de la nuit. En dépit de toutes les menaces, personne n'osa l'arrêter. On savait de quel bois il se chauffait.

De nombreux problèmes l'attendaient au chantier. Whitehead n'avait plus de provisions dans ses réserves. Pourtant, Haney avait 4,000 hommes à nourrir. Collingwood Schreiber remplaçait Fleming au poste d'ingénieur en chef ; ensemble, ils en vinrent à la conclusion qu'il leur fallait trouver mille tonnes de provisions — et qu'il fallait les distribuer immédiatement sur toute l'étendue du territoire, l'un des plus difficiles d'accès au Canada.

C'était le 1er mars. Les pistes seraient bientôt transformées en bourbiers. Mais on manquait de chevaux et de chariots. La tâche est impossible, conclut Schreiber. Mais Haney visita toutes les fermes. Il fronça les sourcils, cajola, implora et fit des promesses. Il réussit à louer tous les attelages du pays. Le 15 mars on pouvait crier victoire.

Haney avait un talent particulier pour récupérer le matériel. Un jour qu'on manquait de crampons à la Section Quinze, il s'empara tout simplement de deux wagons remplis de crampons, sur une voie de garage de Winnipeg. Il entreprit alors une folle course dans la nuit. On déchargea les crampons à des points stratégiques et les wagons revinrent dans les cours de Winnipeg. Personne ne s'était aperçu de leur disparition. Cet incident confondit Schreiber. A leur arrivée dans la cour, les wagons étaient remplis de crampons. Après l'expédition secrète de Haney, ils en étaient ressortis, leur chargement intact ; et pourtant les crampons n'arrivèrent jamais à destination. Schreiber passa la plus grande partie de l'année à tenter de retracer, sur tout le continent, les deux wagons. L'affaire l'ennuyait tellement qu'il en parlait constamment.

« Je ne peux pas comprendre où sont passés ces crampons, » dit-il un jour, à porté de voix de Haney.

« Pourquoi ne me l'as-tu pas demandé ? » dit Haney.

« Comment diable le saurais-tu ? » explosa Schreiber.

« Eh bien, dit Haney, si tu veux bien marcher un mille sur la voie ferrée, je pense que je peux te montrer chacun de ces crampons. »

On ne connaît pas la réponse de Schreiber mais il avait sûrement compris ce que voulait dire Haney. Les méthodes de Haney n'étaient peut-être pas très orthodoxes mais elles étaient efficaces.

La Section Quinze accusait un déficit de quatre cent mille dollars au moment où il avait pris les travaux en main. Mais sous sa dynamique administration, les profits s'élevèrent bientôt à $83,000. Evidemment Haney était salarié. C'est donc Joseph Whitehead qui reçut du Gouvernement les $83,000.

4

Dans cette lugubre région qui s'étendait à l'ouest du Lac Supérieur, la nature semblait avoir fait des efforts particuliers pour décourager les constructeurs du chemin de fer.

Quand ils n'étaient pas en train de poser des rails sur cette bouillie marécageuse ils dynamitaient le roc le plus dur du monde. La dynamite, brevetée en 1867, était aussi nouvelle que la pelle à vapeur. A cette époque, on se servait surtout de nitroglycérine. Ce liquide hautement instable avait fait son apparition près de trente ans avant le début de la construction du chemin de fer mais il ne remplaçait que depuis peu la poudre de dynamitage, moins puissante. Il coûtait dix fois plus cher que celle-ci et il était passablement plus dangereux. A la fin des années soixante-dix, les constructeurs de chemin de fer l'utilisaient abondamment.

Ils coulaient l'explosif dans les trous de forage, à une profondeur d'environ sept pieds, et ils l'amorçaient avec un fusible. Dans la seule section Quinze, en moins de deux ans, on dépensa plus de trois cent mille dollars en frais de nitroglycérine. Les résultats furent souvent désastreux. Les ouvriers se riaient des explosifs. Des bidons de nitro, amorcés, traînaient à l'abandon le long de la rampe, défiant toutes les règles de sécurité. Transportés sans ménagement, ils laissaient s'écouler le liquide qui s'épandait alors sur le roc. Des équipes entières furent littéralement décimées par les explosions qui s'ensuivaient parfois, surtout par temps froid, car le liquide était particulièrement dangereux lorsqu'il était gelé ; la moindre secousse pouvait alors le faire exploser. On le gardait donc dans l'eau chaude, à une température aussi constante que possible.

Les pistes cabossées ne permettaient pas de le transporter par chariot. Il fallait donc le transporter à dos d'homme, dans des boîtes en fer blanc de dix gallons. Les porteurs métis et les ouvriers irlandais manipulaient la nitroglycérine avec désinvolture. L'ingénieur Armstrong vit un jour un porteur qui réparait une fuite dans un bidon: il y appliquait de la boue avec son couteau, sans se soucier du danger ; et pourtant, le plus petit grain de sable ou la moindre friction aurait pu tout faire sauter. Les ouvriers déposaient parfois leurs bidons sur une pierre et quelques gouttes du liquide s'y répandaient. Un jour, un charretier mena son cheval à boire à l'un de ces endroits. Le cheval toucha de son fer une flaque de nitro. Le coup partit et lui arracha le sabot. Le sabot lui traversa le ventre et le tua. Le charretier fut assommé du même coup.

Très nombreux furent les hommes blessés ou tués par ces explosions accidentelles. Dans un seul tronçon de cinquante milles, Sandford Fleming compta plus de trente sépultures. Tous ces hommes avaient été victimes de la manutention imprudente de la nitroglycérine.

Mary Fitzgibbon, qui partait s'établir au Manitoba, contempla avec étonnement un long convoi de porteurs irlandais qui descendaient joyeusement une colline, chacun portant un bidon du liquide explosif sur son dos. Ils faisaient des commentaires macabres :

« Il fait chaud. »

« Oui, mais peut-être auras-tu encore plus chaud avant d'arriver au camp ce soir. »

« Peut-être. C'est une bonne journée pour le diable. »

« Où vas-tu Jack ? »

« En enfer, je suppose. »

« Prends l'autre train et garde une place pour moi, bonhomme. »

« C'est ton cercueil que tu transportes, Pat ? »

« Tu peux en être sûr ; et l'enquête du coroner par-dessus le marché, Jim. »

Ils échangeaient ces propos sur le ton de la plaisanterie, notait Mary Fitzgibbon, mais « leur expression misérable trahissait la mort qu'ils avaient au coeur. »

Dans ces conditions, les ouvriers n'avaient d'autre recours que l'alcool. La prohibition, bien sûr, était en vigueur sur toute la ligne, mais elle ne suffisait pas à empêcher le trafic des contrebandiers de whisky. Ils avaient établi des caches d'alcool tout le long de la voie. Comme un gallon d'alcool, vendu dans les villes de l'Est pour aussi peu que cinquante cents pouvait, adéquatement dilué, rapporter quarante-cinq dollars sur les chantiers à un trafiquant dynamique, les affaires continuaient de plus belle malgré la surveillance de la police. Les trafiquants se cachaient dans les fourrés ou dans les îles qui parsemaient les lacs marécageux. Ils venaient jusqu'aux chantiers sur de rapides canoës d'écorce et ils disparaissaient aussitôt que la police se montrait le nez. Ils se faisaient prendre parfois mais ils s'en tiraient généralement avec une amende ; le produit de ces amendes constituait la principale source de revenus des villages et des villes qui se débattaient pour survivre à l'extrémité du chemin de fer.

Harry Armstrong, dans ses mémoires inédits, a fait le compte rendu de l'un de ces procès. Il eut lieu pendant l'hiver de 1877-78, à Inver, dans la Section Quinze. Armstrong y agissait comme greffier. Un certain Shay avait été arrêté. Il avait en sa possession un traîneau rempli de whisky. On le confia à la garde du forgeron local. Il comparut dûment devant deux juges de paix : Henry Carre, ingénieur au service du Gouvernement et un autre ingénieur au service de l'entrepreneur. Le tribunal siégeait pour la première fois. Le banc était un vrai banc, car le tribunal avait été installé dans le mess de la compagnie.

« Amenez le prisonnier, » cria Carre. Le forgeron entra. Il tenait Shay par le bras. Il annonça : « Le prisonnier, votre Honneur. »

On était en train de questionner le premier témoin quand Charles Whitehead, le fils de l'entrepreneur qui jouait le rôle de procureur, « demanda au tribunal de faire assermenter le témoin ». On mit un certain temps à trouver une bible. Finalement, le témoin fut assermenté et le procès continua. Mais il fut retardé de nouveau quand on découvrit qu'Armstrong, le greffier, se servait d'un crayon pour dresser le procès-verbal. Après maintes recherches on trouva une plume et de l'encre. Armstrong retranscrivit son texte et le procès continua. Sans plus de manières, le tribunal jugea le prisonnier coupable. Il avait déjà été bûcheron et Carre le connaissait bien pour avoir été son patron. De toute évidence, l'accusé était financièrement à l'aise. Il portait un beau costume à collet de fourrure, — « l'homme le plus distingué de cette assemblée ».

« Shay, dit Carre gravement, je regrette beaucoup de vous voir ici. »

« Moi aussi, M. Carre, » répliqua le coupable avec une nonchalance inquiétante.

« La Cour vous condamne à une amende de vingt-cinq dollars. »

« Eh bien, je ne la paierai pas. Je ferai appel. »

Les événements prenaient une tournure déconcertante. La prison la plus rapprochée se trouvait à Winnipeg et on manquait d'argent pour y transporter le prisonnier. Il fut donc confiné au dortoir pendant quelques jours. Il y mangeait fort bien. Après quoi le mécréant put repartir, sans son whisky bien entendu.

Haney avait sa manière à lui de s'occuper du problème de l'alcool. Il ne tenta pas d'en enrayer lui-même le trafic. Il avait pourtant remarqué que lorsque le travail se poursuivait vingt-quatre heures par jour, le whisky en ralentissait le rythme. Haney avait alors l'habitude de réunir les trafiquants et de leur faire promettre de ne pas vendre de whisky tant que le travail roulerait vingt-quatre heures par jour. Généralement, cette méthode fonctionnait bien. Mais un jour la présence de cinq cents hommes assoiffés fut trop tentante pour les « entrepreneurs ». Le matin, quand il arriva, Haney trouva tout le monde ivre-mort. Il réagit avec sa brusquerie habituelle. Quatre agents officiels travaillaient dans cette section ; techniquement, c'est à eux que revenait la tâche de « détecter le whisky ». Il les fit appeler pour leur dire que s'ils n'avaient pas réussi à lui amener avant midi les trafiquants de whisky, il les congédierait tous les quatre. Moins d'une heure plus tard les traficants étaient arrêtés. On les traîna immédiatement devant un magistrat.

La loi prévoyait une amende de plus en plus importante à chaque nouvelle offense et la possibilité d'une sentence de prison à la troisième offense. Haney leur fit imposer l'amende maximum (ils durent payer un total de $3,600). Les sentences de prison furent différées mais tous les trafiquants furent envoyés à Winnipeg. On les avertit de ne pas revenir sous peine d'emprisonnement. Ils ne revinrent jamais.

A son arrivée, à la fin de la décennie, Haney ne reconnut pas le pays solennel et mystérieux qu'Harry Armstrong avait parcouru cinq ans plus tôt. Il bourdonnait maintenant de l'activité de milliers d'ouvriers — Suédois, Norvégiens, Finlandais et Islandais, Canadiens français, Irlandais, Ecossais, Anglais et Américains. On y trouvait même des mennonites. Ils formaient de petites colonies ramassées sur elles-mêmes, se faisant et se défaisant constamment. L'alcool y coulait à flots et la bagarre y éclatait souvent.

Armstrong se rappelait, non sans nostalgie, l'époque où « la vie dans les chantiers de construction ... était celle d'une grande famille. On y trouvait partout hospitalité, entraide, chaude amitié, bon naturel et satisfaction ». Il se rappelait cette nuit de Noël de 1876, qu'il avait passée dans une cabane en bois rond ; un violoneux y accompagnait les danseurs qui s'agitaient autour d'un poêle brûlant et d'un immense lit. Tout allait pour le mieux, racontait-il, quand quelqu'un s'assit sans y penser sur le lit et s'aperçut qu'il y avait un bébé quelque part sous les draps.

Son compte rendu contraste au plus haut point avec celui du receveur des postes de Whitemouth, un village de chemins de fer situé à mi-chemin entre Rat River et Winnipeg, qui décrit également une nuit de Noël, quatre ans plus tard.

« Le démon de l'alcool a changé cette ville en maison de fous : on se bat, on se poignarde, on se vole ; on en a trouvé quelques-uns, gelés sur place, presque sans vie. Des hommes mal engueulés, saouls et ensanglantés ont assiégé le bureau des postes aux heures d'affluence ; rendus fous par le « Forty Rod », ils en vinrent aux poings. Les citoyens respectables ne purent retirer leur courrier. Il y a quelques jours, pendant un de ces moments de folie, un homme, brandissant un rasoir, trancha la jugulaire de son voisin. »

Rat Portage, près de Lake on the Woods, était la seule ville vraiment permanente le long de la voie ferrée en construction ; elle était également, et de loin, la plus importante.

C'est dans un enthousiasme très « Chambre de commerce » qu'elle se baptisa « la future Saratoga d'Amérique ». Un correspondant du *Winnipeg Times* qui la visita pendant l'été de 1880, nous en fournit une description moins subjective :

« Depuis un certain temps, une foule de vauriens a assiégé les chantiers du chemin de fer dans les environs de Rat Portage. Ils ne semblent pas avoir d'autre occupation que le jeu et la contrebande

illégale du whisky. Cet état de dégradation s'est encore accru derniè-
rement du fait de l'apparition, sur les talons de ces pieds-noirs, d'un
certain nombre de personnages du demi-monde avec qui ces despera-
dos font le carnaval à toutes heures du jour et de la nuit. »

La ville elle-même, selon l'expression d'un observateur, semblait
avoir été conçue « pour loger une colonie de ratons-laveurs ». Des
cabanes et des tentes étaient construites ou s'élevaient à la discrétion
du propriétaire qui ignorait totalement les rues et les voies d'accès.
En conséquence, les rues ne furent construites qu'après-coup et comme
elles couraient entre les maisons il n'y en avait pas une seule qui fut
droite.

La population flottante comptait parfois plus de trois mille personnes. La Section B y avait installé son quartier général. Les entrepreneurs supportaient les dépenses de l'administration ; ils construisirent
la prison et organisèrent la police. Cependant, le produit des amendes
retournait au Gouvernement. Il totalisa, entre avril et novembre
1880, plus de six mille dollars. La lecture des jugements de cour —
pour vols de grand chemin, larcins, cambriolages, assauts, commerce
illégal du whisky et prostitution — nous donne une bonne idée de ce
que pouvait être Rat Portage à l'époque où elle n'était encore qu'une
ville-champignon.

Les entrepreneurs faisaient la loi au même titre que le Gouvernement. C'était presque l'anarchie. Un jour, l'agent de police de la
compagnie, un certain O'Keefe, saisit quatre barils d'alcool. Au lieu
de les détruire, il les rapporta dans ses quartiers et paya la traite
à ses amis. Il fut traduit devant le magistrat appointé qui lui imposa
une amende pour possession d'alcool. O'Keefe paya l'amende ; mais
le magistrat n'avait pas aussitôt quitté le tribunal qu'il l'arrêta *lui*,
pour possession d'alcool ; il en avait parfaitement le droit puisqu'il
était policier. Il emprisonna le magistrat, malgré ses protestations.
On dut nommer un autre magistrat à sa place. Le procès s'ouvrit. Le
nouveau magistrat condamna l'ancien magistrat à une amende de
cent dollars. Finalement, il bénéficia d'un sursis.

Rat Portage était devenue, en 1880, la ville la plus dure de tout le
Canada. Chaque mois on y écoulait plus de 800 gallons d'alcool de
contrebande, dissimulés dans des sacs de farine d'avoine ou des sacs
de haricots ou déguisés en barils d'huile de charbon. Les affaires
étaient si florissantes qu'on comptait un trafiquant de whisky par
trente habitants. On pouvait avoir ici un avant-goût de ce que sera

plus tard la période de prohibition aux Etats-Unis — les mêmes gangsters armés, les mêmes représentants corrompus et la même police débordée de toutes parts.

A l'été de 1880, un incident sanglant mit aux prises deux trafiquants de whisky, Dan Harrington et Jim Mitchell.

En 1878, ils travaillaient tous deux pour Joseph Whitehead. Mais ils eurent tôt fait d'abandonner la foreuse à vapeur pour se consacrer au commerce plus payant de l'alcool. A l'hiver de 1879-80, un mandat d'arrestation fut émis contre eux à Cross Lake, mais quand l'agent de police tenta de le leur signifier, ils le battirent brutalement et s'enfuirent vers Rat Portage où le magistrat appointé, F.W. Bent, était à leur solde. Les deux hommes se livrèrent à Bent. Il les condamna à une amende symbolique de cinquante dollars. Il leur remit alors un acquit pour qu'ils ne soient plus ennuyés par les fonctionnaires de Cross Lake. Le magistrat remit également à Harrington un revolver qu'on lui avait confisqué.

C'était le jour de la paye. Nos deux larrons se dirigèrent alors vers Tawk Lake, avec cinquante gallons de whisky. L'un des contracteurs, John J. McDonald, les aperçut. Il comprit ce qui allait arriver. En compagnie de Ross, l'agent de police de la compagnie, il se rendit immédiatement à Rat Portage, obtint un mandat, et revint en vitesse à Hawk Lake.

Ils trouvèrent Harrington et Mitchell en face de la tente-bordel de Millie Watson. Mitchell s'enfuit dans les bois mais Harrington annonça effrontément qu'il allait vendre du whisky en dépit des contracteurs et de la police. Les deux hommes lui enlevèrent son revolver et l'arrêtèrent. Harrington demanda alors la permission d'aller dans la tente pour se laver. On la lui accorda. Un copain lui donna alors deux revolvers à sept coups, chargés. Harrington arma les revolvers. Il sortit de la tente en les pointant sur le policier. Ross dégaina rapidement. Au moment où Harington mettait le doigt sur la gachette, le policier tira et l'atteignit juste au-dessus du coeur. Harrington s'écroula au sol en tentant vainement de récupérer ses revolvers. Un second policier avertit Ross de ne pas tirer une seconde fois. La première balle avait déjà fait son effet.

« Tu peux être mauditement certain qu'elle a fait son effet, dit confusément Harrington, mais j'aime mieux me faire tuer que de payer l'amende. » Ce furent ses derniers mots.

L'archevêque Taché, de Saint-Boniface, recevait à Winnipeg un grand nombre de témoignages concernant ces agissements. Il décida que les ouvriers de la construction avaient besoin d'un aumônier ; après tout, il y avait bien là un gros tiers de Canadiens français catholiques qui venaient du Manitoba. Il choisit donc d'y dépêcher le plus célèbre des prêtres missionnaires, le Père Albert Lacombe, Oblat missionnaire qui avait passé la plus grande partie de sa vie adulte parmi les Cris et les Pieds-Noirs du Far-West. En novembre 1880, le Père Lacombe, à contrecoeur, se rendit donc dans sa nouvelle paroisse.

Il n'avait nullement envie d'être aumônier des chantiers du chemin de fer. Il aurait préféré rester parmi ses Indiens bien-aimés, plutôt que de s'installer dans cette Sodome qu'était Rat Portage. Mais il allait où son Eglise lui commandait d'aller. Dès le premier jour, le langage des ouvriers le scandalisa. Il donna son premier sermon dans un wagon transformé en chapelle. Il le consacra au blasphème. « Il me semble que ce que j'ai dit devrait faire réfléchir ces abominables blasphémateurs qui utilisent un langage ordurier qui leur est propre de même qu'un vocabulaire et une grammaire qui n'appartiennent à personne d'autre, » écrivit-il dans son journal. « Cette habitude qu'ils ont est proprement diabolique. »

Mais le pire restait à venir : deux semaines après son arrivée à Rat Portage, il fut témoin « d'un bal tapageur et scandaleux » ; toute la nuit, le prêtre des plaines, très peu homme du monde, dut supporter le tapage des noceurs en état d'ivresse. Lacombe tenta même de discuter avec l'organisatrice de la danse. Il fut inondé de sarcasmes et d'injures.

« Mon Dieu, écrivit-il dans son journal, ayez pitié de ce petit village où tant de crimes se commettent chaque jour. » Il comprit bientôt son impuissance à freiner ce dévergondage dans lequel il était plongé et il se réfugia finalement dans la prière « pour éviter la colère de Dieu ».

Il parcourait la ligne d'un bout à l'autre et il s'arrêtait dans plus de trente chantiers différents ; il prêchait et il célébrait la messe le matin et le soir ; il causait et il fumait avec les ouvriers. Il notait dans son petit livre noir usé toute une liste de péchés beaucoup plus graves que ceux qu'il avait rencontrés chez les partisans du Chef Crowfoot.

Il sombrait dans la frustration. Il avait été si facile de convertir les Indiens païens ! Mais ces ouvriers étaient d'une autre pâte : dans l'intimité, ils l'écoutaient respectueusement et ils s'ouvraient à lui ; ils confessaient religieusement leurs péchés puis ils retournaient à leurs blasphèmes, à leurs saouleries, à leurs bagarres et à leurs putains sans manifester la moindre honte.

Atteint de pleurésie, obligé de voyager par les pires temps dans les wagons ouverts du train, témoin de spectacles qu'il n'avait pas cru possibles, le prêtre, l'âme torturée, ne pouvait rien d'autre que d'écrire dans son journal : « Mon Dieu, je vous offre mes souffrances. »

« Je vous en prie, mon Dieu, ramenez-moi dans mes missions, » implora-t-il, mais ses prières ne furent exaucées que le jour où on planta le dernier crampon. Il n'avait peut-être pas changé la vie de bien des gens mais il s'était fait beaucoup plus d'amis qu'il ne le croyait. A l'annonce de son départ les ouvriers de la Section B firent une grosse collecte et ils lui offrirent de généreux cadeaux : un cheval, un traîneau, un harnais complet, une selle neuve, une tente et un équipement de camping complet : de quoi assurer son confort à son retour dans la plaine. Peut-être pensa-t-il en partant que sa mission difficile chez les impies n'avait pas été vaine.

Chapitre
six

DEUX
RAILS
ROUILLÉS

1

En 1870, lors de l'un de ses premiers voyages dans le Nord-Ouest canadien, James Jerome Hill, qui était en train d'organiser sa bataille des bateaux à vapeur contre la compagnie de la Baie d'Hudson, contempla de son oeil unique le très riche territoire de la région de la Rivière Rouge et il constata qu'il poussait de l'herbe dans les sillons laissés par les roues des chariots. C'était la plus belle terre noire qu'il eût jamais vue et ce souvenir resta gravé dans sa mémoire. Cette terre était d'une telle richesse que c'est par dizaines de millirs que les colons pourraint s'y établir. Ils auront alors besoin d'un chemin de fer. Avec l'aide de Donald Smith, Jim Hill décida de leur en construire un.

En 1870 il y avait bien une manière de chemin de fer qui partait de Saint-Paul et qui devait se rendre jusqu'à la frontière canadienne ; mais il n'y arrivait pas encore. Un embranchement se rendait jusqu'à Breckenridge sur la Rivière Rouge et il y assurait la correspondance avec les bateaux à vapeur de la Kittson Line. Un autre montait vers Saint-Cloud dans le Nord-Ouest et se rendait jusqu'au bout de la Rivière Rouge. De là, il se prolongeait en chambranlant vers le nord en direction de Brainerd où il devait assurer la correspondance avec la ligne principale du Northern Pacific. Du chemin de fer ils n'avaient que le nom. On les avait construits morceau par morceau, en employant les matériaux les moins dispendieux. Des monceaux de pontages, de dorants et d'objets divers encombraient la voie et les fermiers se servaient de tout ce dont ils avaient besoin. Le matériel roulant était dans un état de décrépitude incroyable — les locomotives étaient vieilles et grinçantes, les wagons étaient abîmés et rouillés.

Le pillage fait partie intégrante de l'histoire de la construction du chemin de fer Saint-Paul and Pacific. Le constructeur Russel Sage avait réussi à corrompre la législature du Minnesota qui lui octroya de vastes territoires de même qu'un grand nombre d'obligations que lui et ses copains empochèrent sans sourciller. Le chemin de fer fit faillite en moins de cinq ans. Le groupe Sage réorganisa la compa-

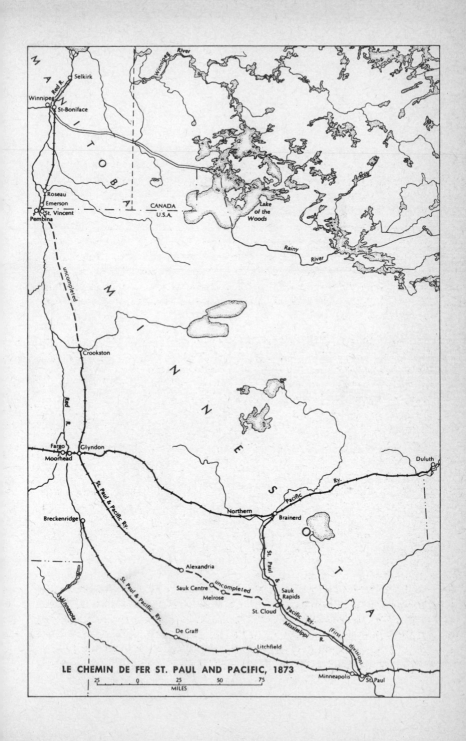

LE CHEMIN DE FER ST. PAUL AND PACIFIC, 1873

gnie faillie en deux nouvelles compagnies ; ils se débarrassaient ainsi des dettes tout en conservant les précieux territoires. Ils se mirent alors à faire des pressions pour obtenir d'autres terrains. Ils réussirent. Ils émirent alors en Hollande des obligations d'une valeur de $13,800,000. Puis ils détournèrent à leur profit plus de huit millions de dollars et replongèrent le chemin de fer en faillite.

C'était cela le chemin de fer au début des années soixante-dix. Cinq cents milles de rails à peu près inutilisables — « deux rails rouillés et un droit de passage, » comme on le décrivait avec mépris. Il faut bien le dire, un des tronçons partait de nulle part et n'arrivait nulle part ; le chemin de fer fantôme parcourait une prairie déserte ; aucune ville ne s'élevait à son terminus et à l'autre bout on ne trouvait rien qui puisse faire marcher les affaires.

Et pourtant c'était là la ligne que convoitait Jim Hill ; c'était là la ligne qui allait enrichir au-delà de leurs rêves les plus insensés Jim Hill, Donald Smith, Normand Kittson et George Stephen. C'était là qu'ils allaient acquérir l'expérience et l'argent nécessaires à la construction du chemin de fer du Pacifique Canadien.

Hill était ce genre d'homme qui pouvait contempler une plaine déserte et y voir pousser une voie ferrée. Saint-Paul n'était qu'un hameau lorsqu'il y jeta un coup d'oeil et qu'il comprit qu'elle se trouvait en position stratégique pour devenir un des grands carrefours du commerce de l'Ouest. Il se fit donc expéditionnaire.

Quand le chemin de fer entra en service, Hill commença à vendre du bois à la compagnie ; mais il comprit rapidement que le charbon, plus efficace, allait bientôt remplacer le bois. Il s'intéressa donc au charbon. Il découvrit plusieurs sources d'approvisionnement et devint le premier marchand de charbon de Saint-Paul. Il se joignit à des expéditions géologiques. Plusieurs années plus tard, quand on découvrit les grands dépôts de charbon de l'Iowa, on s'aperçut que Jim Hill le Borgne possédait 2,300 acres de terrains, parmi les meilleurs. Jusqu'à sa mort on le considéra comme l'un des grands experts en charbon du continent.

Mais à cette époque, personne ne le prenait au sérieux, probablement parce qu'il parlait trop. Il était là, assis devant son magasin de charbon et de bois, pérorant à n'en plus finir, fixant son oeil unique sur son interlocuteur tout en agitant son doigt autoritaire de façon péremptoire.

Il avait un idole : Napoléon. Il avait treize ans lorsqu'il lut sa biographie pour la première fois. Rien d'autre de ce qu'il avait lu (et il semblait avoir tout lu — Byron, Plutarque, More, Gibbon) ne l'avait autant impressionné. C'est à partir de ce moment qu'il acquit la conviction que lorsqu'un homme avait décidé de faire quelque chose, la moitié du travail était déjà faite. Plus tard, après avoir construit un manoir à Saint-Paul et après y avoir accroché de coûteuses peintures, il commença à se prendre pour Bonaparte. Mais à ses débuts, il n'appliquait sa détermination napoléonienne qu'au chemin de fer décrépit, qu'il imaginait comme le noyau d'un grand chemin de fer transcontinental. Tout le monde était d'accord : c'était un rêve de fou, mais Jim Hill avait toujours été un « romantique », selon le mot d'un ami d'enfance. Il avait de très hautes ambitions ; il voulait être médecin. (C'est en jouant aux Indiens qu'une flèche lui traversa l'oeil et mit fin à ce rêve). Il rêvait aussi d'être simple matelot. Il voulait lancer une flotte de bateaux à vapeur, en Inde. Il voulait conquérir le monde.

Il était Canadien de naissance mais d'origine celtique — moitié Écossais, moitié Irlandais. Il avait vu le jour dans une cabane en bois rond, à Rockwood, en Ontario. William Wetherald, le grand éducateur quaker, avait exercé sur lui une influence marquante ; il lui avait surtout appris à aimer les livres. Étudiant, il le resta toute sa vie ; il étudiait les traités scientifiques, l'art classique, la géologie, la finance — il s'intéressait à tout ce qui lui tombait sous la main. Rockwood fut incapable de le retenir : à dix-huit ans, poussé par l'esprit d'aventure, il partit pour l'Orient. Mais il ne dépassa pas Saint-Paul. A cette époque, c'était le bout du monde.

C'est alors que pendant huit ans, de 1856 à 1864, il traîna ses savates à Saint-Paul, sautant d'un emploi à l'autre, sans jamais s'arrêter de lire et d'étudier. Il lisait voracement n'importe où et n'importe quand. Un certain hiver, il s'engagea comme veilleur de nuit sur un bateau à vapeur qui passait l'hiver en cale sèche. Il s'amena les bras pleins de livres. Quand arriva le printemps il les avait tous lus et annotés.

Quand il décida de se lancer en affaires, il avait déjà acquis des connaisances encyclopédiques et sa mémoire était devenue prodigieuse. Il avait retenu surtout une chose de tout ce qu'il avait appris : celui qui achèterait le chemin de fer deviendrait du même coup propriétaire de deux millions et demi d'acres de cette magnifique terre arable, la plus fertile du Mid-West américain. Un jour, le chemin de fer se vendrait pour une chanson. Il suffisait d'attendre.

2

Pendant ce temps, à Winnipeg, Donald A. Smith partageait la même conviction. La Rivière Rouge avait besoin d'un débouché vers l'Est.

Si on réussissait à construire une ligne à partir de Selkirk jusqu'à la frontière et si on réussissait à remettre sur pied, malgré la faillite, la ligne américaine qui partait de Saint-Paul, on pourrait alors automatiquement raccorder les deux tronçons.

Smith voyait loin : il avait toujours un mois d'avance sur les autres, ou un an ou même dix ans et davantage. Il prévoyait, par exemple, la disparition prochaine du bison et il gardait un certain nombre de bêtes dans un corral. Quand il sortit du Labrador et qu'il vint à Montréal pour la première fois, il décida d'apprendre à faire la cuisine, car il prévoyait tirer bénéfice de la pratique de cet art. A son retour, il donna à tous ses employés l'ordre de servir des repas sains. Dans la brousse ils protégeraient ainsi leur santé, voire leur vie. De plus, il acquit quelque connaissance de la médecine primitive. Il aimait tout prévoir. C'est sans doute cette attitude qui lui sauva la vie lors de son terrible voyage à Mingan, comme en d'autres occasions. Quelque temps qu'il fit, Smith apportait toujours des vêtements et des provisions en surplus, partout où il allait. Quand un blizzard s'élevait, Smith était toujours prêt. En vérité, il était toujours prêt à faire face à toutes les éventualités.

Tout comme Hill, il pressentait le déclin du transport maritime au moment même où il atteignait des sommets sans précédent. N'avait-il pas prédit la menace qui pesait sur le commerce des fourrures au moment même où il semblait invulnérable ? Il avait affirmé, dès 1860, que la Compagnie de la Baie d'Hudson ne pourrait pas indéfiniment entretenir sa chasse-gardée dans le Nord-Ouest et il avait compris qu'une fois la charte de la compagnie modifiée ou annulée il faudrait construire un chemin de fer entre le Lac Supérieur et la Rivière Rouge.

Treize ans plus tard, Smith contemplait les deux rails rouillés qui partaient de Saint-Paul. Les deux compagnies soeurs (l'une s'appelait le Saint Paul and Pacific et l'autre s'appelait la Première Division du Saint Paul and Pacific) étaient plongées dans un imbroglio financier et légal inextricable. La première était sous séquestre et la seconde avait été mise en tutelle. Des actionnaires hollandais détenaient la majorité des obligations.

A l'automne de 1873, Smith, en route pour Ottawa, fit un saut à Saint-Paul. Il se rendit chez le « Commodore » Norman Kittson, représentant de la Compagnie de la Baie d'Hudson et président de la compagnie de navigation qui, avec la connivence secrète de la compagnie, tenait le monopole de la navigation fluviale. Smith demanda alors à Kittson de colliger tous les renseignements possibles concernant les obligations que les Hollandais détenaient. Si le prix de vente s'avérait intéressant, pensa Smith, il pourrait alors songer à trouver l'argent nécessaire pour compléter la construction de la ligne. Kittson en glissa un mot à son autre partenaire, Jim Hill, qui tentait alors de démêler l'écheveau de la compagnie de chemin de fer en faillite, tout en se demandant où prendre l'argent pour l'acheter au moment voulu. Il avait enfin trouvé la réponse. Et dès lors, Bill ne parla plus que du Saint Paul and Pacific.

Quand Donald Smith repassa par Saint-Paul, Hill et Kittson avaient en main tous les renseignements nécessaires. Ils apprirent alors à Smith que la plupart des obligations, qui valaient plus de dix-huit millions de dollars, étaient aux mains d'investisseurs hollandais formés en comité d'actionnaires.

La stratégie devenait évidente : il fallait acheter les obligations au plus bas prix possible, former une nouvelle compagnie, provoquer une saisie, acheter le chemin de fer en faillite, le compléter jusqu'à la frontière, profiter de l'éventuel octroi de territoires et ramasser les profits. Mais les obstacles étaient nombreux : inutile d'acheter le chemin de fer sans être certain d'obtenir la subvention foncière. Mais le Minnesota avait passé une loi qui interdisait le transfer après saisie de la subvention foncière à une nouvelle compagnie. De là la nécessité de la création d'un lobby puissant — peut-être faudrait-il même aller plus loin — dans le but de faire révoquer cette loi. D'autre part, plusieurs poursuites légales accablaient la compagnie. Puis il y avait le matériel roulant : la plus grande partie appartenait au spéculateur Edwin Litchfield qui tentait de s'emparer du chemin de fer en passant par les tribunaux. La dépression faisait des ravages. L'argent était rare et des nuées de sauterelles ravageaient le territoire. Le moment n'était pas propice. Smith, Hill et Kittson patientèrent pendant deux ans mais Hill ne chômait pas pour autant. Il étudiait les plans du chemin de fer jusqu'au dernier dormant. On raconte que moins de deux ans plus tard il en connaissait plus que ceux qui le faisaient rouler. En tout cas, il savait au moins deux choses que les autres ne savaient pas : premièrement, le chemin de fer valait beaucoup plus qu'il en avait l'air ; et deuxièmement, il pouvait être rentable.

A Saint-Paul, tout le monde savait que Jim Hill voulait acheter le chemin de fer et qu'il espérait obtenir de Donald A. Smith l'argent nécessaire pour s'en porter acquéreur. Henry Upham, un vieil ami à lui, admettait que Hill « en parlait tellement que les gens commençaient d'en être un peu ennuyés ». Hill ne vivait que pour le chemin de fer. Il couchait avec, littéralement. Il en négligeait son propre travail. Cette toquade agaçait son associé dans l'entreprise de charbon car chaque fois que Hill arrivait au travail il ne parlait que du chemin de fer.

Il en parla longuement et intimement à Jesse P. Farley, un vieil homme de chemins de fer de Dubuque, en Iowa, qui avait été nommé liquidateur de la compagnie du chemin de fer de Saint-Paul, alors en faillite. La compagnie sœur était administrée par un syndicat de faillite. Farley en fut nommé directeur général. Il administrait donc la ligne complète du Saint Paul and Pacific de même que ses embranchements. Il avait pour tâche de maintenir la rentabilité du chemin de fer, de tenter de le sortir de ses difficultés et de construire de nouvelles voies. Il n'eut pas beaucoup de succès. En trois ans, il ne dépensa qu'environ cent mille dollars en frais de construction et de réparations. Pendant tout ce temps, lui et son assistant entretenaient des rapports très étroits avec Hill, qu'ils voyaient presque tous les jours. Ils se firent un plaisir, à l'occasion, de transmettre les offres de Hill. La question qu'on se posait alors était la suivante et elle fut le sujet d'une longue série de batailles judiciaires : Hill ne faisait-il qu'arracher des renseignements à Farley ? ou était-il de mèche avec lui pour entretenir le chemin de fer dans un état lamentable, ce qui lui permettrait ensuite de l'acheter pour une chanson ? On n'a jamais élucidé complètement ce mystère.

Un autre mystère demeure : quel rôle joua donc dans cette affaire John S. Kennedy, banquier de New-York et agent du comité hollandais détenteur de la plupart des actions. Kennedy recommanda Farley comme syndic. Farley, un homme presque illettré, avait travaillé autrefois pour Kennedy et, en général, il faisait ce que le banquier lui disait de faire. Quel était le véritable rôle de Kennedy ? En principe il devait s'occuper des intérêts des actionnaires, mais il devint lui-même multimillionnaire à la suite de son association à Jim Hill et à

Le Bouclier précambrien, à l'ouest de Fort William.
Les ouvriers du chemin de fer s'apprêtent à construire
la section gouvernementale de la voie ferrée. En attendant,
ils dorment à l'étroit dans des dortoirs en bois rond.

LA CONSTRUCTION COMMENCE

A l'ouest de Thunder Bay, des ouvriers irlandais
manipulent la nitroglycérine avec prudence.
Ils font bien, car quelques gouttes seulement
de ce liquide hautement instable ont tôt fait, en explosant,
d'arracher la main ou le pied d'un homme. Mais sans
nitroglycérine, il eut été à peu près impossible
de faire sauter le roc extrêmement dur du Bouclier.

Hawk Lake était un village de tentes fort agité.
C'était le centre nerveux du Chantier 42 (ou section B) —
paradis des trafiquants de whisky, des prostituées,
et des ouvriers en goguette.

Le 30 juillet 1880 : une fusillade
dans le style western, à Hawk Lake.
Millie Watson, sur le pas de sa
« tente-bordel », regarde
Dan Harrington qui s'amène
en tirant. Il se fait tuer
en tentant vainement de résister
à l'arrestation.

Le grand débat du CPR,
en 1880-81. John A. Macdonald
descend de son carrosse et s'amène
à la Chambre des Communes
pour y défendre l'entente
qu'il a faite avec le Syndicat.
Les Libéraux l'attaquent
avec férocité.

Sir Charles Tupper,
le numéro deux du
Parti Conservateur
(à droite), engage
un violent débat avec
Sir Richard Cartwright
qui l'avait accusé de
retirer quelque avantage
du contrat du CPR.

La bataille fait rage. Donald A. Smith,
l'ennemi de Macdonald, contemple la scène
du haut des loges des visiteurs.
Il est devenu embarrassant depuis qu'on sait
qu'il est membre du Syndicat des chemins de fer.
A Montréal, George Stephen (à droite) s'indigne
et s'impatiente de la « méchanceté des propos »
de l'Opposition.

*Le 27 janvier 1881, au petit matin : les députés,
épuisés, s'amusent. Le grand débat tire à sa fin.
On en connaît déjà l'issue. Un député s'affluble d'un
déguisement et vient bien près de se faire expulser.*

ses collègues — les hommes qui achetèrent finalement les actions hollandaises.

En Hollande, les actionnaires chargèrent un de leurs membres, Johan Carp, de se rendre à Saint-Paul et d'observer d'un peu plus près ce chemin de fer qui leur avait causé tant de maux de tête. Farley l'avertit que les maux de tête continueraient pendant plusieurs années. Carp en était convaincu. Le comité était prêt à vendre ses titres, dit-il à Farley, à condition d'en obtenir un prix raisonnable. Finie l'attente ! Pendant que Farley s'acharnait à noircir le chemin de fer aux yeux de Carp, Hill découvrait que les solutions à plusieurs problèmes étaient à portée de la main. Il y avait d'abord cette nouvelle législation que ses amis politiques étaient en train de mettre au point et qui permettrait à la compagnie de chemins de fer réorganisée de conserver sa subvention foncière. La compagnie pouvait obtenir des terrains gratuitement : Hill avait toujours su que c'était en cela que résidait sa véritable valeur.

C'est le 6 mars 1876 que la loi fut enfin modifiée. Cet obstacle levé, Hill partit alors pour Ottawa le 17 mars dans le but d'y rencontrer Smith. C'était maintenant qu'il fallait agir ou jamais. Litchfield tentait de trouver un compromis avec les actionnaires hollandais. Compromis qui lui permettrait de s'emparer de la direction de la compagnie et qui en empêcherait la saisie. Pourtant tout le plan de Hill reposait sur la saisie. Le détenteur des actions pouvait exiger la saisie si l'hypothèque n'était pas payée. Dans ce cas la compagnie s'effondrerait et les nouveaux actionnaires pourraient l'acheter pour une chanson. Smith affirma à Hill que si le prix des obligations était abordable il lui serait alors possible de trouver l'argent nécessaire pour les acheter.

Hill rayonnait de joie quand il partit pour Saint-Paul. Jusqu'à maintenant, Johan Carp avait refusé de prendre Hill et Kittson au sérieux. Un vieux navigateur et un marchand de charbon bavard ! Mais quand il connut l'identité de Donald A. Smith, il se montra dès lors plus intéressé.

Hill devait maintenant trouver le moyen de connaître le prix de vente des Hollandais. En janvier 1877 il fit mine de vouloir négocier. En vérité, il avait l'intention d'envoyer au Comité hollandais une lettre qui aurait les apparences d'une offre d'achat. Peut-être apprendrait-il de cette façon le prix de vente approximatif.

Il avait deux autres buts : il voulait d'abord que Carp continue de s'intéresser à l'affaire puis il voulait écrire une lettre qui convaincrait les actionnaires de la valeur réduite du chemin de fer. Ils devaient sentir que l'offre était faite de bonne foi. Ils se débarrasseraient alors de leur éléphant blanc à n'importe quel prix.

Il mit toute une soirée à trouver les mots justes et toute une matinée à faire réécrire le tout par son avocat.

Les Hollandais refusèrent son offre, tout comme il s'y attendait ; mais il apprit par leur réponse quel genre de marché ils étaient prêts à conclure.

Il fallait maintenant cesser de rêver et jouer le jeu à fond. Il fallait mettre de l'argent sur la table et il fallait dès maintenant mettre George Stephen au courant du projet. Il était président de la Banque de Montréal. Connu comme l'un des esprits les plus lucides du monde financier canadien, il était en outre le propre cousin de Donald A. Smith.

3

Depuis 1874, Donald Smith ne laissait aucun répit à son cousin : il lui parlait constamment du chemin de fer de Saint-Paul. George Stephen l'écoutait poliment mais, comme la plupart des hommes d'affaires montréalais, il se faisait une idée confuse et souvent inexacte de ce territoire qui s'étendait à l'ouest des Grands Lacs. Mais même s'il pensait que le projet du chemin de fer était « une chose qu'il nous est impossible de réaliser, » il accepta quand même de rencontrer Hill et Smith, au début de 1877, pour discuter de l'affaire.

Hill s'amena, armé de chiffres et de faits pertinents, de rapports et de documents. Le doigt toujours pointé et insistant, sans jamais rien perdre de son enthousiasme contagieux, il fit passer Stephen du stade de « l'attention modérée » à celui de l'intérêt passionné et l'intérêt de Stephen ne s'éveillait jamais en vain.

Stephen est l'un des personnages les plus mystérieux de l'histoire canadienne. Pourtant, mis à part les politiciens, il fut plus que tout autre responsable de la silhouette et de la direction qu'allait prendre, après 1881, ce nouveau Canada qui sortait de terre à l'ouest de Toronto.

Que l'histoire ignorât son nom, qu'importe ! Il n'était pas homme à se braquer sous les projecteurs. Il fit détruire ses dossiers personnels.

Il méprisait les gratte-papier. Il croyait que les journaux publiaient n'importe quoi. Et à la fin de sa vie, il refusa de laisser entrer chez lui cette nouvelle invention qu'était le téléphone ; il ne servira qu'à répandre les commérages, disait-il.

Réservé, peu communicatif, modeste, les contradictions de son esprit inquiet le déchiraient. Il avait l'enthousiasme téméraire, l'audace magnifique, la loyauté à toute épreuve, la rancune persistante et il était buté jusqu'à l'intolérance.

Il était habitué aux directives brutales du monde des affaires et les atermoiements du monde politique le rendaient fou. A l'encontre de Macdonald, à qui il dévoila le fond de son âme dans une série de lettres étonnantes, il se payait toujours le luxe d'une rancune infinie. On était pour ou contre lui, un point c'est tout. Il n'y avait pas de milieu, ou si rarement.

Si l'occasion l'exigeait, il pouvait se lancer dans la bagarre avec l'audace d'un joueur. C'est pourquoi on le vit se rallier soudainement au plan de Hill pour s'emparer du chemin de fer de Saint-Paul. Certains indices permettaient déjà de déceler chez lui ce trait de caractère. Il avait été associé à une fabrique de tentures de Montréal. Pendant ses voyages en Angleterre, il avait subi l'influence de James Morrison, dont l'ascension rapide vers la fortune avait inspiré l'expression « les millions de Morrison ».

L'Angleterre allait bientôt s'engager dans la guerre de Crimée. Morrison pressa donc Stephen d'acheter tout le coton et toute la laine qu'il pourrait trouver et d'expédier le tout au Canada avant que les restrictions de guerre ne fassent monter les prix. Stephen plongea. Il tira de l'affaire d'énormes profits. Il acheta bientôt la fabrique. Plus tard, il en fonda une lui-même. En peu de temps il faisait partie de l'establishment financier de Montréal.

Il se reconnut en Smith et en Hill. Ils étaient durs en affaires, prêts à assumer des risques à long terme et, par-dessus tout, ils étaient fortement convaincus que l'homme n'est mis sur terre que pour travailler, jour et nuit si nécessaire.

L'oisiveté leur était sacrilège. Hill n'avait jamais été oisif. Un vieux facteur de la Baie d'Hudson disait de Smith que « c'est merveille que de le voir travailler. Il semblait ne jamais dormir... On pouvait regarder chez lui à n'importe quelle heure de la nuit et voir sa lampe allumée... » Quant à Stephen, « j'ai appris alors que j'étais encore très jeune, de la plus merveilleuse des mères que... je dois

179

concentrer toutes mes énergies sur mon travail, quel qu'il soit, et ignorer tout le reste. »

Ce code d'éthique sévère explique la prédominance des Ecossais chez les pionniers du Canada. Les Irlandais et les Anglais étaient plus nombreux, mais ce sont les Ecossais qui dirigeaient le pays. Ils dirigeaient le commerce des fourrures, les grandes maisons financières, les principales maisons d'éducation et, dans une large mesure, le Gouvernement. Presque tous les membres du premier syndicat du CPR étaient des Ecossais autodidactes. Ce sont surtout des Ecossais qui tissent la trame de l'histoire du chemin de fer : Macdonald et Mackenzie, Allan et Macpherson, Fleming et Grant, Stephen, Smith, Kennedy, McIntyre, Angus et Hill (qui était moitié Ecossais) — incarnations vivantes des maximes qu'on trouvait alors dans les cahiers d'écoliers : Ne gaspille pas et tu ne manqueras de rien ... Couché tôt, levé matin ... Ne lève pas le nez sur le boulot ... Si tu vois une épingle, ramasse-la ...

On raconte qu'un jour Stephen trouva un emploi en appliquant cette dernière maxime. Il piétinait alors à Glasgow ; il vint donc à Londres et voulut obtenir un emploi chez un drapier. Le magasin était sans dessus dessous. C'était jour d'inventaire et personne n'avait le temps de lui parler. Renvoyé par son éventuel employeur, il s'arrêta pour ramasser une épingle qu'il enfila soigneusement au revers de son veston. Le contremaître le vit faire et l'engagea comme assistant.

Il se faisait du loisir une idée fort particulière : quand il était drapier, il ne trouva rien de mieux, pour se reposer, que d'étudier le système bancaire. C'est ainsi qu'il arriva bientôt tout au sommet de la pyramide du monde financier. Il ne se reposait vraiment qu'en pêchant le saumon. Et c'est dans sa retraite d'été de Causapscal, sur la rivière Matapédia, en Gaspésie, qu'il s'adonnait à cette passion. Cette passion qui remontait sans doute à l'époque où il était écolier à Manffshire, au moment où il subissait l'influence de ce brillant mathématicien qu'était John Macpherson. Une excursion de pêche au saumon récompensait les meilleurs élèves. Stephen était sûrement de ceux-là : Macpherson ne raconte-t-il pas qu'en trente ans d'enseignement Stephen fut l'un des trois plus brillants mathématiciens qu'il eût jamais rencontrés ? Il dut certainement faire beaucoup d'excursions de pêche.

La pensée logique et claire de même que l'esprit de créativité sont le propre du mathématicien. Stephen en avait à revendre. On l'avait surnommé avec justesse « le plus grand génie de toute l'histoire de la finance canadienne ». Toute sa carrière en témoigne.

C'est en 1866 qu'il rencontra son cousin Donald A. Smith pour la première fois. La rencontre fut glaciale. Le contraste entre les deux hommes était frappant. Stephen avait grimpé rapidement les échelons de la réussite sociale et financière. Smith, de onze ans son aîné, s'était vu enfermé dans les coins les plus reculés du Labrador pendant plus d'une génération. Stephen, plus sophistiqué, était toujours tiré à quatre épingles, comme il sied à tout bon drapier ; Smith, hirsute, avait l'air usé de ceux qui ont survécu à bien des intempéries.

Tout ce que Smith savait de son cousin c'est qu'il était drapier. Mais un jour il partit magasiner et décida de le rencontrer à cette occasion. Il se fit accompagner de sa femme et de sa famille. En route, ils achetèrent un sac de voyage de mauvais goût qu'ils ramenèrent avec eux au Labrador. Plus tard, quand on demanda à Smith si Stephen s'était réjoui de le voir, sa femme éclata : « Nullement. Pourquoi M. Stephen aurait-il été heureux de voir des cousins de la campagne comme nous ? Il aurait dû attendre d'avoir rencontré M. Stephen avant d'acheter ce sac de voyage. Mais il refusa de me le laisser porter et nous l'attendîmes au dehors. »

Mais Smith n'était pas un péquenot ; Stephen allait bientôt s'en rendre compte : c'était un homme d'affaires remarquable. Pendant plusieurs années, ses collègues dans le commerce des fourrures lui avaient confié leurs salaires et cela lui permettait d'avoir à sa disposition de fortes sommes d'argent. Il garantissait aux commerçants de fourrures 3% d'intérêt par année et il investissait leur argent. Bref, il était devenu à lui seul « la banque du Labrador ». Et c'est ainsi qu'il commença d'ériger sa fortune. Il acheta, entre autres, des titres de la Banque de Montréal ; il en acheta également de la Compagnie de la Baie d'Hudson.

Quand Smith rencontra Stephen et Hill à Montréal, au printemps de 1877, il était déjà directeur de la banque. Stephen en était alors président. En 1868, Smith avait été muté à Montréal. Lui et son cousin devinrent bientôt directeurs et actionnaires de plusieurs compagnies, dont l'une fabriquait du matériel roulant de chemin de fer. Presque par osmose et petit à petit, Stephen se trouvait impliqué dans les chemins de fer. Et aujourd'hui, en 1877, il se retrouvait en face d'un ex-Canadien borgne qui brandissait son doigt devant lui et qui parlait de se lancer dans une aventure audacieuse.

Il assimila donc assez facilement le déluge de statistiques que Hill lui infligeait et il en fit la synthèse. L'instinct du joueur l'habitait. Si le coup réussissait ce serait vraiment un coup de maître digne des exploits de Gould, de Fisk ou de Morgan. S'il ratait, c'était leur ruine à tous.

A ce stade de sa carrière, Stephen n'avait pas grand-chose à gagner. Il était président de l'institution financière la plus importante du Canada et directeur d'un nombre considérable de compagnies. Il était respecté dans tous les milieux. Il voulait maintenant acheter un vieux chemin de fer en ruine. Cette idée saugrenue ne pouvait que le discréditer. A moins qu'il ne réussisse à remettre l'entreprise sur pied. Peut-être aurait-il hésité, peut-être aurait-il même reculé s'il avait pu prévoir la série d'événements malheureux qui allait suivre cette décision : les moments terribles qu'il connut quand il vit son petit monde, tout ce qu'il avait construit et tout ce pour quoi il avait travaillé, s'écrouler autour de lui ; les nuits blanches qui le conduisirent au bord de la dépression nerveuse, peut-être même du suicide. Dix ans plus tard, tout était terminé. Il commençait à prendre de l'âge et, à la veille de son anniversaire, il écrivit à John A. Macdonald :

« J'entre demain dans ma soixante et unième année, et lorsque je regarde dix ans en arrière, je m'aperçois que je suis loin d'être l'homme libre que j'étais alors ... Quand je pense à ce que j'ai enduré pendant ces dix ans, je m'aperçois à quel point j'ai été fou de ne pas m'arrêter de travailler pour jouir du loisir que j'avais gagné en quarante ans de dur labeur. J'ai commencé à gagner ma vie à l'âge de dix ans. Mais ce qui devait arriver est arrivé. « Il en fut tout autrement ... »

Il était incapable de résister à ce genre d'aventure. Il se réunit donc avec Hill et Smith pour tenter de déterminer le prix qu'il faudrait payer pour acquérir les obligations. Ils conclurent qu'il leur en coûterait un peu plus de quatre millions de dollars. Si les actionnaires hollandais étaient d'accord, dit-il, il croyait pouvoir trouver l'argent nécessaire à Londres, dès l'automne. Il lui faudrait attendre encore pour contempler de ses propres yeux ce fameux chemin de fer mais à partir de ce jour-là George Stephen ne s'intéressa plus qu'à ce seul projet, à l'exclusion de tout autre.

4

Cependant, les nouveaux associés avaient encore à mener de fort délicates négociations. Il leur fallait, avant le départ de Stephen pour l'Europe, conclure un marché ferme avec les actionnaires. De plus, pour empêcher toute bataille légale, ils devaient essayer d'acquérir les actions de Litchfield. Encore Stephen devait-il trouver l'argent nécesaire.

Hill partit à New-York pour y rencontrer Litchfield, mais il n'en tira rien. « Le vieux rat » comme l'appelait Stephen, ne voulut même pas mentionner un prix. Le 26 mai, Hill envoya au comité hollandais une lettre si ambiguë qu'elle avait l'air d'une offre ; en vérité, il ne s'agissait que d'une option.

Les Hollandais tentèrent de marchander. Hill se fit alors plus dur. La valeur des actions décroît, dit-il ; les terrains, ravagés par les sauterelles, ont perdu leur valeur et le Northern Pacific menace de construire une autre ligne.

Le 1er septembre 1877, Stephen trouva l'occasion d'aller examiner lui-même ce fameux chemin de fer. Accompagné de R. B. Angus, directeur général de la banque — un autre Ecossais barbu et autodidacte — il partit passer un week-end à Saint-Paul. Smith et Hill étaient également du voyage. Le dimanche, accompagnés de Farley, syndic et directeur de la compagnie, ils prirent le train et parcoururent toute la ligne.

Stephen fut consterné de ce qu'il vit. On était dans la pire année de la dépression : la sécheresse avait chassé les colons et les sauterelles avaient ravagé le pays. Stephen, anxieux, haussait les épaules. Les autres le regardaient, de plus en plus inquiets. Allait-il reculer maintenant ? Stephen posa des questions précises : d'où les affaires viendront-elles dans ce désert inhabité ? quand donc les colons s'établiront-ils dans ces terres pillées et desséchées, si jamais ils y viennent ? Soudain on atteignit la petite gare de De Graff. Les nombreuses pistes qui menaient à la colonie étaient encombrées de chariots remplis de gens.

« Qu'est-ce que c'est que ce branle-bas ? voulut savoir Stephen.

Quelqu'un, probablement Hill, fit une réponse dont Smith devait se souvenir plus tard :

« Eh bien, vous avez là une faible idée de ce qui arrivera bientôt tout le long de la ligne du chemin de fer. Cette colonie a été fondée par Monseigneur Ireland il y a à peine un an. On compte déjà par centaines les colons que l'évêque y a amenés. Des centaines d'autres, venus d'Europe et d'ailleurs en Amérique, s'apprêtent à se joindre à eux. C'est aujourd'hui dimanche et les colons s'en vont à la messe. »

Cette scène impressionna vivement Stephen : chemin de fer et colonisation formaient un tout — le chemin de fer amenait les colons sur place et ceux-ci faisaient affaire avec le chemin de fer. Cette image se grava dans son esprit. Ses doutes s'envolèrent et, selon Smith, « à partir de ce moment, il fut acquis à cette idée ». Monseigneur Ireland en profita lui aussi ; Jim Hill lui obtint, pour moins que rien, tous les terrains dont il avait besoin pour construire son église.

En septembre, Hill avait complété l'inventaire de l'actif et du passif de la compagnie du chemin de fer. Grâce à sa subtilité, il avait saisi un facteur qui avait échappé à tous : même si les profits nets de la First Division Company avaient semblé diminuer, en vérité ils avaient presque doublé car plus de deux cents mille dollars avaient été portés au compte des dépenses de fonctionnement plutôt qu'au compte de la construction et de l'équipement. Cela voulait dire que le chemin de fer était en bien meilleure posture que pouvaient le laisser croire les états de compte.

Il savait autre chose encore : même s'il calculait qu'il en coûterait plus de cinq millions et demi de dollars pour acheter les obligations et pour compléter le réseau, il put, à l'aide de calculs rigoureux, établir que la valeur totale du chemin de fer et de ses équipements atteignait presque vingt millions de dollars. Bref, si les actionnaires acceptaient leur offre, lui et ses associés s'empareraient du chemin de fer pour moins du quart de sa valeur réelle.

A la mi-septembre, les Hollandais, grâce au marchandage astucieux de Hill, se déclarèrent prêts à négocier. Si Stephen réussissait à trouver l'argent, les associés pourraient alors acheter pour plus de dix-huit millions de dollars d'obligations pour un peu plus de quatre millions de dollars. C'était une affaire extraordinaire.

Les quatre asociés s'entendirent pour partager également risques et profits ; ils acquirent chacun un cinquième de l'entreprise. La cinquième part revint à Stephen qui pouvait en user à sa discrétion pour obtenir un emprunt. C'est à la fin de septembre qu'il s'embarque pour l'Angleterre, rempli d'optimisme.

Mais à Londres il ne rencontre que des banquiers effrayés. La panique de 1873 avait transformé les titres du chemin de fer américain en un mauvais risque, et parmi tous les mauvais risques, l'un d'entre eux surpassait tous les autres, c'était le Saint Paul and Pacific. Stephen ne trouva pas un schilling.

A son retour, ce sont quatre homme très déçus qui se rencontrèrent à Montréal, le jour de Noël, et ils n'avaient aucune envie de fêter. Stephen, cependant, n'avait pas l'intention d'abdiquer. Déjà son esprit logique accouchait d'un plan peu conventionnel qui, s'il était accepté, serait bien meilleur que le plan original. Il décida de mener lui-même les négociations et de faire affaire directement avec le représentant new-yorkais du comité hollandais.

C'est au début de janvier qu'il rencontra pour la première fois John S. Kennedy, le banquier de New-York qui représentait les intérêts hollandais aux Etats-Unis. Kennedy était un autre de ces fameux Ecossais autodidactes et tous deux se prirent rapidement d'amitié l'un pour l'autre. Le plan de Stephen était audacieux dans sa simplicité même. Il offrait d'acheter les obligations à crédit, le comptant ne dépassant pas cent mille dollars et le solde n'étant exigible *qu'après* la saisie. Pour les séduire, on offrit aux Hollandais une prime de $250 en actions privilégiées pour chaque obligation de mille dollars qu'ils achèteraient. Les associés, en retour, s'engageaient à finir le chemin de fer et à le mettre en état de fonctionnement.

Ce qu'ils proposaient, en vérité, c'était de s'emparer du contrôle des obligations, d'une valeur de dix-huit millions de dollars, tout en ne versant que cent mille dollars en argent comptant. Les Hollandais, pour leur part, s'étaient déjà faits à l'idée de vendre à n'importe quel prix. Pressés par Kennedy, ils acceptèrent cette offre. L'achat se fit le 24 février 1878 et les associés prirent possession du chemin de fer le 13 mars suivant.

Le bloc des actions était divisé en cinq parts. Que fit-on de la cinquième part ? Ce mystère n'a pas été élucidé. Stephen se l'appropria-t-il ? Sinon, à qui la confia-t-il ? Les quatre partenaires ne semblent pas se l'être partagée. A ce sujet, leurs témoignages parurent remarquablement désinvoltes, détachés, et même évasifs. Pourtant, cette tranche d'actions valait plusieurs millions de dollars.

Chose certaine, ce n'est pas Jesse P. Farley, syndic de l'une des compagnies et directeur général des deux, qui en profita. Plus tard, il poursuivra en justice Kittson, Hill et la compagnie nouvellement formée. Il les accusera de lui avoir promis, en 1876, avant la rencontre avec Stephen, la cinquième part des actions en échange de son appui, de sa coopération et de ses connaissances particulières. En vérité, son appui s'était borné à tromper les tribunaux qui, à la recommandation de Kennedy, lui avaient confié la surveillance de la propriété.

Farley s'obstina à plaider devant les tribunaux pendant treize ans. Au moment où, en 1893, la Cour Suprême émit le jugement final qui le condamnait, il était déjà mort et l'affaire était close. Tous ces témoignages font ressortir plusieurs contradictions. Il est assez évident que Farley *pensait* avoir une entente secrète avec Hill et Kittson. Il est également évident que Hill n'en croyait rien. Il est tout aussi évident que Hill, Kittson et Farley parlèrent beaucoup de cette affaire entre eux et qu'au moment où Farley apprit que Hill voulait acheter le chemin de fer, Farley s'employa de son mieux à discréditer la compagnie aux yeux des représentants hollandais.

Une autre question reste mal éclaircie : quel rôle joua donc Kennedy dans toute cette affaire ? Farley était l'homme de Kennedy. Au moment où les actionnaires — sur l'avis même de Kennedy — engageaient avec Stephen la ronde finale des négociations, Kennedy écrivait à Farley pour le presser de s'embarquer dans une bonne affaire.

Mais alors, où donc était-elle passée, cette cinquième part ? Le Great Northern remplaça la Saint-Paul. C'est à ce moment qu'on s'aperçut que John S. Kennedy détenait dans la compagnie une énorme quantité d'actions. Kennedy, Hill et Stephen devinrent des amis intimes. Kennedy fut nommé directeur du premier conseil d'administration du CPR. A sa mort, il laissa une fortune de trente à soixante millions de dollars.

Kennedy avait-il tout simplement acheté les actions qu'il avait pressé ses clients hollandais de vendre à vil prix ? Ou est-ce à lui qu'on avait promis la cinquième part de George Stephen durant les délicates négociations qui avaient permis l'achat, presque sans argent comptant, d'actions d'une valeur de dix-huit millions de dollars ?

Les Hollandais semblaient parfaitement satisfaits : la plupart d'entre eux préférèrent être payés en actions plutôt qu'en argent comptant — sage décision. Il était vrai qu'ils avaient vendu le chemin de fer à bas prix ; il était également vrai que la compagnie ne vaudrait dix-huit millions de dollars que le jour où le chemin de fer entrerait en service. Sans Hill et ses associés, les actionnaires n'auraient sans doute pas tiré profit de leur investissement. Mais ils n'eurent pas à se repentir de leur geste. Au contraire, fort heureux du déroulement de l'affaire ils firent cadeau à Stephen d'un vase d'une grande valeur. Ce vase commémorait la victoire d'un amiral hollandais qui, en 1666, avait incendié les meilleurs navires de la flotte anglaise. Plusieurs années plus tard, Stephen recevait le roi George V d'Angleterre. Son vieil oeil de marin aperçut le trophée. Ce symbole d'une cuisante défaite navale n'amusa guère le souverain.

« Pourquoi ne détruisez-vous pas ce maudit vase ? » demanda alors Sa Majesté.

Les obligations bien en main, ils n'étaient pas « sortis du bois » pour autant. Ils devaient maintenant faire face à toute une série de problèmes dont l'un ou l'autre pouvait entraîner la faillite de la compagnie.*

Il fallait, en premier lieu, trouver plus d'argent. La compagnie avait une dette de $280,000 payable immédiatement. Il fallait en outre déposer les cent mille dollars promis aux actionnaires. Pour acheter les titres de Litchfield, si celui-ci consentait à vendre, il fallait ajouter 500 mille dollars de plus. Et enfin il fallait, pour pouvoir profiter au maximum de la subvention foncière, achever la construction du chemin de fer au plus tôt.

La Banque de Montréal était la seule à pouvoir s'embarquer dans pareille opération de financement. Stephen en était le président et Smith y occupait un poste de directeur. Ce qu'ils proposaient donc maintenant, c'était simplement d'emprunter de l'argent, à titre person-

---

* L'historien canadien O.D. Skelton, dans son livre *The Railway Builders* (Toronto, 1916), affirme que Stephen, Hill, Smith et Kennedy prirent chacun une partie et que Kittson prit une demi-part, l'autre demi-part allant à Angus après qu'il eut résigné ses fonctions à la banque pour devenir directeur général du chemin de fer. Il ne cite aucune source à l'appui de cette affirmation qui ne correspond pas aux témoignages des principaux intéressés devant les tribunaux, en 1888. Quoi qu'il en soit, c'est une suggestion plausible : Kittson ne consacra jamais autant d'énergie à l'entreprise que le firent les autres ; il est également probable qu'Angus n'aurait pas quitté la banque sans la promesse d'un profit intéressant ; enfin, l'association subséquente de Kennedy démontre clairement qu'il était un actionnaire important. Il est à peu près certain que Stephen amena Kennedy au Syndicat au moment même où il convainquait le comité hollandais d'accepter l'offre qu'on lui faisait.

nel, à une institution qu'ils dirigeaient. Cela sentait mauvais, bien sûr, mais ils n'avaient pas le choix.

Stephen écrivit à Hill pour l'informer que lui et Kittson devaient fournir tous leurs biens en garantie. C'était là la seule façon d'établir leur crédit à la banque. De leur côté, Smith et lui avaient déjà offert en garantie « ous les titres transférables que nous avons ». Il fallait maintenant jouer le tout pour le tout.

« Les risques étaient considérables, rappelait Hill plus tard. En cas de faillite, ils étaient si grands qu'ils pouvaient ruiner toute l'équipe ; nous pouvions, si l'entreprise échouait, y laisser notre chemise. »

Stephen se rendit alors directement à Ottawa pour y négocier avec Mackenzie un bail de location de dix ans de l'embranchement Pembina, ce qui permettrait au chemin de fer de Saint-Paul d'établir, à la frontière, une correspondance pour Winnipeg. Cette manoeuvre était tout aussi risquée. La rumeur courait déjà que Smith était l'un des principaux actionnaires de la compagnie et il lui était donc virtuellement impossible de prouver au Parlement son désintéressement.

Puis un nouveau problème surgit presque en même temps. Le Minnesota venait d'établir un certain nombre d'échéances dans la construction du chemin de fer. Il fallait absolument que deux sections en soient achevées avant la fin de l'année, sans quoi tout serait confisqué.

Il y avait aussi d'autres problèmes. Les associés se voyaient obligés de marchander ses titres à Litchfield, tout en tentant d'écarter le Northern Pacific qui menaçait de construire sa propre ligne en direction de la frontière. Si Litchfield ou la compagnie rivale apprenait en quel état misérable ils se trouvaient, la partie était perdue.

Stephen exerçait à la banque un contrôle serré : aucune fuite possible.

Mais il fallait un million de dollars pour construire de nouvelles voies ferrées jusqu'à la frontière. On ne l'avait pas. Farley n'avait qu'une solution : obtenir un jugement du Tribunal lui permettant d'émettre des obligations du syndic de faillite.

Pour conserver son droit à la subvention foncière, la compagnie devait construire, entre Melrose et Sauk Centre, trente-cinq milles de voies ferrées avant août 1878. Elle devait en construire trente-trois milles de plus (en direction d'Alexandria), avant décembre. Hill convainquit Farley de s'adresser au Tribunal, mais l'affaire traînait en longueur. Le juge refusait de rendre son jugement. Hill vint le voir en personne. Il fit une forte impression sur le juge. Mais celui-ci, au moment même où il signait le jugement, entretenait encore des doutes. Il affirma franchement que les associés devaient s'y conformer sans quoi c'était la ruine pour eux tous.

On laissa à Stephen le soin de trouver le financement nécessaire et Hill fut chargé de commencer la construction. Il n'avait que deux mois pour construire la voie entre Melrose et Sauk Centre et il lui fallait trouver immédiatement des rails, des dormants, des wagons, de même que les ouvriers nécessaires.

Une fois tous ces éléments rassemblés, Hill s'aperçut qu'il lui faudrait, pour rencontrer l'échéance, construire plus d'un mille de voies par jour. Il dirigea lui-même l'opération ; il se battit contre les moustiques, contre les coups de soleil, contre les serpents à sonnette, contre la dysenterie et il congédia sur-le-champ les contremaîtres qui n'arrivaient pas à maintenir la cadence.

Un jour, une équipe se rebella contre les méthodes de Hill. Elle débraya. Il télégraphia alors à Saint-Paul pour demander des remplaçants ; il paya d'avance leur billet. Il engagea les ouvriers les plus solides qu'il put trouver. Il voulait éviter qu'ils abandonnent le travail avant de l'avoir achevé.

Le Northern Pacific menaçait de construire une ligne parallèle qui se rendrait à la frontière canadienne, mais Hill était convaincu que ses rivaux bluffaient ; pour sa part, il voulait les convaincre que LUI ne bluffait pas. Il affirma donc qu'il commençait immédiatement les arpentages de la ligne jusqu'à Yellowstone River et qu'il demandait au Congrès de lui accorder la moitié des territoires promis au Northern Pacific, territoires qui s'étendaient jusqu'aux Rocheuses. La compagnie rivale baissa pavillon.

Il réussit à rencontrer sa première échéance seulement vingt-quatre heures avant terme. Il pouvait dès lors obtenir la précieuse subvention foncière. Il ne ralentit pas ses travaux pour autant. Il devait en effet parachever le deuxième tronçon avant le premier décembre 1878. Il y réussit bien avant la date d'échéance et il continua les travaux. Il voulait mettre le chemin de fer en service le plus tôt possible. C'est le 11 novembre qu'il eut la satisfaction de voir arriver à Emerson, au Manitoba, la première locomotive en provenance de Saint-Paul.

De son côté Stephen avait, lui aussi, des problèmes. Mackenzie avait accordé au Saint-Paul un droit de circulation sur l'embranchement Pembina. Mais les entrepreneurs restaient les propriétaires légaux de la ligne ; leurs tarifs étaient exorbitants. De ce fait, tout le trafic direct en provenance de Saint-Paul était comme frappé d'embargo. Le nouveau Gouvernement prit prétexte de ces difficultés pour définir avec Stephen les termes d'un nouveau contrat. Le groupe de Saint-Paul ne pourrait utiliser la ligne que jusqu'au jour où la construction du Pacifique Canadien serait terminée.

Stephen, pendant ce temps, rencontrait des problèmes dans ses négociations avec Litchfield qui se montrait récalcitrant. Il pouvait, aussi longtemps qu'il détenait les titres, bloquer la saisie et empêcher la réorganisation du chemin de fer. C'est alors que les associés engagèrent contre Litchfield une poursuite légale dans le but de récupérer l'argent destiné à compléter la voie et qu'il avait détourné à ses propres fins ; mais le financier resta sur ses positions. A la mi-janvier, Stephen partit pour New-York où il réussit enfin à acquérir tous les titres pour un demi-million de dollars. Les conflits entre les porteurs d'obligations et les actionnaires prenaient donc fin ; désormais les uns se confondaient aux autres.

Les associés empruntèrent leur demi-million à la Banque de Montréal et ils mirent en marche le processus de la saisie. Elle leur fut accordée en mars 1879. En mai, ils formèrent une nouvelle compagnie, la Saint-Paul, Minneapolis and Manitoba Railroad Company. En juin, la nouvelle compagnie acheta le chemin de fer en faillite pour moins de sept millions de dollars — non pas en argent comptant, mais en titres et en obligations provenant du syndic de faillite. Ils émirent immédiatement des obligations pour une valeur de seize millions de dollars. Ils en utilisèrent une partie pour payer les Hollandais. Ils vendirent alors pour $13,068,887 la plus grande partie des territoires qu'ils avaient obtenus en subvention. Ils avaient déjà accumulé un profit incroyable.

Hill voulait constituer un stock d'actions de quinze millions de dollars.

« Ne croyez-vous pas que cette capitalisation va surprendre le public ? » questionna Smith. « N'y a-t-il pas danger qu'on nous accuse de diluer le stock d'actions ? »

« Eh bien, répondit Hill, le lac entier y a déjà été déversé. »

Trois ans après la mise en marché des actions, chacun des associés avait fait un gain de capital au livre de plus de huit millions de dollars. Rendus là — en 1882 — ils s'émirent à eux-mêmes des actions d'une valeur de deux millions de dollars et en 1883, ils s'émirent, pour un million de dollars, la valeur de dix millions de dollars en actions portant intérêt à 6%. C'était un nouveau profit de neuf millions.

Le chemin de fer connut dès le départ un succès fabuleux. Les sauterelles disparurent. Les moissons se faisaient de plus en plus abondantes. En 1880, les profits nets de la compagnie excédaient de soixante pour cent l'intérêt de la dette obligataire — c'était une augmentation d'un million de dollars en moins d'un an. Le « Manitoba » comme on l'appelait, formait le noyau du Great Northern de Jim Hill. Ce fut le seul chemin de fer transcontinental américain à ne jamais faire faillite et à ne jamais payer de dividende. En moins de deux ans, les quatre promoteurs associés étaient passés d'une situation désastreuse à une situation de fortune presque illimitée.

Au Canada, ils étaient également devenus des personnages fort controversés. La presse, le public et les actionnaires voyaient avec méfiance leur marché avec la Banque de Montréal et ils commencèrent à poser des questions pertinentes concernant la convenance de ces directeurs qui s'étaient appropriés des fonds bancaires pour lancer leur propre affaire. Les critiques se firent encore plus virulentes le jour ou RB Angus résigna ses fonctions de président-directeur général de la Banque pour devenir administrateur du nouveau chemin de fer.

Pendant ce temps, Stephen et ses collègues se voyaient attaquer sur un autre front. La nouvelle compagnie, qui faisait rouler le seul chemin de fer de Saint-Paul à la Rivière Rouge, s'était aussi emparée de la Kittson Line et monopolisait ainsi tout le trafic ferroviaire vers Winnipeg. La colère de la presse tory en fut décuplée, cette presse où le nom de Donald Smith servait encore de juron.

Voilà donc le climat qui régnait au moment de la formation du Syndicat du CPR. Toutes ces controverses ne servaient qu'à mettre en lumière un seul fait : il existait maintenant un groupe remarquable d'hommes qui avaient connu la réussite et qui avaient acquis de l'expérience aussi bien dans la construction des chemins de fer que dans la haute finance. A l'été de 1880, c'est exactement ce genre d'équipe que cherchait le Gouvernement Macdonald.

C'est John Henry Pope, ce ministre de l'Agriculture bourru qui, le premier, avait attiré l'attention du Premier ministre sur les associés du Saint-Paul.

« Emparez-vous en, dit-il, avant qu'ils investissent leurs profits. »

Chapitre
sept

LE
GRAND
DÉBAT

1

Peut-être ne le savait-il pas lui-même, mais à partir du moment où l'opinion publique fut informée du succès de George Stephen, il se retrouva en tête de course des constructeurs du grand chemin de fer. Bien avant la prise du pouvoir par Macdonald, Mackenzie lui-même avait tenté de mettre la main sur un homme de ce genre — un financier canadien qui avait réussi, qui pouvait côtoyer d'autres Canadiens fortunés et qui possédait l'expérience pratique du financement et de la construction d'un chemin de fer rentable. Après la chute de Mackenzie, Macdonald continua ses recherches mais ce fut en vain. Et alors, au moment où il lui apparaissait impossible de jamais trouver pareil homme, ce n'est pas un mais plusieurs de ces hommes hautement qualifiés qui surgissaient soudain de nulle part.

A l'automne de 1879, Macdonald, Tupper et Tilley s'étaient embarqués pour l'Angleterre pour essayer d'y obtenir la garantie impériale qui les aiderait à construire le chemin de fer. Un financier britannique s'esclaffa quand il entendit parler pour la première fois du projet de Macdonald d'obtenir un prêt en vue de construire un chemin de fer à travers ce continent à demi-gelé.

Il devait, plusieurs années plus tard, raconter à Donald Smith ce qu'il avait ressenti à cette époque : « Bonté divine, pensai-je, il faut absolument retenir ces Canadiens, sans quoi ils vont se plonger dans une faillite sans retour avant même d'avoir pris le départ. Je pensais qu'il valait beaucoup mieux investir dans une folle aventure minière américaine. »

En 1880, George Walkem, qui avait repris le pouvoir en Colombie Britannique. prônait ouvertement la sécession. Il devenait de plus en plus évident que le Gouvernement canadien devrait financer lui-même le chemin de fer s'il voulait éviter l'éclatement du pays. Il fallait jeter un os à la Colombie Britannique : on octroya donc rapidement le contrat de construction de la section Yale-Kamloops et, dès le printemps de 1880, au grand soulagement de tous, Andrew Onderdonk s'installait sur le chantier, prêt à dynamiter sa route à travers les canyons de la Fraser.

En avril, Blake prononça l'un de ses interminables discours dans lequel il exigeait qu'on cessât la construction à l'ouest des Rocheuses. Le Gouvernement, déclarat-il, risquait de ruiner le pays pour l'amour de douze mille personnes.

Mais le Gouvernetment avait décidé de freiner l'allure dans les prairies. Il projetait de construire un chemin de fer bon marché, les contrats ne couvrant qu'une distance de deux cents milles et la construction devant être aussi sommaire que possible.

Pendant des années c'est à pas de tortue qu'on avancera dans la plaine et la voie ferrée ne précédera que de peu la vague de colonisation. Quel anticlimax après toutes les bravades qui vantaient ce chemin de fer transcontinental de deux mille milles construit selon les normes de la Union Pacific.

Charles Tupper, qui avait entendu parler de l'incroyable succès du groupe Stephen, prit mal la chose. Le 15 juin, il en fit mention dans un mémoire qu'il envoya au Conseil Privé. Il recommandait « une délégation de pouvoirs suffisante pour négocier avec des capitalistes aux moyens indiscutables à qui on demandera une large garantie pour la construction et le fonctionnement de la ligne à des conditions telles que la colonisation rapide des territoires de la Couronne sera assurée en même temps que la construction de l'ouvrage. » Il ne laissait subsister aucun doute sur l'identité des capitalistes aux moyens indiscutables.

Mais au moment où le Cabinet se réunissait pour discuter des offres qu'il était prêt à faire — une subvention de vingt millions de dollars et trente millions d'acres de terrain dans les prairies — l'atmosphère était en train de changer. D'autres capitalistes sondaient le pouvoir à Ottawa. La dépression avait pris fin ; la moisson avait été superbe ; les conditions semblaient donc bien meilleures pour entreprendre la construction du chemin de fer. La rumeur voulait que les principaux associés de Onderdonk soient intéressés à l'affaire. Il en était de même de la compagnie de Thomas Brassey en Angleterre. Et un pair britannique s'amena de New-York ; c'était Lord Dunmore. Il servait de couverture à la maison Puleston, Brown and Company, une institution financière britannique.

En juin, le Gouvernement reçut une autre offre. Elle venait de Duncan McIntyre, qui était en train de construire le Canada Central Railway, un chemin de fer qui partait d'Ottawa pour se rendre jusqu'au Lac Nipissing. Tous savaient que George Stephen et les autres membres du groupe Saint-Paul étaient ses principaux directeurs. Ils avaient conclu un mariage de raison : la ligne de McIntyre s'arrêterait là ou celle du CPR devait commencer ; cette alliance permettrait donc à une seule compagnie de contrôler la route d'Ottawa jusqu'à l'océan Pacifique.

L'offre de Stephen et McIntyre était alléchante. C'était la seule soumission canadienne, mais le groupe demandait plus que le Cabinet n'était prêt à accorder : une subvention de vingt-six millions et demi de dollars et l'octroi de trente-cinq millions d'acres de terrain. Le Syndicat refusait tout compromis. Macdonald décida encore une fois de s'adresser outre-mer. Le 10 juillet, il s'embarqua donc pour l'Angleterre en compagnie de Tupper et de John Henry Jope. Le Premier ministre avait l'intention d'y rencontrer aussi bien les directeurs de Puleston, Brown and Company que le président du Grand Trunk, Henry Tyler. McIntyre, pour sa part, s'était embarqué sur le même navire et au moment où le bateau postal accostait à Rimouski, Macdonald reçut une lettre de George Stephen, alors en séjour à son camp de pêche. C'est très habilement que Stephen y condamnait tous les autres concurrents tout en « vendant » son propre groupe. Il soulignait les difficultés soulevées par une importante dette obligataire où « la vraie responsabilité passerait de la Compagnie à ceux qui pourraient être convaincus d'acheter des obligations... pendant que les initiateurs du projet empocheraient dès le départ un profit important... » Il suggéra que ce n'est qu'au prix d'un grand risque pour le Canada qu'une organisation financière britannique se prêterait à ce genre de manipulation.

Il proposait plutôt d'emprunter le moins possible. Il s'attendait à tirer son profit de la croissance du pays qui ne manquerait pas de suivre la construction du chemin de fer. Il n'avait pas l'intention de se rendre en Angleterre où la surenchère risquait de le mettre en mauvaise posture. Aucune organisation américaine ou britannique n'était en mesure de faire ce travail aussi bien et aussi économiquement que son groupe.

Puis de nouveau la manière doucereuse : Stephen se déclarait satisfait de pouvoir, avec son groupe, construire le chemin de fer sans trop de difficultés. Il ne voyait pas de problème à sa mise en service. La voie ferrée qui menait de Thunder Bay à la Rivière Rouge serait rentable. L'expérience qu'ils avaient acquise au Minnesota dans les domaines de l'administration et de la colonisation leur serait utile. Le « Canada Central », qui desservait Ottawa, et certaines voies du Québec devraient évidemment être incorporées au réseau : il fallait installer le terminus à Montréal ou à Québec, et non pas au Lac Nipissing, perdu dans les forêts du nord de l'Ontario.

C'est à partir d'une position de force que Stephen avait dicté cette lettre, tout en pêchant le saumon avec Angus. Il s'y jouait de Macdonald comme il l'aurait fait d'un poisson. Il lui avait lancé l'appât : l'expérience du Minnesota, son goût du risque, sa connaissance profonde des conditions de travail au Canada et l'habilité incontestée de son groupe à faire le travail. Arrivé au dernier paragraphe il reprit un peu de corde mais il laissait danser l'appât : « Quoique je me sois retiré de la course, je pourrais, si vous en manifestiez le désir, renouveler mon offre et possiblement réduire le montant de la subvention foncière si une nouvelle venue d'outre-mer, vous incitait à croire qu'après avoir bien pesé les choses, notre proposition servirait mieux le pays que toute autre proposition qu'on pourrait vous faire en Angleterre... »

Macdonald résistait difficilement à ce genre de message, d'autant plus que les autres candidats se retiraient l'un après l'autre. En août, le groupe Onderdonk déclara forfait : il devait concentrer tous ses efforts dans la canyon Fraser. A Londres, Macdonald et Tupper rencontrèrent Sir Henry Tyler, président du Grand Trunk. Tupper nous décrit sa réaction : « Je ne m'occuperai du projet qu'à une condition : que vous laissiez tomber la construction du tronçon qui va de Thunder Bay à Nipissing ; autrement mes actionnaires vont tout simplement jeter votre prospectus au panier. » Toujours le même obstacle : la terrible géographie nord-américaine semblait conspirer pour ruiner les efforts de la jeune nation dans sa volonté de raffermissement. Tupper répondit que le Canada ne pouvait se permettre d'être forcé, pendant six mois de l'année, de faire dévier ses communications par un territoire étranger pour joindre le Manitoba, le Nord-Ouest et la Colombie Britannique. Mais le Grand Trunk se fichait pas mal de cette « nation transcontinentale » ; aux yeux de ses propriétaires anonymes, le Canada n'était rien d'autre qu'une étape sur la route qui allait de l'Atlantique à Chicago.

Puleston, Brown and Company, le Syndicat Onderdonk, de même que la compagnie Brassey ne trouvaient plus aucun intérêt au projet. Duncan McIntyre, qui se trouvait également à Londres, restait donc seul en lice. Macdonald et McIntyre engagèrent des pourparlers ; ils le firent en la présence de Sir John Rose, ambassadeur officieux du Canada à Londres (il représentait une petite maison financière britannique) pendant que George Stephen, au Canada, était toujours disponible au bout du fil. Le 4 septembre, on en arriva à une entente provisoire : 25 millions de dollars et 25 millions d'acres de terrain. McIntyre revint au Canada à la fin du mois. Macdonald en fit autant. Stephen lui écrivit immédiatement. Il avait vu « cet important document, » disait-il, et il espérait qu'on en viendrait facilement à une entente sur chacun des points concernés.

Ses collègues et lui-même s'embarquaient dès lors dans une entreprise à laquelle personne d'autre aux Etats-Unis, en Europe, en Angleterre ou au Canada n'avait voulu s'attaquer. La responsabilité était considérable et on murmurait déjà dans les milieux financiers montréalais que cette fois l'imprudent Stephen avait vraiment eu les yeux plus grands que la panse.

« ... mes *amis* et mes *ennemis* sont d'accord, écrivait-il, quand ils font semblant de croire que le projet vous ruinera tous. »

Ce qui faillit bien se produire.

2

Pendant la fin de l'été et le début de l'automne, les journaux du Canada publièrent nombre de rumeurs et d'hypothèses. Durant le mois d'août, le *Globe* continua allègrement de parler de l'échec de la mission de Macdonald. Le 7 septembre, le *Manitoba Free Press* parlait également d'échec. A la mi-septembre, on commença de parler de négociations réelles. Le *Daily Witness* de Montréal parlait d'une affaire « absolument ruineuse ».

La presse britannique se montrait généralement hostile. On y parlait de l'inutilité du tracé « entièrement canadien ». Selon le *Times,* la section du Lac Supérieur deviendrait « le pauvre que le reste de la famille devrait faire vivre ». La prese américaine était virulente. Le *Herald* de New-York parla de mission « avortée » et prédit l'échec de Macdonald. Ce serait dépenser de l'argent en pure perte, pendant les prochaines années, que de construire le Pacifique Canadien, déclarait le journal.

Et pourtant, malgré toute cette hostilité, l'excitation fut à son comble, en cet après-midi du 27 septembre, quand on apprit que Macdonald arrivait à la gare Hochelaga, à Montréal, pour annoncer la nouvelle de l'octroi du contrat. Vers la fin de l'après-midi on pouvait voir des gens de tous les milieux se diriger vers la gare.

Presque tous les Montréalais en vue étaient présents, quelles que fussent leurs allégeances politiques. Un comité de réception formé de cinquante Tories importants attendait sur le quai ; derrière eux se pressait une foule immense qui s'agitait et s'impatientait.

Le train arriva exactement à l'heure prévue. Le wagon spécial de Macdonald fut poussé sur une voie de garage. Quelques moments plus tard le Premier ministre apparut, souriant. Il semblait avoir rajeuni de dix ans. Le succès se lisait sur son visage.

Lorsque Macdonald parut à l'arrière de son wagon privé, tous les regards se tendirent vers lui. Le Gouvernement avait réussi à trouver le financement nécessaire à la construction du grand chemin de fer, annonça Macdonald. Il ne pouvait pas entrer ici dans tous les détails car il fallait d'abord les fournir au Gouverneur général. Il était impossible de deviner, à l'analyse de ce court discours et à travers les interviews accordés à des journalistes amis, que c'était le chemin de fer. Macdonald insista beaucoup sur la participation allemande, qui était minime. Politiquement, il était de bon ton d'accepter ce don symbolique de l'Allemagne qui, du moins l'espérait-on, augmenterait son émigration vers le Canada. Le Premier ministre ne nomma personne mais, dans une interview, il parla « d'un syndicat groupant des capitalistes en vue de Frankfort, de Paris, de Londres, de New-York et du Canada ».

Comme McIntyre était rentré au pays par le même bateau, on en conclut généralement qu'il devait être associé au nouveau Syndicat. On minimisa si bien la participation américaine que le Winnipeg Times en nia même l'existence. Mais plusieurs points du discours de Macdonald à la gare rassurèrent la foule qui l'ovationnait : le nouveau syndicat aurait terminé la construction de la ligne en moins de dix ans ; il ne construirait pas d'abord les sections les plus faciles pour s'attaquer ensuite aux plus difficiles et enfin le chemin de fer coûterait moins cher que la somme projetée par Sir Hugh Allan en 1872. De plus, les contribuables n'auraient pas à débourser un seul cent ; c'est la vente de terrains dans l'Ouest qui en défraierait le coût total.

Avant de terminer son allocution, Macdonald ne put résister à l'envie de lancer un sarcasme à saveur politique. Le temps viendra, dit-il, où le Canada se souviendra que c'est le Parti Conservateur qui a donné au pays son grand chemin de fer.

« Je ne serai plus là, » dit le Premier ministre. « Je suis déjà vieux, mais peut-être aurai-je la chance de contempler du haut des cieux une multitude d'hommes plus jeunes — une génération prospère, nombreuse et dynamique — une nation de Canadiens et un chemin de fer canadien. »

La joie de la foule s'assombrit quand Macdonald rappela qu'il était mortel. Il n'était pas facile d'imaginer le Canada sans Macdonald. Qu'on l'aimât ou qu'on le haïssât, qu'on le méprisât ou qu'on le vénérât, il faisait partie des meubles avec sa canne à pommeau d'or, son manteau à collet de fourrure, et sa ceinture fléchée de la Rivière Rouge.

Le train n'était pas aussitôt sorti de la gare que s'engagea immédiatement le grand débat concernant le Syndicat, comme on l'appelait alors. Dès octobre, une fuite avait permis de connaître la composition du nouveau groupe même si le contrat n'était pas encore signé et si nombre de détails précis restaient à discuter. Les membres en étaient George Stephen et Duncan McIntyre, de Montréal ; John S. Kennedy, de New-York ; James J. Hill et Richard B. Angus, de Saint-Paul ; Morton, Rose and Company, la vieille compagnie de Sir John Rose, de Londres et le Syndicat franco-allemand de Kohn, Reinach and Company. Un nom brillait par son absence, celui de Donald A. Smith. Il restait, bien sûr, un actionnaire important, mais comme il était honni par tout le Parti Conservateur, il valait mieux qu'il ne soit pas associé publiquement à l'affaire.

Smith venait de connaître une mauvaise année. En 1879, immédiatement après sa réélection dans la circonscription de Selkirk, une pétition circulait l'accusant d'avoir remporté la victoire grâce à des pots-de-vin. Il se représenta comme candidat dans une élection complémentaire en septembre 1880 mais son association au chemin de fer Saint Paul and Manitoba l'avait marqué dans l'opinion publique et il fut défait. Il cessa dès lors ses activités politiques.

A peine avait-il appris la nouvelle de sa défaite que sa vanité dût en prendre encore un coup quand il apprit que son nom ne pouvait pas être associé publiquement au plus grand de tous les projets nationaux. Aussi bien la presse que l'opinion publique avaient pourtant constaté sa présence comme associé anonyme et il s'ensuivit un beau remue-ménage.

Smith, habituellement imperturbable, laissa tomber le masque pour un moment et il s'ouvrit à Stephen, comme il l'avait rarement fait, de ses ambitions. Stephen écrivit à Macdonald que Smith « a atteint un très haut degré d'excitabilité et qu'il est si encombrant que j'en serais presque soulagé s'il partait, quoique sa coopération et son argent puissent être utiles, de même que sa connaissance du Nord-Ouest et l'influence qu'il y exerce. »

Smith ne songeait pas à retirer son argent mais, comme il continuait d'exiger quelque considération, les difficultés s'amplifièrent.

Stephen n'aimait guère cette participation franco-allemande. Les Français et les Allemands ne pouvaient avoir que deux raisons de se joindre au Syndicat : faire rapidement des profits et obtenir de nouveaux contrats du Gouvernement canadien. Au dernier moment, les Français menacèrent de se retirer si on ne leur donnait pas l'assurance d'un profit rapide ou s'ils n'obtenaient pas de Stephen la promesse de racheter leurs actions si l'affaire s'avérait peu rentable. Finalement, Stephen avertit les Français impatients qu'il construirait le chemin de fer lui-même, avec ou sans leur appui. « Sa confiance... les rassura. » Après la signature du contrat, Stephen se rendit lui-même à Paris pour tenter d'y renforcer la volonté des Français.

C'était la première aventure de Stephen dans les sphères périphériques de la politique. Mais déjà il était fort agacé d'y rencontrer cette incapacité à traiter rapidement et définitivement de questions qu'il considérait comme étant purement d'affaires.

Il lui semblait que ce malheureux contrat ne serait pas prêt avant plusieurs semaines ; puis, une fois signé, le Parlement devrait encore en discuter, avant la fondation d'une compagnie et avant le début des travaux de construction. Il commença d'inonder Macdonald de lettres dans lesquelles il le priait de faire diligence. Il était presque à bout de patience, mais rien ne bougeait aussi vite qu'il l'avait espéré. Il croyait pouvoir s'embarquer pour Londres à la fin d'octobre pour y rencontrer Tupper. Mais il dût remettre la date de son départ.

Il fallait, parmi bien d'autres considérations, aplanir les difficultés concernant le statut de l'embranchement Pembina. Stephen exigeait le monopole et, à la mi-octobre, il fit savoir clairement qu'il était prêt à annuler le contrat s'il ne l'obtenait pas. C'est à la Pembina qu'il revenait de subventionner la ligne isolée qui traversait le désert précambrien. Macdonald hésitait. Il y voyait des désavantages politiques, mais il était pris entre deux feux. Le chemin de fer devait être entièrement canadien ; pour qu'il le fut, il lui fallait nécessairement céder aux pressions de cet importun de Stephen qui craignait « cet étranglement aux mains de nos rivaux de Chicago qui nous prend au-dessus de la tête ».

Stephen n'avait jamais parlé aussi brutalement dans le passé et peut-être Macdonald était-il le seul à savoir la vérité des conditions du marché qu'il proposait. C'était là le principe même de la « clause de monopole » incluse dans le contrat du CPR, cette clause qui allait monter l'Ouest contre l'Est et contre le projet du chemin de fer et qui allait semer l'amertume pendant plus de dix ans jusqu'au jour où elle serait volontairement révoquée. Les Manitobains se trouvaient empêchés de construire leurs propres lignes de chemin de fer. Ils en firent une cause célèbre. Toute la province était au courant et cela explique sa longue désaffection vis-à-vis Ottawa et vis-à-vis le chemin de fer lui-même. Cette fameuse clause hantait Macdonald — et elle hantait le pays. Mais il n'y pouvait rien.

3

Le contrat fut enfin signé le 21 octobre et chacun se mit en position de combat pour ce qui allait être la plus grande bataille parlementaire depuis le scandale du Pacifique. Le Parlement avait sous les yeux le document canadien le plus important depuis l'Acte de l'Amérique-britannique-du-nord et l'un des plus importants de tous les temps ; car c'était là l'instrument qui devait permettre au pays de sortir de sa prison des terres basses du Saint-Laurent. Il confirmait l'association traditionnelle entre le secteur public et le secteur privé ; cette association qu'on verra réapparaître souvent au Canada, chaque fois qu'il sera question de transports et de communications. C'est la géographie du pays qui obligeait le Gouvernement à s'ingérer dans le domaine des transports — seul ou en compagnie de l'industrie privée, sous une forme ou sous une autre.

Les systèmes de télégraphes et de communications, les futurs chemins de fer transcontinentaux, les lignes aériennes et les pipe-lines, les réseaux de radiodiffusion et les satellites de communications — tous ces dispositifs qui relient entre elles les différentes parties du pays — constituent de parfaits exemples de la vague association qui a toujours existé au Canada entre le monde des affaires et le monde de la politique. Tout comme le CPR à ses débuts, ils ne sont pas la résultante d'une vraie philosophie politique et sociale mais simplement la solution pratique à des problèmes canadiens.

Outre les subventions très importantes de 25 millions de dollars et de 25 millions d'acres de terrain, le contrat, établi par le même J.J.C. Abbott qui avait autrefois été l'avocat de Sir Hugh Allan, contenait également les principales clauses suivantes :

Le Gouvernement donnera à la compagnie, après l'achèvement des travaux, toutes les voies construites à même l'argent des contribuables.

Le Gouvernement renoncera à imposer les importations de matériaux destinés à la construction du chemin de fer, des rails d'acier aux câbles télégraphiques.

L'octroi des terrains se divisera en sections consécutives de 640 acres chacune dans une bande de terrain de 48 milles de largeur s'étendant le long de la voie, de Winnipeg aux Rocheuses. Mais la compagnie pourra rejeter tous les terrains « peu propices à la colonisation ». La compagnie pourra mettre sur le marché des obligations hypothécaires d'une valeur de vingt-cinq millions de dollars, garanties par l'octroi des terrains. Elle devra déposer en garantie, auprès du Gouvernement, un-cinquième de ces obligations mais elle pourra vendre le reste, à mesure que la construction lui en assurera la propriété, à raison de un dollar l'acre.

Les terrains seront exempts d'impôts pendant vingt ans ou jusqu'à ce qu'ils soient vendus. Les gares, les terrains environnants, les ateliers, les immeubles, les cours de triage, etc., seront exemptés à jamais et la compagnie recevra gratuitement les terrains pour les y construire.

Pendant vingt ans il serait interdit de construire aucune autre voie ferrée au sud de celle du CPR et à moins de quinze milles de la frontière américaine.

En retour, la compagnie promet de terminer la construction du chemin de fer en moins de dix ans et par la suite de l'exploiter avec « rentabilité ». Cette expression était lourde de signification puisqu'elle relevait le CPR de toute responsabilité future concernant les aspects déficitaires de ses opérations — le service aux passagers, par exemple.

Le journal *Ottawa Free Press* fit un calcul qui démontrait que le Syndicat recevait un cadeau équivalant à $261,500,000 en argent comptant. L'estimation personnelle de Stephen arrivait à un chiffre beaucoup plus bas mais il négligeait d'y inclure les exemptions d'impôts, les importations dédouanées et les octrois de terrains pour la construction des immeubles de la compagnie. Il calcula que la valeur totale des 710 milles de voies construites pour le compte du Gouvernement s'élevait à trente-deux millions de dollars et le coût des travaux effectués par la compagnie à quarante-cinq millions de dollars. Le Syndicat avait déjà en main trente millions de dollars, subvention incluse, et pouvait facilement trouver quinze millions supplémentaires à même ses propres ressources. Mais c'était là une estimation exagérément optimiste, comme les événements allaient le prouver.

La presse attaqua sur plusieurs fronts à la fois. Même des journaux de l'Ouest aussi fidèles dans leurs convictions que le *Winnipeg Times* trouvaient la clause de monopole difficile à avaler, tout particulièrement à la lumière de l'expérience des tarifs exorbitants que pratiquait la Kittson Line. Dans l'Est, la presse d'opposition attaqua durement la clause de monopole de même que la proposition concernant le dédouanage des matériaux de construction ; n'était-il pas vrai, après tout, que c'est la promesse d'un protectionnisme accru qui avait assuré la victoire de Macdonald ? La presse ne croyait pas non plus que le Syndicat commencerait vraiment la construction de la section du Lac Supérieur. Mais les journaux s'acharnaient surtout à dénoncer l'influence des Américains dans le « Syndicat de Saint-Paul », comme l'appelaient ses adversaires

Macdonald ouvrit les yeux à la lecture de ces éditoriaux. Près de dix ans auparavant, il s'était vanté d'avoir résisté de tout son être aux tentatives d'infiltration des Américains dans le Syndicat des chemins de fer d'Allan. Mais il avait l'air maintenant de les accueillir à bras ouverts et en plus grand nombre qu'auparavant.

Deux ans auparavant, il avait dit de Smith qu'il était le plus grand menteur du monde. Et maintenant il remettait aux plus proches amis de l'ex-commerçant de fourrures — et à Smith également — une énorme tranche du pays. Deux ans auparavant, il s'était présenté devant les électeurs en leur promettant de protéger les manufacturiers autochtones. Maintenant il ouvrait au Syndicat le marché canadien.

Ces appréhensions ne faisaient que refléter les doutes et, en certains cas, le véritable traumatisme des partisans de Macdonald.

Certains affirmaient que ce contrat mènerait le pays à la ruine. Les obligations étaient en nombre si considérable que le crédit du Canada s'en verrait ruiné. D'autres encore y voyaient la ruine du parti lui-même ; sans doute le pays, pris d'angoisse, se tournerait-il contre les Tories.

De nouveaux griefs faisaient leur apparition. On disait qu'il s'agissait d'un Syndicat américain dont les membres étaient Yankees ou annexionnistes. On disait encore qu'il s'agissait d'un Syndicat montréalais qui ne comptait pas un seul membre de Toronto ou d'Ontario. Les députés du Manitoba, pour leur part, s'élevaient avec colère contre la clause de monopole. Les députés de Victoria s'inquiétaient qu'on ne mentionnât pas le chemin de fer de l'Ile. Quand la session s'ouvrit à Ottawa, le *Free Press* fit la prédiction suivante : « Sir John Macdonald ne pourra pas faire adopter la loi du Pacifique Canadien... »

Déjà certains journaux titraient : « L'escroquerie du Pacifique » ou encore « Le scandale du Pacifique ». Tout cela démontrait que le grand débat canadien, qui faisait rage depuis 1871, allait bientôt atteindre son point culminant. Le pays était-il prêt à appuyer ce grand projet d'envergure vraiment nationale ? La nation aspirait-elle vraiment à trouver son unité grâce à ces coûteux rails d'acier ? Le prix n'était-il pas trop fort ? Le marché était-il avantageux ? Le pays pouvait-il se le payer ? N'était-ce pas simplement une autre affaire de tripotage (comme le prétendaient les Grits) ou n'était-ce pas au contraire un magnifique outil pour assurer la croissance du pays (comme les Tories le proclamaient) ? Ceux qui s'opposaient au projet du grand chemin de fer pourront-ils faire durer le débat assez longtemps pour rallier l'opinion publique, comme ils l'avaient fait en 1873, et forcer le Gouvernement à reculer ? Les partisans de Macdonald appuieront-ils le projet ou tomberont-ils encore l'un après l'autre comme des feuilles mortes ? Ils étaient tous en position de combat. A l'approche de la session, Macdonald croyait avoir de bonnes chances de l'emporter. Mais, contrairement à Stephen, optimiste et impétueux, il savait que la bataille serait longue et difficile.

Macdonald avait décidé de faire débuter la session deux mois plus tôt que prévu. Il voulait régler l'affaire du contrat avant la saison de la construction. C'est sans doute pourquoi, le 9 décembre

1880, la session ne s'ouvrit pas avec toute la pompe coutumière. Lord Lorne arriva un peu plus tôt que prévu mais Macdonald n'était pas là pour l'accueillir ; fidèle aux conseils de son médecin il était resté à la Chambre des Communes, ménageant ses forces pour l'épreuve qui approchait.

Son Excellence, durant le discours du Trône, expliqua ainsi cette « session supplémentaire ». « Les entrepreneurs ne peuvent pas commencer les travaux et aucun arrangement permanent concernant l'organisation systématique de l'émigration d'Europe vers les Territoires du Nord-Ouest n'est possible tant que le Parlement n'a pas adopté une politique relative à la construction du chemin de fer ».

4

Le Premier ministre était malade. Mackenzie l'était aussi : il avait l'air d'un malheureux fantôme écrasé par l'ombre massive de Edward Blake qui l'avait virtuellement remplacé à la tête du Parti Libéral. Blake trouvait outrageant ce contrat. Il en faisait un scandale national et il avait bien l'intention de s'en servir pour déloger le Gouvernement, comme il l'avait fait sept ans auparavant. Il était convaincu de tenir là un scandale politique aussi explosif que le scandale du Pacifique. Il entendait pallier le peu de pouvoir qu'il commandait au Parlement par la colère de l'opinion publique qui ne manquerait pas de se manifester devant l'ampleur de ce cadeau offert à des capitalistes indépendants.

L'Opposition avait adopté comme tactique le discours ininterrompu. Il fallait parler à toutes les étapes du débat, proposer des amendements à tous les articles, diviser la Chambre chaque fois que l'occasion se présentait, montrer au peuple que les défenseurs de la nation étaient à l'oeuvre, inonder le pays de tracts, l'engloutir sous un flot de paroles, le soulever dans les assemblées publiques et dénoncer Macdonald qui voulait piétiner les prérogatives parlementaires en se servant de sa majorité écrasante. Blake croyait que l'histoire se répétait : il était convaincu de pouvoir provoquer une élection et de porter toute l'affaire du contrat devant le peuple. S'il y arrivait, il était sûr de gagner.

Macdonald avait la majorité ; mais pourrait-il la conserver ? Il savait qu'il serait difficile de maintenir l'unanimité du parti. Il savait en outre que le débat serait épuisant. Stephen, qui était déjà convaincu que ce qui était bon pour le CPR était également bon pour le pays imaginait, dans sa naïveté, que l'affaire serait conclue avant Noël. Macdonald n'était pas si confiant. Stephen écrivait : « L'Opposition ne voudra certainement pas adopter une conduite qui nous ferait du tort dans le pays ». Mais toute la stratégie des Libéraux consistait justement à sauver le pays des griffes de Stephen.

Le débat, commencé au début de décembre et poursuivi jusqu'à la fin de janvier, fut l'un des plus longs de toute l'histoire du Parlement canadien.

Pendant ces deux mois, la Chambre des Communes fut littéralement submergée sous plus de un million de mots, tous concernant le contrat du CPR — plus de mots, en vérité, qu'on peut en trouver dans l'Ancien et le Nouveau Testament réunis. Le débat laissa libre cours aux injures personnelles. C'était une occasion rêvée et tous le sentaient bien. Tupper en parla comme de « la question la plus importante jamais soumise à l'attention de ce Parlement », et les orateurs, tour à tour, des deux côtés de la Chambre, tapaient sur le même clou. Ils avaient tous compris qu'une fois le contrat accordé, ce petit Canada comprimé, qu'ils avaient connu, ne serait plus jamais le même. Certains croyaient que le pays en sortirait appauvri et ruiné ; d'autres croyaient assister à la création d'un nouveau pays florissant. Tous savaient que le pays était arrivé à un point tournant de son histoire.

Pendant ce temps, Macdonald se devait de faire face aux appréhensions de ses partisans. Il confia cette tâche à Tupper. Les députés du parti se réunirent samedi, le 11 décembre, dans la salle consacrée au comité d'étude sur le chemin de fer. Tupper les laissa parler et ils parlèrent toute la journée. Puis il prononça un solide discours qui les rallia tous. Son plaidoyer le plus convaincant était de nature politique : la construction du chemin de fer rejaillira sur le parti avec tant d'éclat qu'il sera proprement invincible lors des prochaines élections. A la fin, ils lui accordèrent un vote de confiance unanime.

Le mardi 14 décembre, Tupper présenta à la Chambre les propositions concernant les subsides et la subvention foncière. Il se lança dans un discours épuisant qui dura près de six heures et qu'il termina dans un élan passionné :

« Si je n'ai rien d'autre à laisser à mes enfants, au moins leur laisserai-je en héritage ma participation active à cette grande aventure qui permettra au Canada de devenir, dans un avenir rapproché, un grand et puissant pays. »

Le lendemain ce fut le tour de Blake. Son discours était presque aussi long que celui de Tupper — en vérité pendant ce grand débat, un discours de moins de deux heures était court. Au début, les loges et la Chambre étaient remplies mais elles se vidèrent lentement pendant le discours de Blake, débité de façon monotone, comme d'habitude. Macdonald était retenu chez lui par la maladie. Mackenzie, dont les propres maux allaient bientôt le clouer au lit, avait l'air à moitié endormi. C'était un discours très élaboré par lequel Blake tentait de démontrer que le contrat serait « désastreux pour l'avenir de ce pays » — mais il était un peu trop élaboré.

Dans son discours, Blake avait laissé planer de noirs soupçons de corruption. Quand Richard Cartwright se leva, il mit ces soupçons en lumière en déformant les dernières paroles de Tupper. Il parla de Tupper dans ces termes : « Si je comprends bien, sa qualité de négociateur permanent dans cette affaire lui permettrait de laisser à ses enfants un héritage substantiel. »

Tupper sauta sur ses pieds ; il n'avait jamais insinué pareille chose, hurla-t-il. Cartwright retira sa remarque : s'il ne s'agissait que d'un héritage de gloire et non d'un héritage en pièces sonnantes, il s'excusait de son erreur et s'en excusait également auprès des enfants, dit-il.

Le discours de Cartwright ne fit rien pour aider la cause de son parti. Le *Daily Witness* de Montréal, un journal gris, le trouva « choquant aussi bien par le ton que par le sujet ». Après cela les Communes se calmèrent et les discours se firent plus modérés.

Le débat commença le 14 décembre et le 21 l'Opposition commença de manifester son impatience : elle voulait ajourner les travaux avant Noël. Elle voulait gagner du temps, porter la cause devant le peuple dans des assemblées publiques et organiser la signature de pétitions. Mais Macdonald ne voyait pas la chose du même oeil. La Chambre n'ajourna pas ses travaux avant le 23 décembre. Elle devait se réunir à nouveau le 5 janvier. Blake n'avait donc plus que deux semaines pour ameuter la population. Après l'ajournement, les députés conservateurs tinrent immédiatement une autre réunion. Les partisans de Macdonald étaient fort ébranlés. Ils tentèrent encore une fois de persuader le Premier ministre de modifier les conditions du contrat.

On donna lecture des propositions faites par les Tories du Manitoba de même que par la législature manitobaine. Elles exigeaient d'amender la clause de monopole. Macdonald savait que cela était impossible. Plusieurs éminents députés se levèrent pour proposer l'annulation de l'exemption de taxes promise, pendant que d'autres se moquèrent de l'idée de construire une voie ferrée à travers les rochers du Lac Supérieur. La délégation québécoise offrit de voter en faveur du contrat si le Gouvernement du Dominion promettait d'acheter cet éléphant blanc, propriété de la province, le Q.M.O. & O. Railway, qui desservait la rive nord du Saint-Laurent.

Il appartint encore à Tupper, dans un discours de trois heures qu'il fit aux dissidents, de les tenir temporairement en ligne.

Pendant ce temps, l'Opposition se déchaînait à travers tout le pays. Le discours de Blake au Parlement avait été publié. Les Libéraux en inondèrent le pays. Les Conservateurs contre-attaquèrent par un déluge de tracts reproduisant le discours de Tupper. Noël ou pas, tous les députés libéraux avaient reçu l'ordre d'organiser une série d'assemblées publiques, d'attaquer le Syndicat et le contrat, et de faire adopter de force une série de résolutions qu'ils devaient faire parvenir à Ottawa. Les pétitions brodaient toutes sur le même thème. C'est ainsi que des centaines de milliers de signatures s'abattront bientôt sur la capitale comme une tempête.

Les réunions étaient longues ; on y assistait nombreux et elles étaient parfois remplies de surprises. Dans East York, une réunion commença à quatorze heures et se termina à vingt et une heures. Le président libéral tenta de l'ajourner pour le dîner mais les fermiers insistèrent pour connaître les deux côtés de la médaille et acceptèrent de sauter leur repas du soir pour continuer la discussion. Les orateurs libéraux se retirèrent. Sur ce, les fermiers élirent un nouveau président, geste qui ramena les Grits en vitesse. Ils n'eurent pas le temps de goûter leur repas.

Edward Blake était l'orateur le plus en demande. Tupper offrit donc d'assister à ses assemblées à condition de disposer de la moitié du temps de parole. Blake refusa. Tupper désigna alors un homme pour assister à tous les meetings de Blake et y annoncer que lui, Tupper, répondrait à Blake, point par point, le soir suivant. Un politicien nous décrit alors le spectacle dramatique de Blake, courant de ville en ville « poursuivi par l'honorable ministre des Chemins de fer, tel l'ange de la vengeance ».

A cette époque où ni la télévision ni la radio n'existaient, ce spectacle des Fêtes était très excitant et la foule s'écrasait aussi bien aux meetings de Blake qu'à ceux de Tupper.

Après le discours du leader des Grits, on soumit la proposition habituelle pour renvoyer l'affaire du contrat devant le peuple. Lors de l'une de ces réunions, le président s'apprêtait à demander le vote, quand deux Tories se levèrent d'un bond et proposèrent un amendement : puisque Tupper devait parler après Blake dans le même hall, on devrait attendre, pour prendre le vote, d'avoir entendu les deux versions.

Le président tenta de faire voter la proposition mais la foule exigeait de voter l'amendement. Un « chaos indescriptible » s'ensuivit, pendant que le président décidait que la proposition était acceptée. Les meetings de Tupper suivirent et les mêmes scènes d'anarchie s'y répétèrent. Tupper sentit pourtant qu'il avait, ce jour-là, gagné la partie.

Mais il devenait de plus en plus évident que la grande vague de réprobation publique que Blake avait espérée ne s'amorçait pas. Malgré leurs nombreuses inquiétudes, les citoyens voulaient manifestement voir la question du chemin de fer réglée. Ils en entendaient déjà parler depuis dix ans. En 1871, c'était encore une idée neuve et un peu effrayante. Dix ans plus tard ils l'acceptaient comme une probabilité.

Le scandale ne les dégoûtait pas. S'il y avait scandale, ils voulaient des preuves. Il n'y en avait pas. Le Syndicat était controversé bien sûr mais il était évident qu'il était animé de ce genre d'audace qui, après dix ans de tergiversations, ressemblait à une bouffée d'air frais. 266 pétitions arrivèrent enfin à Ottawa. Elles portaient 29,913 signatures ; on était loin de l'avalanche que Blake et ses partisans avaient souhaitée. De plus, un certain nombre de ces signatures étaient plutôt suspectes : elles semblaient écrites de la même main.

« De façon générale, écrivit le *Bystander,* les tentatives des chefs de l'Opposition pour ameuter les citoyens ne connurent pas beaucoup de succès... »

Mais Blake n'avait pas l'intention de lâcher. Il lui restait encore un mois de bataille et une carte maîtresse à jouer.

Au tout début de janvier, à la reprise de la session, une rumeur persistante parlait de la préparation d'une « grosse affaire » : on s'apprêtait à contester de façon dramatique le Syndicat, le contrat et le Gouvernement lui-même.

Le vendredi 7 janvier, Macdonald, malgré les protestations de l'Opposition, décida que le débat sur le contrat aurait préséance sur tout le reste : « Je crois que les tergiversations pourraient retarder considérablement la colonisation du Nord-Ouest ». Mais les retards s'accumulaient. Ce jour-là la Chambre siégea passé minuit, mais les discours étaient si longs que seuls cinq députés réussirent à s'exprimer. Lundi, la Chambre siégea jusqu'à trois heures le lendemain matin, mais il n'y eut que quatre discours. George Ross mit quatre heures quarante-cinq minutes à prononcer le sien. Plusieurs années plus tard, il admettait dans ses mémoires qu'il avait fait un discours « d'une longueur impardonnable ».

Macdonald imaginait assez bien ce que ses adversaires avaient dans l'idée, mais les difficultés qui lui venaient de ses partisans le troublaient davantage. Une nouvelle en provenance de Halifax lui indiquait que plusieurs leaders tories mettaient en doute la pertinence de la politique gouvernementale. Le Premier ministre du Québec était également en ville et il tentait de vendre le vote de ses partisans fédéraux contre un prix d'achat fantaisiste pour le chemin de fer, propriété de Québécois. Macdonald dut s'en défaire en utilisant toutes sortes de faux-fuyants. Les députés du Manitoba lui signifièrent qu'ils n'appuieraient pas le projet de loi à moins qu'il ne soit modifié ; Macdonald refusa de céder. Il avait soixante-sept ans et il était très malade ; les journaux d'opposition insinuaient ironiquement qu'il était encore saoûl ; mais certains de ses amis craignaient qu'il ne soit atteint de cancer. Mais, malade ou pas, il entendait rester ferme. Il refusait tout compromis. Il voulait un vote de confiance. Que ses partisans le trahissent, soit ! Mais ils le faisaient à leur propre péril. Si le projet de loi n'était pas adopté, il offrirait sa démission.

Dans la nuit du 11 janvier, quand le comité eut finalement terminé l'étude de la proposition, les whips du Gouvernement se mirent au travail. A une heure trente du matin les partisans de Macdonald s'engouffrèrent dans la Chambre, occupant tous les sièges ministériels.

L'Opposition, rapportait le *Mail,* fut étonnée de cette « démonstration soudaine de force ».

Le 12 janvier, Mackenzie était souffrant. Il n'avait pas pu assister à la première partie de la session. Il fit son premier discours lors de la présentation du projet en première lecture. Il mentionna « des sources publiques qui affirment que des hommes en vue, partisans aussi bien d'un parti que de l'autre, se préparent à présenter au Gouvernement des propositions beaucoup plus intéressantes que celles dont il dispose actuellement ». L'Opposition jouait là sa dernière carte — fonder un syndicat rival, qui pourrait faire au Gouvernement une bien meilleure proposition, exempte de toutes les clauses contestées du contrat original et ce, à bien meilleur prix. Le jeu semblait valoir la chandelle.

Au moment même où Mackenzie faisait son discours, le nouveau syndicat se réunissait à Toronto, dans le but de formuler une offre et de l'envoyer de toute urgence à Ottawa. Sir William Howland, autrefois Lieutenant gouverneur d'Ontario et Libéral éminent, en était le président-directeur général. Le nouveau syndicat se disait prêt à ne demander que 22 millions d'acres de terrain et 22 millions de dollars comptant. Ils rejetèrent la clause de monopole. Ils n'exigeaient aucune exemption douanière sur les matériaux. Ils étaient prêts également à laisser tomber les exemptions d'impôts sur les terrains et les propriétés de la compagnie. Pour ce qui était de la construction proprement dite, ils se montraient également accommodants. Ils étaient prêts à construire aussi bien la section du Lac Supérieur que la section des montagnes et ils étaient prêts à relever le Gouvernement de toute responsabilité dans la construction de la difficile section de la Rivière Fraser. Ils consentaient également à construire une ligne qui se rendrait jusqu'au Sault Sainte-Marie pour y faire la correspondance avec le réseau américain, en retour d'une prime de douze mille dollars du mille.

C'était là la tactique de l'Opposition : dépeindre le nouveau syndicat comme apolitique et strictement commercial, et convaincre le pays que les clauses du contrat qu'on trouvait difficiles à avaler n'étaient pas vraiment nécessaires.

Macdonald, quoique fort affaibli, savait pourtant ce qu'il avait à faire. Le nouveau syndicat faisait son effet. Il avait remonté le moral de l'Opposition et ses partisans, aussi bien à la Chambre qu'au Sénat, recommançait à grommeler. Il n'avait pas jusqu'ici participé très activement au débat et il avait laissé à Tupper le soin de calmer ses partisans. Il comprit qu'il lui fallait tuer dans l'oeuf le nouveau syndicat, l'écraser si bien que personne n'oserait plus jamais en parler.

Lundi, le 17 janvier, il se leva pour parler, immédiatement après que Tupper eût déposé devant la Chambre la nouvelle proposition. Il savait que Blake parlerait le lendemain et qu'il prononcerait l'un de ses fameux discours remplis de conviction pour lesquels on le connaissait bien et qu'il préparait déjà méticuleusement, selon son habitude.

On avait l'impression étrange d'assister à une répétition d'événements antérieurs : la même Chambre et les mêmes adversaires qu'en 1873, les mêmes accusations de scandale, de corruption, de dictature, de même sentiment de vieillesse et d'infirmité, et évidemment le même sujet : le chemin de fer. D'une certaine façon il se retrouvait à son point de départ, continuant la bataille du contrat qu'il avait engagée huit ans plus tôt. Mais non, ce n'était plus tout à fait la même chose : cette fois, Macdonald n'avait pas d'excuses à donner.

On dut l'aider à se lever, mais ses mots frappaient dur : le chemin de fer *sera* construit. « Nonobstant les ruses de l'Opposition et l'arrangement boiteux que ses représentants ont inventé, le chemin de fer sera construit et les travaux vont s'engager vigoureusement, et se poursuivront sans relâche et systématiquement. Ils seront couronnés de succès — les abverbes frappaient comme une massue — jusqu'au parachèvement de la voie. Il aura une grande influence sur le statut de Dominion du Canada. »

Le moment était maintenant venu de saboter cet « arrangement boiteux » : la nouvelle proposition. Sept des signataires du document, fit-il remarquer, sont d'anciens Libéraux déçus ou battus dans des élections complémentaires. « Aucun électeur, si simple d'esprit soit-il, ne peut y voir autre chose qu'un truc politique... »

Il fit une courte pause. « Je dois parler en position de faiblesse, dit-il, car je ne suis pas bien. Mais je serai clair. »

Il recouvra ses forces et continua : il y avait une attrape dans la nouvelle proposition de contrat, c'était la clause facultative qui permettait de croire que le nouveau syndicat n'avait l'intention de construire que les sections les moins difficiles. Macdonald démontra que la première clause laissait tomber la section du Lac Supérieur, la seconde prévoyait une voie ferrée vers Sault Sainte-Marie et les

Etats-Unis, la troisième voulait que le Gouvernement abandonnât la section de Colombie Britannique et la quatrième laissait tomber toute construction à l'ouest des Rocheuses.

En conséquence, le projet n'était rien d'autre que « l'offre insolente de construire la section des Prairies et de le faire grâce à l'aide d'amis politiques ». La correspondance par le Sault Sainte-Marie avec le chemin de fer américain contribuerait « à la ruine de la grande politique qui permit de créer le Dominion du Canada, la ruine de tous nos espoirs de devenir une grande nation... »

« Ils ne seraient aucunement obligés de mettre en service les lignes non rentables. Le Canada pourrait bien appeler ces correspondances de tous ses voeux... mais les citoyens... verraient que les colonies sont coupées lentement les unes des autres ; et nous rede-viendrons ce que nous avons déjà été, un fagot ficelé. Impuissants, désemparés et sans but, nous retomberions alors dans les griffes de la république voisine. »

Puis il défendit ensuite la clause de monopole ; et c'est là qu'apparue toute sa méfiance passionnée à l'égard du colosse américain. Le Rhin, dit-il, connut une fin misérable et malheureuse, « quand il s'engloutît dans les sables aux approches de la mer ; le CPR connaîtra le même sort si nous permettons à des lignes auxiliaires de le saigner à blanc, tout en augmentant la richesse étrangère et en augmentant les revenus étrangers par le transfer de notre commerce ; si bien qu'avant d'arriver aux terminus d'Ontario et de Montréal, il sera si malmené qu'il en mourra presque d'inanition ».

Quelles chances, demanda Macdonald, pourrait bien avoir un pays naissant de quatre millions d'habitants contre toute la gent capitaliste américaine ? « Le chemin de fer rapetissera, rapetissera, et rapetissera jusqu'au jour où il deviendra pour ce groupe une proie facile. Nous ne pouvons nous permettre de courir pareil risque. »

Il avait presque terminé son discours mais il voulait encore une fois faire voir, dans des mots aussi clairs que possible, sa vision du chemin de fer et sa vision de la nation. Il voulait, dit-il, un arrangement « qui donnera satisfaction à toutes les aspirations honnêtes et légitimes, qui nous donnera un grand Canada uni, riche et progressiste, promis au développement, au lieu de nous faire tributaires de la servitude américaine, des prélèvements américains, des transports américains et de tous les petits et grands trucs qu'emploient les Américains pour détruire notre propre chemin de fer ».

Il avait parlé pendant deux heures et demie et il avait fait comprendre son point de vue. Le Canadian Illustrated News, moins partisan que la presse quotidienne, rapporta que sa critique du nouveau syndicat « était si solide qu'il l'a, pour ainsi dire, tué dans l'oeuf, même aux yeux des membres de l'Opposition ».

Le lendemain, les Communes se remirent au travail. C'était le moment que Blake attendait.

Il s'était senti mal à son aise pendant tout le débat. Les orateurs du Gouvernement, qui connaissaient bien sa sensibilité peu ordinaire, l'avaient taquiné sans arrêt. Quand on l'attaquait ainsi, il était incapable de fixer son adversaire. Il prenait alors un livre et faisait semblant de lire. La veille, Macdonald l'avait mis au défi de dire qu'il pouvait approuver, si on s'en rapportait à ses déclarations précédentes, certains des aspects essentiels de la nouvelle offre. Il ne pouvait pas relever ce défi mais maintenant, en cet après-midi du 18 janvier, il était prêt à prononcer un autre de ses discours de cinq heures, rempli de faits et de chiffres, pour prouver que le contrat serait un désastre et pour prouver que la conception même du CPR était, comme il l'avait toujours pensé, insensée.

A ce stade du débat, tous connaissaient ses arguments. Ils n'avaient pas beaucoup changé depuis 1871. Mais ils étaient souvent efficaces. Blake, par exemple, mit la hache dans les chiffres de Macdonald ; ces chiffres indiquaient les sommes d'argent que le Gouvernement s'attendait à obtenir de la vente de terrains dans les prairies. Ils avaient changé d'année en année.

Blake était convaincant sur presque tous les points. L'idée même du chemin de fer *était* insensée, tant qu'on s'attachait au concept d'un continent uni ; *c'était* pure folie que de tenter de le pousser à travers cette mer de montagnes et ces déserts de roc précambriens. Contrairement à ce que le Gouvernement pouvait affirmer, l'immigration serait plus lente que prévue ; l'avenir allait d'ailleurs lui donner raison sur ce point. La vente des terrains ne paierait pas le coût de la construction. Il serait plus facile et moins coûteux pour tout le monde, au moins dans un avenir rapproché, de se rendre dans l'Ouest en passant par les Etats-Unis. Blake avait sûrement la logique de son côté.

Le raisonnement de Macdonald reposait essentiellement sur un facteur émotif : il n'y avait qu'une façon pour le Canada de conserver la Colombie Britannique — et les territoires qui la séparaient du reste du pays — c'était de construire le chemin de fer ; il ne cessa jamais de taper sur ce clou. La Colombie Britannique n'était nullement disposée à attendre, ou du moins c'est ce que laissaient entendre les Colombiens. Pendant ce temps, le Northern Pacific, réorganisé, s'élançait de nouveau vers l'ouest ; si on ne construisait pas une ligne parallèle de ce côté-ci de la frontière, c'est tout le commerce de l'Amérique-britannique-du-nord qui se verrait drainé par cette grande artère de communication.

Le discours de Blake constituait un modèle de logique. On se souvient qu'il avait déjà utilisé auparavant, pour amener la chute de Macdonald, sa force de conviction alliée à l'énumération de faits indéniables. Dans ce concours entre la logique et la passion, la logique l'emporterait-elle encore une fois ?

Blake, ce libéral du dix-neuvième siècle, se méfiait avec raison des « gros intérêts », critiquait la spéculation dans le monde des affaires et était libre-échangiste, du moins en théorie. Mais le climat de cette époque ne se prêtait pas très bien à ce genre d'idéalisme, tout particulièrement au Canada où le libre-échange pouvait amener la strangulation économique. Macdonald, en politicien pragmatique et en Conservateur buté, était bien de son époque — une époque qui voyait les entrepreneurs privés travailler la main dans la main avec les politiciens pour développer, exploiter ou consolider la nation (on pouvait utiliser n'importe lequel de ces verbes) à leur profit personnel, pour obtenir du pouvoir politique et (parfois tout simplement par hasard) dans l'intérêt national.

La moralité politique de ce temps et l'opinion publique majoritaire étant ce qu'elles étaient, l'association traditionnelle des Conservateurs avec le monde des affaires était probablement la seule façon de construire le pays rapidement. Selon Blake, qui était terre-à-terre et qui avait un esprit légaliste, Macdonald n'était qu'un farceur qui faisait des jeux de mots. Lui-même, à l'encontre du Premier ministre, ne s'était jamais adonné aux mots d'esprit, aux commérages ou aux déclarations passionnées. Macdonald, malgré son cynisme, était également optimiste et joueur. Blake, malgré son idéalisme, était pessimiste aussi bien par tempérament que par conviction. Il pouvait apercevoir les pièges dans le programme de Macdonald — et ils étaient réels. Lui-même connaissait bien la valeur de l'argent : il avait juré de gagner cent mille dollars avant d'entrer en politique, pour assurer sa sécurité personnelle et morale. Les folles extravagances de l'entreprise du chemin de fer l'horrifiaient. Mais Macdonald avait mis de côté toute sécurité personnelle et s'était lui-même mis en faillite pour entrer et demeurer en politique.

Blake était un idéaliste. Il prônait une philosophie politique solide, mais il avait peu d'imagination. Macdonald, pour sa part — homme politique pratique qui n'avait pour philosophie que l'efficacité — était doué d'une imagination féconde. Dans toute cette question des chemins de fer, c'est là que Blake s'enferra. Il n'arrivait pas à imaginer le nouveau Canada comme Macdonald le faisait, car à cette époque, dans les années soixante-dix, le Canada était beaucoup plus un produit de l'imagination qu'une véritable nation. Blake n'avait ni l'imagination ni l'audace (qu'il appelait témérité) pour s'aventurer dans la promotion de ce rêve.

Si Macdonald avait perdu son pari politique, Blake aurait sans doute joué le rôle de Cassandre. Il serait devenu chef de son pays — l'exemple parfait du Premier ministre sobre, sensible et économe. Mais ce n'est pas ce qui se produisit.

Ce spectacle épuisant tirait à sa fin mais pas tout à fait encore. Il fallut attendre jusqu'au 25 janvier pour apprendre que le Parlement allait bientôt clore le plus long débat de son histoire. Macdonald avait décidé de mettre la question aux voix même s'il lui fallait, pour ce faire, garder la Chambre en session toute la nuit.

Enfin, aux petites heures du matin, le temps vint de prendre le vote sur le premier amendement à la proposition présentée par le chef de l'Opposition. Cet amendement était caractéristique de la manière de Blake. On n'en avait jamais proposé de plus long jusqu'à ce jour. Imprimé dans le petit caractère habituel du Hansard, il y occupait plus de trois pages et demie et soulevait 53 objections différentes au projet.

La minute de vérité était enfin arrivée. Macdonald avait brutalement averti ses partisans que si la loi ne passait pas, le Gouvernement démissionnerait immédiatement et qu'ils seraient obligés de se présenter devant le peuple couverts de la honte d'une défaite parlementaire. La menace avait servi : le premier amendement fut défait par 140 voix contre 54. Ce matin-là, la Chambre ajourna un peu avant six heures.

Mais la bataille était loin d'être terminée. L'Opposition avait formulé 23 autres amendements et elle avait l'intention de les proposer tous. Le lendemain, les loges étaient désertes ; les vieux habitués dormaient. La Chambre se réunit à quinze heures et siégea jusqu'à vingt-trois heures. Cinq nouveaux amendements furent défaits.

Les longues nuits blanches et les escarmouches verbales éreintantes décimaient les rangs. Macdonald, Mackenzie, Tupper et Pope étaient tous gravement malades. Amor de Cosmos était malade. Keeler, député du Northumberland East était malade. Bannerman, député de South Renfrew, était malade. Les journaux rapportèrent que plusieurs députés avaient succombé à l'épuisement. Mais Macdonald les pressait sans relâche.

La maladie semblait être la condition permanente des leaders politiques de cette époque ; les lettres de Macdonald et celles de ses ministres du Cabinet sont pleines de questions sur la santé des uns et des autres, de rapports de médecins et de descriptions de leurs propres symptômes. La somme de travail était écrasante pour des leaders gouvernementaux comme Macdonald. Il était impossible alors de décrocher le téléphone pour expédier rapidement une affaire. On avait bien inventé une machine à écrire rudimentaire mais on l'utilisait rarement. Bien qu'il eût une secrétaire, Macdonald écrivait presque toute sa correspondance personnelle lui-même — des milliers et des milliers de lettres — de sa main paresseuse, de son écriture droite. Qu'il fut malade n'avait rien de surprenant ; ce qui l'était davantage c'est qu'il fut en vie. Il était capable de se reposer totalement après une session parlementaire harassante — il pouvait facilement repousser au plus profond de son esprit les événements fiévreux de la journée. L'une de ses méthodes consistait à dévorer des livres à bon marché, ces romans d'horreur à vous glacer le sang dans les veines qui constituaient la lecture du populo de l'époque.

Mais maintenant, malade et épuisé, il décida quand même de faire voter la loi en première lecture avant l'ajournement du lendemain, même si on devait y ajouter mille amendements.

Il tînt parole. La Chambre siégea de quinze heures à dix-huit heures, ajourna pour le dîner, puis reprit ses travaux pendant douze heures d'affilée ; les amendements se succédaient l'un après l'autre et ils étaient défaits l'un après l'autre. Une sorte de douce folie s'empara des Communes. L'amertume céda le pas à la joie et chaque proposition d'amendement provoquait des bravos des deux côtés de la Chambre. Dieu merci ! les discours étaient courts mais ils n'en étaient pas moins interrompus par des sifflets et des coups de poing

217

sur les pupitres. On se lançait des boules de papier et on posait des chapeaux sur la tête des députés assoupis. A l'aube, un choeur se forma pour chanter plaintivement « Home Sweet Home ».

Josiah Burr Plumb, qui passait pour le poète du Parti Conservateur, dirigea un groupe qui chantait « When John A. Comes Marching Home ». Le docteur Pierre Fortin, de Gaspé, fit de même avec les députés de langue française qui chantèrent la chanson traditionnelle des voyageurs : « En roulant ma boule roulant ». Le pimpant James Domville, de la circonscription de King au Nouveau-Brunswick, s'amena à six heures du matin après une partie qui avait duré toute la nuit et commença à proférer ce que le *Globe* appelait avec délicatesse « des interruptions inconvenantes ».

D'autres distractions suivirent. Pendant qu'un Canadien français parlait, on lui remit un faux télégramme ; il demanda à la Chambre la permission de le lire. Le texte en était évidemment impubliable. Auguste-Charles-Philippe-Robert Landry, un jeune gentleman farmer de Montmagny, imagina une plaisanterie originale. Il se mit de la poudre grise dans les cheveux et sur la moustache, mit une vieille paire de lunettes vertes, remonta le collet de son manteau et prit son siège. Le sergent-d'armes suppléant tenta de le jeter à la porte ; Landry refusa de s'en aller. Au moment du vote sur le dernier amendement, l'étrange personnage, gesticulant de façon ridicule, se leva parmi les cris et les rires. Le greffier ne reconnût pas Landry. Il hésita en rougissant, puis regarda de plus près plusieurs fois jusqu'à ce qu'il pût le reconnaître sous son déguisement.

Le dernier amendement fut enfin défait. Il fallait maintenant voter les deux propositions — la première concernant la subvention foncière et la deuxième concernant la subvention financière. En l'absence de Tupper c'est Macdonald qui présenta le loi du CPR basée sur ces deux propositions. Il refusa d'ajourner le débat avant la première lecture de la loi. Il était alors huit heures du matin.

La loi devait subir deux autres « lectures » avant d'être définitivement adoptée. Il fallait d'abord étudier le texte au complet, clause par clause. Cela risquait d'être long. Même le carnaval d'hiver costumé du Gouverneur général ne réussit pas à distraire Macdonald de son travail en Chambre. Ce soir-là, à minuit trente, pendant que Lord Lorne et ses invités costumés patinaient à la lumière des phares de deux locomotives sous des arches drapées, des guirlandes de sapin et des lanternes chinoises — « surplombant un spectacle de personnages grotesques et pleins de fantaisie » — la loi fut enfin endoptée en deuxième lecture.

Et le lendemain, 1er février, juste avant minuit, la loi fut votée en troisième lecture. Il restait une formalité à remplir : l'acceptation du Sénat. Mais la loi était désormais valide et le Canadian Pacific Railways devenait enfin réalité.

C'était la fin. Il y avait maintenant plus de dix ans, presque jour pour jour, qu'on avait entamé à la Chambre des Communes le débat sur le chemin de fer du Pacifique. Cette décennie avait été remplie de désespoir, de frustration et souvent d'humiliation pour plusieurs ; elle avait pourtant été enthousiasmantes. Macdonald souffrait de surmenage, de troubles d'estomac et de tension nerveuse, mais il triomphait. Le chemin de fer, qui l'avait jeté au plus creux du désespoir, le portait maintenant au faîte de la victoire. Il avait épuisé une bonne partie des hommes qui s'étaient mêlés à cette affaire. Mackenzie était un politicien fini. Blake avait pris sa retraite. Sir Hugh Allan n'avait pas survécu au scandale du Pacifique. Fleming avait été renvoyé en Angleterre. Moberly avait abandonné la profession. Marcus Smith s'agrippait encore mais il n'occupait plus qu'une fonction sans importance. Joseph Whitehead s'était retiré des affaires.

Le chemin de fer avait changé et confondu tous les destins. Bien au-delà de la Rivière Rouge, la prairie s'étendait, désolée sous son manteau de neige poudreuse ; pas un colon ne s'y était encore installé. Macdonald le savait : mais tout cela allait changer en moins de douze mois. Avant même la dissolution du Parlement, les plaines battues de vent verront surgir des villes sans nom et des gorges non encore cartographiées renverront l'écho du pic et de la hache.

En moins d'un an, on lèvera une armée de plus de douze mille hommes, prête à envahir le Nord-Ouest. D'autres suivront : dix mille hommes le long de la Fraser, douze mille pour s'attaquer aux crevasses de montagnes, quinze mille autres qui couvriront les flancs du Bouclier. Désormais, tout changera. Le petit Canada étriqué du temps de la Confédération était déjà dépassé ; c'était la naissance du nouveau Canada du chemin de fer. Pas un homme, pas une femme, pas un enfant ne manquera d'être profondément affecté, d'une façon ou d'une autre, par la décision difficile prise à Ottawa ce soir-là.

L'avenir ne s'annonçait pas facile et tous les murmures de consternation qui avaient rempli les corridors pendant les années soixante-dix reparaîtront dans les années quatre-vingt. Il fallait faire sauter le bouclier de granit du Canada pour frayer un message au chemin de fer. Il fallait affronter la barrière de montagnes et la casser. L'avenir était rempli de chagrin — de frustration, de douleur, de décisions difficiles et, comme toujours, de critiques acerbes.

Mais la grande aventure était lancée. Demain c'était demain, on verrait. Enfin le rêve devenait réalité. Encore quelques années et ce sera le triomphe.

ACHEVÉ D'IMPRIMER
EN DÉCEMBRE 1974
SUR LES PRESSES DE
PAYETTE & SIMMS INC.
À SAINT-LAMBERT, P.Q.

Imprimé au Canad